ハヤカワ文庫 FT
〈FT553〉

ロンドン警視庁特殊犯罪課 1

女王陛下の魔術師

ベン・アーロノヴィッチ
金子 司訳

早川書房
7172

RIVERS OF LONDON

by

Ben Aaronovitch

Translated by
Tsukasa Kaneko
First published by
VICTOR GOLLANCZ LTD, LONDON
First published 2013 in Japan by
HAYAKAWA PUBLISHING, INC.
This book is published in Japan by
arrangement with
VICTOR GOLLANCZ
an imprint of THE ORION PUBLISHING GROUP LTD
through THE ENGLISH AGENCY (JAPAN) LTD.

コリン・レイヴィーの思い出に。
たったひとつの世界に押し込めるには
あまりに大きすぎる人間も
いるものだから。

謝辞

まずはじめに、アンドルー・カートメルの支援すべてに感謝しないといけない。〝友のために最後の五ポンド札を差し出すこと以上に大きな愛はない〟ゆえに。だからといって、ジェイムズやもう一人のアンドルーの尽力をおとしめるわけではないし、マーク、ケイト、ジョンにも感謝したい。原稿を書き上げたそのあとでは、二人の洗礼者《ヨハネ》（またの名を〝ザ・マネージメント〟）、ゴランツ社のジョーとデル・レイ社のベッツィーにもお世話になった。最後に、コヴェント・ガーデンのウォーターストーンズ書店の新旧のスタッフみんなにもお礼をいいたい。わたしにつきあわされ、退屈のあまりあくびが出て、涙を流すはめになりかけたときでさえ協力してくれたことに。

二〇一〇年八月

コヴェント・ガーデンにて

ベン・アーロノヴィッチ

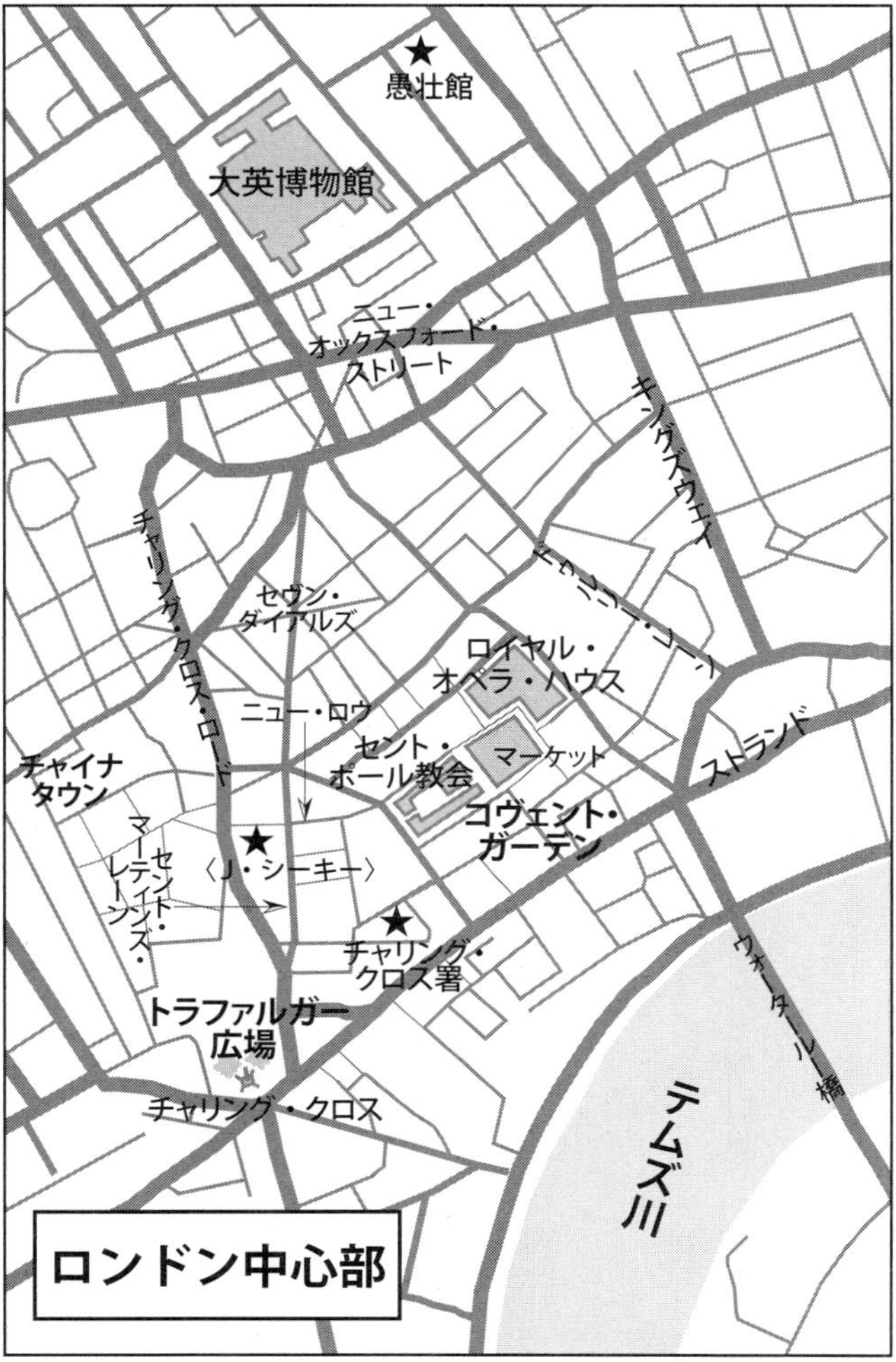

愚壮館
大英博物館
ニュー・
オックスフォード・
ストリート
キングズウェイ
チャリング・クロス・ロード
セヴン・
ダイアルズ
ロイヤル・
オペラ・ハウス
ニュー・ロウ
セント・
ポール教会
マーケット
チャイナ
タウン
ストランド
コヴェント・
ガーデン
セント・
マーティンズ・
レーン
〈J・シーキー〉
チャリング・
クロス署
トラファルガー
広場
チャリング・クロス
ウォータールー橋
テムズ川
ロンドン中心部

目次

しかし、おお！　彼らが何故《なぜ》その定めを知るはずがあろう？
哀しみの訪れが遅すぎることはなく
幸福はあまりにすばやく飛び去るがゆえに
思考は彼らの楽園を破壊しよう
いや、無知が至福であるところ
賢きことこそは愚行《フォリー》なり

——イートン・カレッジ遠望の頌歌《オード》
トマス・グレイ

女王陛下の魔術師

1 重要証人《マテリアル・ウイットネス》

それは一月の凍《こご》える火曜の午前一時半に、路上パフォーマーであり、彼自身の言葉を借りれば見習いのジゴロだというマーティン・ターナーが、コヴェント・ガーデンにあるセント・ポール教会の東玄関口《ポルティコ》の手前で死体に蹴《け》つまずいたことからはじまった。

マーティン自身もけっしてしらふだったわけではなく、はじめはその死体を、飲み騒ぐ連中がよくやるように、都合《つごう》のいい屋外トイレや宿泊所の代わりに広場《ピアッツァ》を選んだだけかと考えたらしい。根っからのロンドンっ子らしく、マーティンは死体を〝ロンドンふうにちらっと確認〟した――つまり、すばやく一瞥《いちべつ》して、これは飲んだくれか、頭のおかしい人間か、または困窮した人間なのか見きわめるために。その三つを同時に満たすこともまったく可能であるという事実のため、ロンドンでよきサマリア人としてふるまうのは究極《エクストリーム・スポーツ》の娯楽と同様にみなされる――高所からの飛び降りや《ベース・ジャンピング》、ワニと格闘するのと同じようなものだ。コートや靴が高級なのを見てとり、さては酔っぱらいかと判断しかけたそのとき、くだんの男には実際のところ頭部が欠けていることにマーティンは気がついた。

　捜査を担当した刑事たちに説明したとおり、マーティンが酔っていたのは運のよいことだった。そうでなかったら、悲鳴をあげたり、駆けずりまわって時間を無駄にしていたろう――とりわけ、自分が血だまりの中に立っていることに気づいたそのあとでは。

　そうする代わりに、マーティン・ターナーは酔っているさなかに仰天した者に特有の、のろのろとした入念な忍耐づよさを発揮して九九九番に通報し、警察を呼び出した。

　警察の緊急コールセンターが一番近いところにいた緊急対応車輛に連絡し、六分後には最初の警官たちが到着した。警官のうちの一人は急に酔いの醒《さ》めたマーティンのそばにとどまり、そのあいだにもう一人が確かに死体のあることと、頭がないほかは損傷のないことから、おそらく事故死ではあるまいと確認した。頭部は六メートルほどころがって、教会の玄関口の手前に並ぶ新古典派様式の円柱の裏側に落ちているのがみつかった。対応した警官は本部に報告し、そこから、この地区の殺人課の当直についていた、もっとも経験の浅い刑事が三十分後に到着した。刑事は〝首無し氏〟をひと目見て、上司を起こすことに決めた。

　これを受けて、ロンドン警視庁殺人課のものものしくて威厳のある大部隊が、教会の玄関口からマーケットの建物の並びのあいだに二十五メートルにわたって広がる石畳に殺到した。法医学者も駆けつけて被害者の死亡を確認し、死因の予備評価がなされたあとで、死体は検死のため運び去られた（頭部をおさめられるくらい大きな証拠品用の袋をみつけるために、しばしの遅延があった）。法医学班が大挙して押し寄せ、自分たちの重要性を誇示するため、立入禁止区域を広場の西側全域に拡張するよう求めた。規制範囲を広げるには現場にさらに多くの制服警官が必要になるため、事件の捜査主任となった主任警部《DCI》はチャリング・クロス署に連絡を入れ、予備人員の応援を求めた。勤務シフトの調整係は〝超勤手当〟という魔法の言葉を聞くなり、署内の独身寮に踏みこみ、寝ていた全員を温かなベッドから引きずり出した。

こうして立入禁止区域は拡張されて捜索がおこなわれ、若い刑事たちは謎めいた任務に駆り出され、午前五時を少しまわったころ、捜査はきしむ音をたてて止まり、ようやく一時中断された。死体はすでに搬送され、刑事は現場を離れていたし、法医学班も異口同音に、夜明けまではこれ以上何もできないと同意した――夜明けはまだ三時間後だった。そのときまでは、コーヒーのカップを手にした警官二人に勤務交替の時間がくるまで殺人現場を見張らせておくだけでいい。

このようにして、ぼくは朝六時の凍《い》てつく風が吹きつけるコヴェント・ガーデンで立ち番の見張りをするはめになり、このようなわけで幽霊と出くわすことになったのだった。

ときどき、コーヒーを取りにいったのがレスリー・メイではなくてぼくだったら、それ以降の人生はずっと味気ないものになり、間違いなくずっと危険の少ないものになったのではないかと思うこともある。ぼく以外の誰でもよかったのか、それともこれは運命だったのだろうか？　そのことを考えてみるときには、以前に父親がいった言葉が役に立った。

〝くそったれな何かが起こるなんて、どこの誰にわかるっていうんだ？〟

コヴェント・ガーデンというのはロンドンの中心部にある大きな広場のことで、東の端にはロイヤル・オペラ・ハウスが、真ん中には屋根つきのマーケットが、西の端にはセント・ポール教会がある。ここはかつてロンドンの主要な青果市場だったが、ぼくが生まれる十年前に市場はテムズ川の南側に移転していた。

この場所には長い年月のあいだにさまざまな歴史があって、そのほとんどは犯罪や売春や劇場と関係しているが、今では観光客のためのマーケットになっている。セント・ポール教会は有名な〝大聖堂〟のほうと区別するために〝俳優の教会《アクターズ・チャーチ》〟という名でも知られ、一六三八年にイニゴー・ジョーンズによって建立された。そういったことまでぼくが知っているのは、凍てつく風にさらされてぽつんと一人で立っていると、人は何か気をまぎらしてくれることを探すものだからで、教会のわきには、驚くほど詳細に情報を書きこんだ大きな表示板が掲げられていたからだ。たとえば一六六五年の疫病《ペスト》、ロンドンの大火で終焉《しゅうえん》したあの疫病の発生当時、記録に残るかぎり一番最初の犠牲者がこの墓地に埋葬されていることはご存じだろうか？　ぼくは知っている。風をよけるため、十分間ここで過ごしたそのあとでは。

殺人課は広場の西側に立入禁止のテープを張りわたし、キング・ストリートとヘンリエッタ・ストリート両方向からの進入路ならびに屋根つきマーケットの正面入口を封鎖していた。ぼくは教会側の警備に立ち、玄関口で風をよけ、同じく見習い期間中の女性警察官《WPC》レスリー・メイは広場側に立ち、マーケットの屋根の下に入って風をよけていた。

レスリーは背が低く、髪はブロンドで、防刃《ぼうじん》ベストを着ていてさえもありえないほど気どって生意気に見えた。ぼくらはロンドン郊外にあるヘンドンの警察学校でいっしょに基礎訓練を受けたあとで、見習い警官としてウェストミンスターに配属されていた。ぼくらはあくまで職業上のつきあいをたもってきたが、心の奥底ではぜひとも彼女の制服のズボンの奥にもぐりこみたいものだと願っていた。

ぼくらは見習い巡査だったから、ベテランの巡査《PC》がもう一人、ぼくらを監督するため現場に残っていた——この務めを、彼はセント・マーティンズ・コートにある終夜営業のカフェから熱心に遂行しているところだった。

ぼくの携帯電話が鳴った。防刃ベストやポケットつきのベルト、警棒、手錠、デジタル式の警察無線、そして不格好ながらもありがたいことに防水性のある反射素材ジャケットといった装備のあいだから携帯電話を取り出すのにしばらく手間どった。ようやく電話に出てみると、レスリーからだった。

「コーヒーを買ってこようと思うんだけど」彼女はいった。「あなたも飲む？」

屋根つきのマーケットのほうに目をやると、レスリーが手を振っているのが見えた。

「きみは命の恩人だよ」ぼくはそういって、彼女がジェイムズ・ストリートのほうに駆け去るのを見守った。

彼女がいなくなって一分もしないうちに、玄関口のそばで人影が目についた。スーツ姿の小柄な男で、すぐそばの円柱の陰に身を隠すようにして立っている。

かねてから指導されてきたとおり、ぼくはロンドン警視庁流に〝最初のあいさつ〟をした。

「おい！　そこで何をしてるんだ？」

人影は振り向き、驚いたような青白い顔がちらっとのぞいた。男は着古した時代遅れの上下そろいのスーツを着て、ベストのポケットには懐中時計をおさめ、そして頭には傷《いた》んだシルクハットというでたちだった。広場で演技《パフォーマンス》を許可されている路上パフォーマーかとも思ったが、それにしてはまだ時間が少し早すぎる。

「ちょいとこちらへ」と男がいって、手招きした。

ぼくは伸縮式の警棒の位置を確認しなおしたうえで相手に近づいていった。制服警官というのは、たとえ協力的な市民にであっても、威圧的に見せるようにできている。そのためにぼくらは大きなブーツを履いて、尖《とが》ったヘルメットをかぶっているわけだ。けれど、近づいていくうちに、相手の男は靴を履《は》いていても百五十センチあまりとずいぶん小柄であることに気づいた。目線を同じ高さにして向きあえるように腰を屈めようか、という考えを押しとどめないといけなかったくらいだ。

「あたしゃ、すべて見てたんですよ、旦那《だんな》」男はいった。「ひどいもんでしたぜ、ありゃ」

ヘンドン警察学校では、このように叩きこまれてきた。ほかの何かに取りかかる前に、まずは相手の名前と住所を訊《き》け、と。ぼくは手帳とペンを取り出した。

「名前を聞かせてもらってもかまいませんか？」

「もちろんですとも、旦那。あたしの名はニコラス・ウォールペニー、ですけど、綴《つづ》りを尋ねられても困りますぜ。なにしろ、読み書きはからっきしなんですから」

「路上パフォーマー、かな？」とぼく。

「そういってもいいかもしれませんやね」ニコラスはいった。「確かに、わが演技はこのところ路上だけに制限されてきました。もっとも、こんな寒い夜にゃ、少し屋内に向かってもかまやしませんがね。あたしのいってる意味がわかってもらえるようでしたら、旦那」

男は上着の襟《えり》の折り返しにピン・バッジをとめていた。白鑞《しろめ》の骸骨が跳びはねている。コックニーなまりの小柄な変人がつけるにしては少しゴス趣味が過ぎるようにも思えるが、それをいうなら、ロンドンはこの世のごたまぜ文化の都だ。ぼくはメモ帳に〝路上パフォーマー〟と書きとめた。

「では、何を目にしたのか、簡潔に教えてもらえますか」

「たっぷりと目にしたんでさ、旦那」

「ですが、あなたは朝早くからここに？」

指導教官はぼくらに、目撃者によけいな示唆《ヒント》を与えないようにということも教えこんでいた。情報はひとつの方向からのみ、もたらされるべきだ。

「あたしゃ、ここに、朝も昼も晩もおりますもんでね」明らかにぼくとは同じ講義を受けていないニコラスがいった。

「あなたが何か目撃したのなら、署できちんと調書をとったほうがよさそうですね」

「そいつはちっとばかし問題になりますな」ニコラスがいった。「あたしゃ、死んでるもんで」

ぼくは相手の返答を正しく聞きとれなかったのかと思った。「命の心配をしてるんでしたら……」

「もうそんなことは心配してもいませんや、旦那。この百二十年ってもの、死んだきりなんですから」

「あなたが死んでいるのなら」ぼくは自分を抑制して口をつぐむ前にこういっていた。「どうしてわれわれはこうやって話ができてるんですかね？」

「あなたは特別な視力をお持ちに違いありませんな。女霊媒の老ユーサピア・パラディーノみたいに」ニコラスはぼくをじっと見た。「あなたのお父さんから受け継いだ特質ですかね、たぶん？　波止場の人夫か、船乗りとか、そんなような。あなたの立派な縮《ちぢ》れ毛と唇もお父さん譲りですかい？」

「あなたが死んでいることを証明できますか？」ぼくは訊いた。

「おっしゃるとおりに、旦那」ニコラスはそういうと、明かりの射《さ》している場所に足を踏み出した。

彼の身体《からだ》は透《す》けていた。よく映画に出てくるホログラムと同じように。三次元の実体があり、間違いなく現実に存在していて、そしてくそったれなことに透けている。彼の身体ごしに、法医学班が遺体発見現場を保護するために設営した白いテントが見てとれた。

さて、自分の頭がおかしくなったからといって、警官らしくふるまうのをやめるべきではない、とぼくは考えた。

「何を見たのか話してもらえますか？」

「最初の紳士が、というのは殺された人のことですがね、ジェイムズ・ストリートからやってくるのを見ました。上等な身なりの、軍人ふうに気どった歩き方をした人で、現代ふうに華やかに着飾ってました。わが肉体のありし盛期なら、あんなふうにふるまえたでしょうがね」ニコラスはいったん口をつぐみ、ぺっと唾を吐き捨てた。地面には何も到達しなかった。

「次に二番目の紳士が、つまり殺しをやったほうの人が、向こうのヘンリエッタ・ストリートからぶらりとやってきまして。あまり上等な身なりじゃなく、青い作業ズボンと、漁師が着るような防水衣《オイルスキン》の上着姿で。二人はちょうどそこのあたりですれ違いまして」ニコラスは教会の玄関口から十メートルほど手前の地点を手で示した。「二人は知り合いなのかと思いましたね。だって、うなずきあってあいさつしてましたから。けど、立ちどまって話したりはしませんでした。無理もありませんや、ぶらぶら散歩したくなるような晩じゃありませんでしたしね」

「それで、二人はそのまま通り過ぎたのかな？」ぼくは質問を挟んだ。状況をはっきりさせるためであるとともに、メモを取る手を追いつかせるためでもあった。「そして、あなたは二人が知り合いだと思った、と？」

「顔見知り、ですかね」とニコラス。「親友同士とはいえません。ましてや、そのあとに起こったことがあってみれば」

そのあとに何が起こったのか、とぼくは訊いた。

「ええ、二番目の、人殺しのほうの紳士は、帽子に赤い上着姿でしたが、棒を取り出して、下宿屋に忍びこむみたいにそっとすばやく背後から近づいて、最初の紳士の頭をすっぱり切り落としたんでさ」

「警察をからかうつもりだな」

「いえいえ、けっしてそんなことありゃしません」ニコラスはそういって、十字を切った。「あたし自身の死にかけて誓いましょう。そしてこいつぁ、みじめな亡霊にとっちゃ、精いっぱい厳粛な誓いなんですぜ。なんともひどい光景でした。あの人の頭がころがると、血が噴《ふ》き出して」

「殺人犯はそれからどうしたのかな？」

「ええと、用事をすますと、すたすた離れていきました。共同広場をぶらつくみたいに、ニュー・ロウをくだって」

ニュー・ロウがチャリング・クロス・ロードに通じていることをぼくは考えていた。あの大通りなら、タクシーか小型《ミニ》キャブ、またはうまく時間が合いさえすれば深夜便のバスさえもつかまえるのにうってつけだ。殺人犯は十五分以内にロンドン中心部を離れることができたろう。

「それが最悪の部分じゃないんでして」ニコラスがつづけていった。明らかに聞き手の注意をそらしたくないらしい。「人を殺したほうの紳士には、どこか異常《アンカニー》なところがありました」

「異常な？　あんただって幽霊だろう」

「あたしゃ、霊かもしれません」ニコラスはいった。「けど、そりゃ、異常なものを見りゃすぐわかるってことでもありましてね」

「それで、何を見たのかな？」

「人殺しのほうの紳士は、帽子や上着を替えただけじゃありません。顔まで変えちまったんです。さあ、これが異常じゃないって、いえるもんならいってごらんなさい」

誰かがぼくの名を呼んだ。レスリーがコーヒーを手にして戻ってきたのだった。

ぼくがほんの少し目をそらしたすきに、ニコラスは姿を消していた。

ぼくがしばらくぽかんと虚空《こくう》を見つめたまま立ち尽くしているあいだに、レスリーがもう一度呼んだ。

「コーヒーは欲しいの、欲しくないの？」

ぼくは天使レスリーがポリスチレン加工のカップを手にしたまま待っているほうに石畳を駆けて渡っていった。

「わたしがいないあいだに、何か変わったことはなかった？」彼女が訊いた。

ぼくは黙ってコーヒーに口をつけた。言葉は——たった今、事件をすっかり目撃した幽霊と話していたという説明は——ぼくの唇から何ひとつ出てこなかった。

その朝、ぼくは十一時に目を覚ました——もっと寝ていたくはあったのだが。レスリーとぼくは八時に立ち番を交替し、歩いてとぼとぼと警察寮まで戻ると、ベッドに直行した。残念ながら、別々のベッドにだった。

署内の寮で暮らすおもな利点は、安くて、仕事場に近く、そして親と同居せずにすむことだ。不便な点は、まともな人間としての社会生活の観念が欠けた連中と部屋を共有しないといけないことだ。それと、日常的に重たいブーツを履いている連中とも。社会生活の観念が欠けているという点では、冷蔵庫を開けるたびに微生物学的にどきどきさせられる冒険になるし、ブーツのほうは、勤務の交替時間ごとにまるで雪崩《なだれ》のようなものすごい音をたてた。

ぼくは画一的な狭くて小さなベッドに横になったまま、反対側の壁にぼくが貼ったエステルのポスターを見つめていた。他人がなんといおうとかまわない。美しい女性を目にしながら目覚める喜びには、けっして歳をとりすぎたということはない。

ぼくはそうやってベッドに十分間とどまって、幽霊と話したときの記憶が夢のように薄らいでくれるといいのにと願っていたが、そうはならず、そこで起き上がってシャワーを浴びた。その日は重要な日で、身なりをすっきりさせておかないといけなかった。

市民が思いこんでいるのとは違って、ロンドン警視庁は今もなお労働者階級の組織であり、したがって上層部の意見を拒《こば》みつづけている。そのため、新規に採用された警察官はすべて例外なしに、学歴に関係なく、二年間は見習い期間として、重たい足どりで路上を歩きまわる通常の巡査《ヒラ》として務めないといけなかった。それというのも、警官としての強靭《きょうじん》な精神を形成するうえで、公共の市民に罵倒され、唾を吐きかけられ、ゲロを浴びせられること以上にすぐれた訓練などほかにないからだ。

見習い期間の終わりにさしかかると、各個人がそれぞれに、警察組織を形成しているさまざまな部署、指揮系統、作戦指揮単位《ユニット》に志願書を提出しはじめる。結果的にほとんどの志願者は、ロンドンの各特別区にある警察署でそのまま正式に制服巡査として勤務をつづけることになる。そしてロンドン警視庁の上層部は、制服巡査として路上でとどまり、欠かすことのできない任務に従事しつづけるのは、それ自体が正しい選択であるという考えを押しつけようとする。誰かが罵倒され、唾を吐きかけられ、ゲロを浴びせられなくてはならず、その役目を果たすためにすすんで名乗り出る者をぼく個人としても賞賛したい。

今日はわが勤務シフト担当官であるフランシス・ネブレット警部から尊《とうと》いお達しのある日だった。警部は恐竜の跋扈《ばっこ》するはるか昔にロンドン警視庁に加わり、すみやかに警部に昇進すると、その後三十年間はきわめて幸福にその地位にとどまりつづけてきた。感情のおもてに出ない男で、つやのない茶色の髪と、顔はシャベルの平《ひら》たい面で殴られたかのようにも見える。部下の〝坊やたち〟とパトロールに出るときでさえ、ネブレットは規則どおり白シャツの上に制服のチュニックを着こむほど旧弊な人間だった。

今日、その彼と面接する予定があり、そのときに職業上の将来の見こみを〝話しあう〟ことになっていた。理論のうえではこれが最終的な配属決定過程の一部であって、ロンドン警視庁とぼく自身のどちらにとってもよい結果をもたらすものになるはずだった。この話し合いのあとで、わが未来の配属先が最終的に決定される――ぼくとしては、こちらの希望など少しも考慮されないのではないかと強く疑っているのだが。

同じ階の居住者全員が共有しているごみごみした簡易台所《キチネット》で顔を合わせたレスリーは、ありえないくらいさっぱりした顔をしていた。戸棚には鎮痛剤《パラセタモール》があった。警察寮に必ず常備されているとあてにできるもののひとつがこのパラセタモールだ。ぼくは錠剤をふたつ口にほうりこみ、水道水で胃に流しこんだ。

「〝首無し氏〟に名前がついたわよ」彼女が、コーヒーを淹《い》れるぼくに向けていった。「ウィリアム・スカーミッシュ、マスコミ関係者、住まいはハイゲート」

「連中はほかに何かいってるかい？」

「ありきたりなことばかり。おぞましい殺人事件、などなどなど。ロンドンの中心部で起こった残虐行為、この街はどうなりつつあるのか、などなど」

「などなど」とぼくもいった。

「昼前に起きてきて、何するつもり？」

「十二時にネブレットと配属先についての面接があるんだよ」

「うまくいくといいわね」彼女はいった。

ネブレット警部がファーストネームで呼びかけてきたとき、何もかもがおかしなことになりそうだとわかった。

「なあ、教えてくれないか、ピーター」警部はいった。「きみの配属はどうなると思う？」

ぼくは椅子の上でもぞもぞと身体を動かした。

「ええ、サー」ぼくはいった。「わたしとしては犯罪捜査部《CID》を考えています」

「刑事になりたいのかね？」

もちろん、ネブレットは生涯〝制服〟組でやってきたわけで、そのために〝私服〟刑事のことを、民間人が税務調査官を見るのとほぼ同じ目で見ている。無理にうながされれば、彼らのことを必要悪として認めるかもしれないが、実際に自分の娘を刑事に嫁《とつ》がせようとはしないはずだ。

「はい」

「なぜCIDだけに限定するのかね？　特殊ユニットのいずれかではいかんのかな？」

なぜなら、まだ見習いでいるうちに、特捜隊《スウィーニー》や殺人課に配属されて大きな車に乗り、オーダーメイドの靴で街を歩きまわりたいなどとはいえるはずがないからだ。

「あそこで下働きからはじめて、一歩ずつステップアップしていきたいと思いまして」

「じつに思慮深い態度だな」とネブレットが応じる。

急に恐ろしい考えが浮かんだ。ぼくをトライデントに送りこむことを考えているとしたら？　トライデントというのは、黒人コミュニティ内の銃犯罪捜査に取り組む作戦指揮ユニットのことだ。トライデントではひどく危険な潜入捜査に使えそうな黒人警官をつねに探していて、異国の血が混じっているためにぼくはそれに適合する。彼らがしているような仕事に価値がないというのではなく、ぼくはそういう潜入行動があまり得意ではないように思えるだけだ。人が自分の限界を知ることは重要で、ぼくの限界は、治安の悪いペッカムあたりに引っ越したり、カリブ出身の麻薬密売人《ヤーディ》やポストコードを名前につけて悪《ワル》を気どりたがる連中とたむろするあたりからはじまっている。それと、エミネムの歌詞の皮肉っぽいところもよくわかっていない、ああいうけったいな、やせっぽちの白人少年たちとつきあうことも。

「ラップ・ミュージックは好きではありませんので」ぼくはいった。

ネブレットはゆっくりとうなずいた。「前もって教えてもらってよかった」

ぼくは口をきつく引き結び、必要なとき以外は黙っていることにした。

「ピーター、この二年にわたって、きみの知性と勤勉さにはとても肯定的な意見をもつにいたったのだよ」

「ありがとうございます」

「そして、きみには科学の分野の素養もある」

ぼくは数学、物理、化学の上級課程で三つともC評価を取っていた。科学コンテストへの参加を別にすれば、これが科学の分野の素養と呼べるすべてだ。これだけでは、ぼくが望んだとおり大学に進学するには充分でなかったことは確かだった。

「きみは自分の考えを文章にするのがとても上手だ」ネブレットがつづけていった。

ぼくは胃のあたりに失望の冷たいかたまりを感じた。ロンドン警視庁がぼくにどんなひどい配属を予定しているのかはっきりとわかったからだった。

「きみには事件処理推進ユニットへの配属を考えてもらいたい」ネブレットがいった。

事件処理推進ユニットという部門の裏にある論理はじつに合理的なものだ。警官が山積みになった書類仕事に埋もれてしまっているというのは周知の事実だ。容疑者の供述はすべて記録に残さなくてはならず、証拠品の連鎖はけっして途切れさせてはならない。そして政治家とPACE、すなわち〝警察活動および犯罪証拠法〟には厳密に従わないといけない。事件処理推進ユニットの役割は、忙しい巡査のために書類仕事を引き受け、彼らが路上に戻って、罵倒され、唾を吐きかけられ、ゲロを浴びせられるように手を貸すことにある。こうして警官は巡回パトロールに励み、犯罪はことごとく打ち砕かれ、《デイリー・メイル》紙を愛読するわれらが麗《うるわ》しき英国市民は誰もが平穏に暮らすことができるというわけだ。

実際のところ、書類仕事はそれほど面倒というわけでもなかった——少しでも能力のある派遣秘書なら、一時間以内に片づけてなお爪の手入れをする時間さえあるだろう。ここで問題となるのは、警官の仕事とは〝顔〟と〝現場〟がすべてで、あるときに容疑者が口にした供述を覚えていて、別の日にその矛盾を見抜けないといけないことにある。悲鳴を聞いて駆けつけ、冷静に怪しい包みを開けることにこそある。どちらもいっしょにできないというわけではない。まったく当たり前にこなせるわけではないだけだ。

ネブレットがぼくに告げようとしているのは、ぼくは本物の警官——捕吏《シーフ・テイカー》——ではないにしても、本物の警官を自由に働かせるための価値ある役割を務めることはできるかもしれない、ということだ。これからつづくはずの会話に〝価値ある役割〟という言葉があふれ

とになるだろうな」

「先の見こみのある仕事だとも」とネブレットがいった。「きみは価値ある役割を務めることになるだろうな」

出るだろうことは、ぼくにも気分の悪くなるほどはっきりと予想できた。「もう少し先の見こみのあるものを期待していたんですが」ぼくはいった。

警官というのは、原則的にパブで飲むことの言いわけは必要ないが、なかでも言いわけのいらない場合のひとつに、同僚が見習い期間を終えて新規の巡査として配属が決まったときの伝統的な祝賀会がある。そのために、レスリーとぼくはストランドの通りを渡って〈ルーズベルト・トード〉という名のパブにはいり、酒をあおって、ついにはテーブルに突っ伏すほど酔っぱらった。理論上はそうなるはずだった、とにかく。

「それで、どうだったの？」レスリーがパブの喧噪《けんそう》に負けない声で訊いた。

「ひどいもんだったよ」とぼくも叫び返す。「事件処理推進ユニットだってさ」

レスリーは顔をしかめた。

「そっちは？」

「今は話したくない」彼女はいった。「あなたを怒らせることになるだろうから」

「試してみなよ。しっかり受け止めてみせるから」

「一時的に殺人課に配属されたの」

これまで、そのような前例は聞いたことがなかった。「刑事として？」

「私服の巡査として。大きな捜査があって、頭数《あたまかず》が必要らしいの」

彼女のいうとおりだった。ぼくは憤慨していた。

そのあとの時間は苦く過ぎていった。二時間あまりもそれに耐え抜いたものの、ぼくは自己憐憫《れんびん》というやつが嫌いで、とりわけ自分がそういう気分になるのは大嫌いだったから、冷たい水を張ったバケツに頭を突っこむ次にましなことをしに外に出た。

あいにくとぼくらがパブにいるあいだに雨はあがっていて、そのためぼくは妥協して、凍てつく外気で酔いを覚ますことにした。

レスリーも二十分後に外で合流した。

「そのくそったれなコートを着たら？」彼女はいった。「ひどい風邪をひくわよ」

「そんなに寒いかな？」

「あなたが頭に血がのぼるだろうってことはわかってた」

ぼくはコートを羽織った。「家族のみんなにはもう話したかい？」

両親とおばあちゃんに加えて、レスリーの五人の姉さんたちも、今なお全員がブライトリングシーにある実家の周囲百メートル以内に暮らしている。彼らがそろってロンドンに買い物旅行に来たときに、ぼくも一、二度会ったことがあった。彼らは一家族でもって公共の平和を乱せるほど騒々しく、すでに付いているのでないなら、警察の付き添いがあったほうがよかったろう。つまりそれは、レスリーとぼくのことだが。

「昼過ぎに連絡した」と彼女はいった。「とっても喜んでた。ターニャさえも。それがどんな意味をもつのかわかってさえもいないのに。そっちもご両親にはもう話した？」

「何を話すっていうんだ？　事務仕事をやることになったって？」

「事務仕事はちっとも悪いことじゃないでしょ」

「ぼくは警官になりたいんだ」

「わかってる。でも、なんで？」

「地域の人々の助けになりたいんだ。悪い連中をつかまえて」

「なら、警官のバッジのためじゃないの？　それとも、手錠をカチャリとはめて、〝おまえを逮捕する〟っていうためじゃなくて？」

「女王陛下の平和を守るためだよ。混沌とした世界に秩序《ちつじょ》をもたらすためだ」

レスリーはいたましげに首を振った。「秩序なんてものがこの世にあるって、どうして考えるようになったの？　それに、土曜の夜にパトロールに出たことくらいあるでしょ？　あれが女王陛下にとっての平和のように見える？」

ぼくはさりげなく街灯の柱にもたれようとしたが、うまくいかずに少しよろけた。レスリーはぼくが思った以上にそれをおもしろがり、呼吸を整《ととの》えるためにウォーターストーンズ書店の店先の階段に腰をおろさないといけなかった。

「オーケイ」ぼくはいった。「そっちはなんでこの仕事に？」

「この仕事がとても上手《グッド》だから」

「それほどすぐれた警官《グッド》でもないさ」

「ううん、すぐれた警官よ。正直いって、わたしはくそったれなくらいとびきりの警官なんだから」

「それじゃ、ぼくは？」

「すぐに気がそれる傾向がある」

「そんなことないって」

「大晦日《おおみそか》、トラファルガー広場、大群衆、どうしようもなくおばかな連中が集団で噴水の池に立ちションをはじめた――あのときのことは覚えてる？」レスリーが訊いた。「たがのはずれたばかどもは反抗的になって、そんなときあなたは何をしてたっけ？」

「ほんの数秒、持ち場を離れてただけだろ」

「あなたはライオン像のお尻に何が書かれてるのか確認しにいってた。酔っぱらった悪ガキ《チャヴ》二人とわたしが格闘してるあいだ、あなたは歴史の調査をしてたってわけ」

「ライオンの尻に何が書いてあったか知りたくないかい？」

「ちっとも。わたしはライオンのお尻に何が書かれてたかなんて知りたくないし、どうやってサイフォンが機能してるのかとか、フローラル・ストリートの片側は反対側よりどうして百年も古いのかなんてことも知りたくない」

「どれにも興味を感じないかい？」

「悪ガキ《チャヴ》どもと格闘してるときや、車泥棒をつかまえようとしてるときとか、死亡事故に対処してるときにはね」レスリーはいった。「あなたのことは好きよ。あなたはいい人だと思う。けど、あなたは警官が見る必要があるようにはこの世界を見てないみたい——現実にはないものを見てるみたいで」

「たとえばどんな？」

「わからない。わたしはこの世界にないものが見えるわけじゃないから」

「この世界にないものを見てとれるのは、警官として役に立つ技能にもなりうるよ」

レスリーが鼻を鳴らす。

「そのとおりなんだ」ぼくはいった。「昨日の晩、きみがカフェイン依存の症状に気をとられてるあいだに、ぼくはこの世界にない目撃者に会ったんだ」

「この世界にない？」とレスリーがくり返す。

「どうやったらこの世界にない目撃者なんてものが存在しうるの、と尋ねる声が聞こえたかな？」

「うん、尋ねてる」

「その目撃者が幽霊だった場合にだよ」ぼくはいった。

レスリーはしばらくぼくをまじまじと見つめていた。

「わたしなら、街頭の監視カメラの監視官っていう程度にとどめておくけど」

「なんだって？」

「監視カメラごしに殺人現場を見てた人のこと」とレスリー。「それなら、その場にはいない目撃者になる。けど、幽霊っていう話は気に入ったわ」

「ぼくは幽霊に尋問したんだ」

「ばかばかしい」

そこで、ニコラス・ウォールペニーについて彼女に話してやった。それと人殺しの紳士についても。背を向け、着ていた衣服を一瞬で替え、そしてあの哀れな男の頭を——「被害者《ガイシャ》の名前はなんていったっけ？」

「ウィリアム・スカーミッシュ」とレスリーが応じる。「ニュースでさんざん流れてるわよ」

「哀れなウィリアム・スカーミッシュの頭を殴って、首から上をすっぱり切り落としたんだ」

「その点まではニュースになってないけど」

「殺人課はその点を隠しておきたいんだろう」ぼくはいった。「目撃者の確認のために」

「その目撃者はほんとに幽霊だったの？」

「そうなんだ」

レスリーが立ち上がると少し身体がぐらついたものの、すぐに目の焦点が定まった。「まだ彼はあそこにいると思う？」

凍てつく外気が、ようやくぼくの酔いを覚ましはじめていた。「誰が？」

「あなたのいう幽霊」レスリーはいった。「ニコラス・ニックルビーとかいう。まだ彼は犯行現場にいると思う？」

「どうしてぼくにわかるはずがある？　幽霊を信じてさえいないのに」

「彼があそこにいるか確かめにいこうよ。わたしにも見えたら、ひょーこ……しょーく……証拠になるし」

「オーケイ」ぼくは承知した。

ぼくらは腕を組んでキング・ストリートをコヴェント・ガーデンのほうにぶらっと歩いていった。

幽霊のニコラスは、その晩は不在だったらしい。そこで、彼を目にした教会の玄関口から捜しはじめることにした。レスリーはべろべろに酔っているときでさえ念入りな警官だったから、周辺を規則正しく調べていった。

「チップスをおごってね」二度目の周回のあとで、レスリーがいった。「それか、ケバブを」

「ぼくがほかの誰かといっしょにいると、恥ずかしがって出てこないのかも」

「彼もシフト勤務で働いてるのかもね」

「ばかばかしい。ケバブにしよう」

「あなたなら、事件処理推進ユニットでもきっとうまくやれる」レスリーはいった。「そして……」

「〝社会に価値ある貢献をすることになる〟っていうつもりなら、ぼくがこれからとる行動に責任は負えないぞ」

〝社会に違いをもたらすことになる〟っていおうとしてたの。あなたなら、いつだってアメリカに行けば、FBIがあなたを欲しがるわよ」

「どうしてFBIがぼくを？」

「オバマのそっくりさんとして、あなたを身代わりに使えるもの」

「今のひと言《こと》で」ぼくはいった。「ケバブはきみのおごりだな」


最終的に、ぼくらはあまりに酔って疲れていたためケバブを食べられそうになかったから、まっすぐ警察寮に戻った。レスリーはぼくを彼女の部屋に招くことさえ忘れていた。ぼくはぼくでひどく酔いがまわっていたから、暗い室内でベッドに横になっていると、部屋がぐるぐるまわりだし、宇宙の本質について考えながら、吐く前に洗面台までたどり着けるだろうかと疑問に思っていた。

明日は配属前の最後の休日だ。この世界に存在しないものが見える能力が現代の警察官にとって重要な技能であると証明できないかぎり、二日後には事件処理推進ユニットにようこそ、ということになりそうだった。


「昨日の夜はごめんね」レスリーがいった。

二人とも、今朝《けさ》はキチネットのおぞましさに向きあう気になれなかったから、署内の食堂に避難していた。配膳業者は小柄なポーランド人女性とひょろりと背の高いソマリア人男性の混成だというのに、制度上の奇妙な惰性のため、食事は典型的な英国の安食堂ふうで、コーヒーはまずく、紅茶は熱いうえに、甘くて、ティーポットなしで直接マグに注がれる。レスリーは英国ふうブレックファストを頼み、ぼくは紅茶一杯にしておいた。

「かまわないさ。きみのおごりで、ぼくが払ったわけじゃない」

「それじゃなくて」レスリーはそういって、ナイフの平たい部分でぼくの手をぴしゃりと叩いた。「警官としてのあなたについていったこと」

「気にすることないよ。きみからのフィードバックを取り入れて、今朝、じっくりと研究してみたから、今やわがキャリアアップの核になる目標を、熱心に、先を見越して、それでいて何よりも創造的なやり方で追求できるようになったんだ」

「どうするつもりなの？」

「HOLMES《ホームズ》にハッキングして、あの幽霊のいったことが正しいか確かめてみる」ぼくはいった。

国内の警察署ならどこにでも、HOLMESのための特別室を少なくとも一カ所は備えている。これは内務省内主要事件照会《ホーム・オフィス・ラージ・メイジャー・エンクワイアリー》システムの略で、これがあればコンピューターに無知な警官でも二十世紀末のテクノロジーに簡単に触れることができる。そんな彼らを二十一世紀にまで触れさせるのは、あまりにも要求が高すぎるというものだが。

主要な捜査に関連した記録はすべてこのシステム内に保存されているため、刑事はデータを相互参照《クロスレファレンス》して、ヨークシャー切り裂き魔《リッパー》を追いかけるのに、型どおりの捜査ですますようなへまを避けられる。旧システムに替わる新型のシステムはSHERLOCK《シャーロック》と呼ばれる予定になっていたが、誰もこの頭字語《アクロニム》にぴったりの単語を考えつかなかったためにHOLMES2と呼ばれるようになった。

理論上はノートパソコンからでもHOLMES2にアクセスできるのだが、ロンドン警視庁ではアクセスを据え付けの端末に制限したがっている——それなら電車の中に置き忘れたり、中古屋に売られたりする心配がないからだ。大きな事件の捜査があると、端末は特別室から署内の特別捜査本部に移すこともある。レスリーといっしょにHOLMESの特別室に忍びこんで誰かに見とがめられる危険を冒すこともできるが、ぼくとしては捜査本部のどこか空《あ》き部屋で自分のノートパソコンのLANソケットにつないで、安全かつ快適に作業を進めるほうが望ましい。

ぼくは三カ月前にHOLMES2の習熟コースを受講させられていた。その当時はぼくを大きな捜査に投入する準備かもしれないと思って興奮したものだが、今となってみれば、データ入力作業のためにぼくを訓練していたのだとはっきりした。

コヴェント・ガーデンの捜査ファイルをみつけるのに、三十分もかかりはしなかった。人はパスワードについて不注意になりがちなもので、ネブレット警部は自分の末娘の名前と生まれた年を使っていて、それは単に嘆かわしいことだった。おかげでぼくは、求めていたファイルの読取専用《リード・オンリー》のアクセス権を得られた。

旧システムは大容量のデータ・ファイルを扱えなかったが、HOLMES2は最先端の技術から十年ほど遅れている程度だったから、今では証拠写真やスキャンした文書、さらには監視カメラの映像をいわゆる〝名目上の記録〟ファイルにじかにリンクすることもできる。警官にとってのYouTubeのようなものだ。

ウィリアム・スカーミッシュ殺害の捜査にあたった殺人課の担当官は時間を無駄にすることなくすぐさま付近の監視カメラ画像を入手して、殺人犯を特定できないか調べていた。たっぷりと容量のあるファイルで、ぼくもすぐにそれを調べだした。

報告書によるとカメラはジェイムズ・ストリートの角に設置されていて、西を向き、低画質で暗く、毎秒一フレームで更新されている。だが、この暗さであっても、ウィリアム・スカーミッシュがカメラの下をヘンリエッタ・ストリートのほうに歩いていくようすがはっきりと映し出されていた。

「われらが容疑者がそこに」とレスリーが指さした。

画面が別の人物を映し出した――見てとれるかぎりではおそらく男性で、おそらくはジーンズとレザー・ジャケットらしきものを着ている。この人物はウィリアム・スカーミッシュとすれ違い、画面の下に消えていった。注意書きには、この人物を〝参考人A〟と指定していた。

三人目の人物があらわれ、カメラから遠ざかっていく。ぼくは一時停止ボタンをクリックした。

「同じ人間のようには見えないわね」とレスリー。

間違いなく、そうは見えない。この男はスマーフ・ハット（スマーフとはベルギーの漫画に出てくるキャラクターで、全身青色の肌に先の垂れた帽子をかぶっている）のようなものと、エドワード朝時代のスモーキング・ジャケットとわかるものを着ている——エドワード朝時代のスモーキング・ジャケットがどんなものなのか、なぜぼくが知っているのかと尋ねないでほしい。《ドクター・フー》と関係があるとだけいっておこう。ニコラスは赤色だといっていたが、監視カメラの映像は白黒だった。ぼくは何フレームか画像を戻し、また進めてみた。最初の人物、参考人Aが一、二フレーム、画面から消えたあとで、スマーフ・ハットの男が姿をあらわしていた。

「着替えるのに二秒しかかかってないわ」とレスリー。「人間業《わざ》では不可能ね」

ぼくは再生ボタンをもう一度クリックした。スマーフ・ハットの男はバットを取り出すと、すばやくウィリアム・スカーミッシュの背後に近づいた。振りかぶるところはフレームの合間に隠れて見えなかったものの、打ちおろす瞬間は鮮明に映っていた。次のフレームではスカーミッシュの身体がなかば地面に倒れかかり、小さな黒いかたまり——これが頭部に違いないと判定できた——が玄関口のそばにかろうじて見てとれた。

「なんてことなの。犯人は、本当に頭をすっぱり切り落としてる」レスリーがもらした。

ニコラスがいったとおりに。

「さて、これこそは」とぼくがいった。「人間業では不可能だ」

「前にも頭がちぎれるところは見たことがあるでしょ」とレスリー。「わたしもその場にいたんだけど、覚えてる？」

「あれは自動車事故だろ。二トンもある鉄のかたまりがやったことで、ただのバットじゃない」

「そうね」レスリーが画面を指でつついた。「だけど、ほらこうやって」

「この映像は何かがおかしい」

「ひどい殺人シーンだという以外に？」

ぼくはスマーフ・ハットが現場にあらわれるところまで画像を戻した。「この時点でバットが見えるかい？」

「ううん」とレスリー。「男の手は両方とも見えてる。背中に挿《さ》してあったのかも」

ぼくは画像を進めた。三フレーム目になって、まるで魔法のようにスマーフ・ハットの男の手にバットがあらわれたが、それは単にフレーム間の一秒の空白による産物ということも考えられる。ほかにも何かおかしなところがあった。

「野球のバットにしては長すぎる」とぼくは指摘した。

バットの長さは、それを手にしている人間の背丈の少なくとも三分の二はある。ぼくはクリックしてフレームを戻し、何度か見なおしてみたが、男がどこにバットを隠していたのかはわからなかった。

「この男はひどくこっそりやるのが好みなのかも」レスリーがいった。

「この大きさのバットを、そもそもどこで買えるんだい？」

「ビッグ・バット・ショップとか?」とレスリー。「それとも、バットザらス?」

「男の顔がちゃんと映ってるか見てみよう」

「特大《プラス・サイズ》バットかも」

レスリーの冗談は無視して、ぼくは再生ボタンをクリックした。殺人は三秒以内に、つまり三フレーム以内に起こっていた。一フレーム目で振りかぶり、二フレーム目で打ちおろし、三フレーム目がフォロースルーだ。次のフレームが振り返りかけたスマーフ・ハットをとらえ、四分の三ほどの横顔が、突き出た顎とやけに目立つ鉤鼻《かぎばな》をあらわに映し出していた。次のフレームでは、やってきた道をスマーフ・ハットが戻りはじめるようすが映し出されていた。近づいてきたときよりもゆっくりと、とびとびの映像からいえるかぎりでは、何気《なにげ》ないようすだった。バットは殺害の二フレーム後には忽然《こつぜん》と消え、これまたどこにいったのかわからなかった。

顔をもっと鮮明にできないかと考え、調整可能なグラフィック機能を探しはじめた。

「ばかね」とレスリーが口を挟む。「殺人課の連中だって、必死に顔の特定に取り組んでみたはずよ」

彼女のいうとおりだった。ファイルには、ウィリアム・スカーミッシュ、参考人A、そして殺人を犯したスマーフ・ハットの男の拡大画像のリンクが貼ってあった。テレビ画像とは違って、旧式のビデオテープの一部から拡大した映像には、はっきりと限界がある。それがデジタル画像だろうと問題ではなかった——情報がそこにない以上はどうしようもない。それでも、科学研究班の誰かが最善を尽くし、どの顔もぼやけてはいるにしても、少なくとも三人の顔がどれも異なっていることははっきりしていた。

「こいつは仮面をつけてる」ぼくはいった。

「今やあなたは必死に説明づけようとしてる」とレスリー。

「この顎と鼻を見るといい。こんな顔してる人間なんているわけない」

レスリーは映像に添えられた注意書きを指さした。「殺人課も、あなたに同意してるみたいね」

証拠ファイルに関連して、必要となる〝行動〟リストが列挙されていて、そのうちのひとつは付近の舞台衣装屋、劇場、仮装用品店に仮面を確認すること、とあった。優先度はひどく低かったが。

「ほら！」ぼくはいった。「つまり、同一人物かもしれないってことだ」

「いったいどこの誰が、二秒以内に服を着替えられるの？」レスリーが問いただす。「どうか教えて」

すべての証拠ファイルはリンクしていたから、殺人課は参考人Aが犯行現場を離れる経路をつきとめたのか確認してみた。足どりは確認されておらず、行動リストによると、この男をみつけることが最優先事項になっていた。記者会見や目撃情報の協力願いを出すことが予想できた。〝警察では、目撃情報にとりわけ深い関心をもって……〟という口上《こうじょう》に関連したものになるだろう。

スマーフ・ハットのほうはニュー・ロウまで逃走経路をつきとめられていた。ニコラス・ウォールペニーがいったルートとぴったり合致している。が、セント・マーティンズ・レーンで監視の網から消えていた。行動リストによると、現在のところ、殺人課の半数が証拠や手がかりを求めて周辺の通りを探しまわっている。

「ううん」レスリーがぼくの心を先読みしていった。

「ニコラスは……」

「幽霊のニコラスは……」とレスリー。

「肉体的な正当性に疑問のあるニコラスは、殺人犯の近づき方や、犯行の手法、死因について、どれも正しかった。殺人犯がたどった逃走ルートについても正しかった。そしてわれわれは、参考人Aがスマーフ・ハットと同時に映ってるフレームもつかんでない」

「スマーフ・ハット？」

「殺人容疑者のことだ」ぼくはいった。「このことを殺人課に知らせる必要がある」

「捜査本部長《SIO》になんていうつもり？　幽霊と遭遇しまして、その彼がいうには、参考人Aが仮面をかぶって犯行におよんだそうです、とか？」

「いや、目撃者になりうる人物から接触があって、名前や住所を訊く前に現場を離れてしまったものの、調査のさらなる進展につながるかもしれない興味ぶかい手がかりになる可能性があります、って」

これを聞いて、少なくともレスリーはいったん黙りこんだ。

「だからって、あなたが事件処理推進ユニットから抜け出せるとでも考えてるの?」

「やってみる価値はあるに違いない」

「それで充分なわけじゃない」とレスリー。「理由その一、連中はすでに参考人Aについて手がかりをみつけてる。彼が仮面をつけてた可能性も含めて。理由その二、あなたは情報のすべてをビデオ画像からでもみつけることができた」

「ぼくがビデオにアクセスしたことはバレやしない」

「ピーター、この映像には人間の頭が切り落とされるところが映ってるのよ。その日のうちにインターネットじゅうに広まってるはず。それも、夜十時のニュースですでに流れてなければの話だけど」

「それなら、ぼくはもっと手がかりをみつけてみせる」

「あなたの幽霊を探しにいくの?」

「いっしょに来るかい?」

「やめとく」とレスリーはいった。「なにしろ、明日はわたしの将来にとって一番大切な日なんだから。ココアを一杯と『ブラックストーンの警察捜査の手引き《ワークブック》』をお供《とも》に、早めにベッドに入るつもりなの」

「お好きなように。どのみち、昨日の晩はきみが彼をおびえさせたんだと思うし」

幽霊《ゴースト》ハンターに必要な装備。保温性のある下着——これはとても重要だ——と温かなコート、魔法瓶、忍耐心、そして幽霊。
ごく初期の段階から、これはぼくがこれまでしてきたことのなかで一番ばかげた行為だという気がしてならなかった。夜十時前後に最初の見張り場所について、カフェの外のテーブルにすわり、人通りが減るのを待った。カフェが閉店の時間になると、ぼくはぶらりと教会の玄関口のほうに歩いていって、そこで待ちつづけた。

今夜も凍てつくような晩で、それはつまり、パブを出た酔っぱらいたちがたがいに殴りあいの喧嘩《けんか》をはじめるには寒すぎるということでもあった。しばらくすると、女友だちの結婚を祝っていた女だけの集団が通りかかった。大きすぎるピンクのTシャツを着た十人以上の女性が、ウサギの耳をつけ、ハイヒールを履いている。青白い足は寒さのためまだらに赤黒くなっていた。そのうちの一人がぼくに目をとめた。

「おうちに帰ったほうがいいわよ」と女が声をかけた。「彼はもう来ないだろうから」

女の仲間がけたたましく笑った。別の誰かがこぼす声が聞こえてきた。「見た目のいい男ってみんなゲイなのよね」と。

広場の向こうからぼくを見ている男が一人いるのに気づいたとき、ぼくもそれと同じことを考えた。ゲイ専用のパブやクラブ、チャット・ルームといったものが増えたおかげで、都会暮らしの独り身《ひと》のゲイ男性にはもはや急な欲求のために、凍てつく晩に公衆トイレや墓地に足しげく通う必要はなくなっている。それでも、なかには下半身に凍傷を負う危険のほうを好む者もいる——どうしてなのかはぼくに訊かないでもらいたい。

男は身長が百八十センチほどで——昔の単位でいえば六フィートだ——きれいな仕立てのスーツを着ているために、肩幅としぼった腰が強調されて見えた。整《ととの》った面長《おもなが》な顔だちと、昔ふうに横分けにした茶色の髪から、四十代前半かと思われた。ナトリウム灯の明かりだけでははっきりと断言しがたいものの、目は灰色のようだ。握りに銀の持ち手がついた杖《ステッキ》を携行していて、目にしなくとも靴がオーダーメイドであることは想像がついた。彼に必要なのはかすかに異国ふうの顔だちをした若いボーイフレンドだけで、ぼくは陳腐な言いまわしを取り締まる警察を呼ばないといけなかったろう。

男がぶらっと近づいてきてぼくに声をかけたとき、やはりかすかに異国ふうのボーイフレンドを探していたのかもしれないと思った。

「やあ」男がいった。パブリック・スクール出身らしい容認発音《RP》の正しいアクセントで、ハリウッド映画に出てくるイギリス人の悪党のようだ。「きみは何をしているのかな？」

ぼくは真実を試してみようと思った。「ゴースト・ハンティングをしてるんですよ」

「興味ぶかい」男はいった。「特定の幽霊のあてでも？」

「ニコラス・ウォールペニーを」

「きみの名と住所は？」男が尋ねた。

この質問になんの抵抗もなく答えるロンドンっ子はいない。「なんですって？」

男はジャケットの奥に手を入れ、財布を取り出した。

「トーマス・ナイティンゲール主任警部だ」彼はそういって、身分証を示した。

「ピーター・グラント巡査であります」とぼく。

「チャリング・クロス署の？」

「はい」

彼は奇妙な笑みを浮かべた。

「ハントをつづけてくれ、巡査」彼はそういい残し、ジェイムズ・ストリートのほうにぶらりと戻っていった。

こうしてぼくは、たった今、上官にあたる主任警部に、自分はゴースト・ハントをしているとあからさまに告げてしまったわけだ。ぼくのいったことを信じたなら、ぼくは頭がおかしいと思ったろうし、信じなかったなら、ぼくがゲイの相手を待っていて、公共の秩序に反するみだらな行為を模索していると思ったろう。

そしてその晩、ぼくの探していた幽霊が姿を見せることはなかった。

きみは家出をした経験があるだろうか？　ぼくはある、二度も。最初は九歳のときで、カムデン・ハイ・ストリートにある安売り電化製品店のアルゴスまでしかたどり着けなかった。二度目は十四歳のときで、はるばるユーストン駅まで行って、実際に列車の出発時刻表示板の前に立つところまでいった。どちらのときもぼくは誰かに保護されたわけでも、みつかったわけでも、連れ戻されたわけでもない。実際、戻ってきたときに、母親はぼくがいなくなったことに気づいてさえもいなかったと思う。父親が気づかなかったことはたしかだ。

どちらの冒険も同じようにして終わった――最後には、どんなことがあろうと家に帰らないといけないと気づいたのだった。九歳のときのぼくは、自分の知っている世界の外縁をアルゴスの店が象徴しているのだとわかった。その先には地下鉄の駅や猫の像が並んだ大きなビルがあって、その先はさらに徒歩やバスで旅した先に地下のクラブがあり、そこは悲しいくらいからっぽで、ビールのにおいがした。

十四歳のときの自分はもっと理性的だった。出発時刻表示板に出ていた行先に知り合いは一人も住んでおらず、ここロンドン以上にぼくを歓迎してくれるかどうかも疑わしかった。おそらくポッターズ・バー駅より先まで行く金さえなかったろうし、無賃乗車《キセル》できたとしても、何を食べて暮らしたらいいのだろう？　現実的にいって、ぼくが持っていたのは三食ぶんの現金だけで、そのあとは両親のもとに戻るしかない。バスに乗って家に戻る以外に何をしたところで、避けがたい帰宅の時間を単に引き延ばすことにしかなりはしなかった。

午前三時のコヴェント・ガーデンで、ぼくはそれと同じ理解にいたった。どのみち同じように可能な未来からころげ落ちて、ただひとつの特異点《シンギユラリティ》に戻る。逃げることのできない未来に。ぼくがすてきな車を乗りまわしたり、「おまえを逮捕する」と犯人に告げることは永遠になさそうだった。どうあがいてもいずれは事件処理推進ユニットで働いて、〝価値ある貢献〟をすることになるのだろう。

ぼくは立ち上がり、歩いて警察寮に戻りはじめた。

遠くで誰かがぼくをあざ笑う声が聞こえたように思えた。

2 幽霊《ゴースト・ハンティング・ドッグ》を狩る犬

翌朝、ゴースト・ハントの首尾はどうだったの、とレスリーが訊いてきた。ぼくらはネブレットの執務室の前でぶらぶらして時間をつぶしているところだった。この場所から、もうじき運命の一撃がくだることになっていた。ここで待っている必要があるわけではないが、ぼくらは二人とも、苦しみをよけいに引き延ばしたくなかった。

「事件処理推進ユニットよりもひどい仕事はいくらでもあるし」とぼくは口に出していった。

二人とも、しばらくそのことについて考えてみた。

「交通係とか」とレスリー。「あれは事件処理推進ユニットよりもひどいよね」

「けど、いい車を乗りまわせる。BMWの5シリーズやメルセデスのMクラスとか」

「ねえ、ピーター、あなたって本当にひどく薄っぺらな人間ね」

ぼくは反論しようとしたが、そのときネブレットが部屋から姿をあらわした。ぼくら二人を目にしても驚いたようすはなく、レスリーに手紙を渡した。彼女は奇妙にもそれを開けるのをためらっているようだった。

「ベルグレイヴィアの連中がきみを待っているぞ」ネブレットがいった。「さあ、行きなさい」

ベルグレイヴィアとは、ウェストミンスターの殺人捜査本部が置かれているところだ。レスリーはぼくにきまり悪そうにさっと手を振り、背を向けるなり廊下をスキップして去っていった。

「本物の捕吏《シーフ・テイカー》が駆けていったか」ネブレットがつぶやいた。彼はぼくを見て、眉をひそめた。「きみについては、どう考えていいのかよくわからんが」

「先を見越して価値ある貢献をする、ですよね」ぼくはいった。

「小生意気なやつ、だろうな」ネブレットはそういって、ぼくには封筒ではなく、一枚の紙きれを手渡した。「きみはトーマス・ナイティンゲール主任警部といっしょに働くことになった」

紙には、ニュー・ロウにある日本食レストランの名前と番地が書かれていた。

「どんな部署で働くことになるんでしょうか？」

「わたしの知るかぎりでは、経済および特殊犯罪課だ」ネブレットはいった。「連中はきみに、私服での出勤を求めてる。だから、すぐに着替えてくるほうがいい」

専門刑事部《SCD》の経済および特殊犯罪課というのは、いくつかの特殊ユニットを統括するための受け皿で、美術や骨董品《こっとう》、入国管理からコンピューター犯罪まですべてを扱っている。ここで重要なのは、事件処理推進ユニットがそこには含まれていないことだ。ぼくはネブレットが考えを変える気にならないうちに急いでその場を離れたが、絶対にスキップしたりしないように気をつけた。

ニュー・ロウというのはコヴェント・ガーデンとセント・マーティンズ・レーンを結ぶ歩道のような小道で、片方の端にはスーパーマーケットのテスコが、もう一方の端にはセント・マーティンズ・レーンの劇場街がつづいている。〈トーキョー・ア・ゴーゴー〉はニュー・ロウの真ん中あたりにある弁当箱《ベントー》に入った日本食を売りにした店で、個人画廊《ギャラリー》と女の子用のスポーツ・ウェアを売る店に挟まれていた。店内は奥に細長くて、横幅はテーブルがどうにか二列並べられる程度しかなく、日本ふうのシンプルな最小限の装飾がほどこされていた。板張りの床は磨かれ、テーブルと椅子は漆《うるし》塗りだ。あちこちが角ばっていて、和紙であふれている。

奥のテーブルで黒塗りのベントー箱をつついているナイティンゲールが目にとまった。ぼくの姿を見てとると彼は立ち上がり、握手を交わした。ぼくが向かいの席に腰をおろすと、腹は減っていないかと訊いてきた。いいえ、けっこうです、とぼくは答えた。ぼくは緊張していたし、胃が落ちつかないときには絶対に冷たい白米を口にしないことに決めていた。彼はお茶を頼み、一人で食事をつづけてもかまわないだろうかと尋ねた。

もちろんかまいません、とぼくがというと、彼は割り箸《ばし》を使ってベントー箱からすばやく食べ物に突き立てる作業に戻った。

「彼は戻ってきたのかな?」ナイティンゲールが訊いた。

「誰のことでしょうか？」

「きみの幽霊だよ。ニコラス・ウォールペニー――街に潜《ひそ》み、悪人を見張るこそ泥。往時はセント・ジャイルズ教区在住。彼がどこに埋葬されたか、推測できるかな？」

「〝俳優の教会《アクターズ・チャーチ》〟の共同墓地ですか？」

「ご名答」ナイティンゲールはそういって、割り箸をすばやく刺して家鴨の肉巻き《ダック・ラップ》を口に運んだ。「それで、彼は戻ってきたのかな？」

「いいえ」

「幽霊というのは気まぐれなものだ。あの連中はあまり信頼できる証人にはなりえない」

「幽霊は実在するとおっしゃるんですか？」

ナイティンゲールは慎重にナプキンで口をぬぐった。

「きみはその一人と話をしたわけだ。きみはどう思う？」

「上司からの確証を待っているところです」

ナイティンゲールはナプキンをおろし、湯飲みを手に取った。

「幽霊は実在する」彼はひと口飲んだ。

ぼくは彼をまじまじと見つめた。ぼく自身は幽霊も妖精も神も信じてはいないし、この数日間はマジック・ショーを見ているような気分だった――今にもマジシャンがカーテンの奥から出てきて、どれでも好きなカードを引いてくださいとぼくに頼むのではないかと期待していた。ぼくとしては幽霊を信じる用意ができていないが、経験主義とはそういうものだ―

——幽霊は実在する。

そして、幽霊が実在するとしたら？

「あなたがおっしゃろうとしているのは、ロンドン警視庁には秘密の部署があって、幽霊や食屍鬼《グール》、妖精、悪鬼、魔女、魔法使い《ウォーロック》、小妖精《エルフ》、ゴブリンなんかに取り組んでいると……？この世のものでない超自然の生き物の語彙《ごい》が尽きる前に、ぼくをさえぎってもらってけっこうですよ」

「きみはまだその表面をなぞってさえもいない」

「エイリアンも？」とぼくは尋ねてみないわけにいかなかった。

「それはまだだ」

「それで、警視庁の秘密の部署については？」

「わたし一人のようだ、どうやら」

「それで、あなたはぼくにも……加わってほしいと？」

「手伝ってほしい」ナイティンゲールがいった。「この事件の捜査を」

「この殺人事件に、何かこの世のものでないものがからんでいるとお考えなんですか？」

「きみの証人がいわずにいられなかったことを、わたしに話してみてはどうかね？　そのあとで、どういうことなのか見てみるとしよう」

そこでぼくは、ニコラスとのことや、人殺しの紳士がたちまちのうちに服を着替えたことについて彼に打ち明けていった。監視カメラの映像や、殺人課では二人を別人と考えていることも。ぼくが話し終えると、彼はウェイトレスに手ぶりで会計を頼んだ。「このことを昨日のうちに知っていればよかった」彼はいった。「だが、まだ痕跡をたどれるかもしれない」

「痕跡というのは？」

「超自然のもののだ」とナイティンゲールがいった。「連中はいつだって痕跡を残す」

ナイティンゲールの愛車はジャガーだった。今はもう生産されていない本物のマーク2で、三・八リッターのXK6エンジンだ。このような車を手に入れる機会があれば、うちの父親は愛用のトランペットでさえ売り払ったろう。しかも、それがまだ意味をもっていた一九六〇年代に。

ジャガーは新品同様というわけではなかった。ボディには何カ所かへこみがあったし、運転席のドアにはひどいこすり傷がついていて、シートのレザーはひびが入りはじめていたが、ナイティンゲールがイグニッションにキーを挿してまわすと、直列六気筒のエンジンがとどろいた。肝心な部分は完璧な状態にたもたれている。

「きみは上級課程で科学を履修したんだったな」ナイティンゲールが車を出しながらいった。

「なぜ大学に進んで科学の学位を取らなかったんだね？」

「ほかのことに気をとられていまして。成績がふるわなくて、希望どおりの進路に進めませんでした」

「ほう？　何に気をとられたのかな？」彼は訊いた。「音楽、だろうか？　バンドをはじめたとか？」

「いいえ。たいして興味ぶかいことでもありません」

ぼくたちはトラファルガー広場を抜け、ロンドン警視庁の慎《つつし》みぶかいサイレンをフロントガラスに置くことで〈ザ・マル〉を抜け、バッキンガム宮殿を過ぎてヴィクトリア地区に入った。ぼくらが向かっている先はふたつしかありえないことがこれではっきりした。殺人課が捜査本部を置いているベルグレイヴィア署か、または死体が置かれているウェストミンスターの死体安置所だ。捜査本部でありますようにとぼくは願ったが、もちろん行き先は死体安置所だった。

「だが、きみは科学的手法を理解している、違うかな？」ナイティンゲールが訊いた。

「ええ」ぼくは答え、ベーコン、デカルト、そしてニュートンといった先達《せんだつ》たちのことを思い起こしてみた――問題なし。観察、仮説、実験やほかのあれこれについては、あとで自分のノートパソコンの前に戻ったときにでも調べることができる。

「よし」とナイティンゲールがいった。「なにしろ、客観性のある者の助けが必要なんでね」

だとすれば、間違いなく死体置き場だ、とぼくは心のうちでつぶやいた。

死体安置所の正式名称はイアン・ウェスト法医学研究所といい、死体置き場の見た目をアメリカのテレビ・ドラマのようにクールに見せようという内務省の最大限の努力を象徴していた。死体に残された物証となりうる痕跡を薄汚れた警官が汚染しないように、ここには特別につくられた見学エリアがあって、閉回路テレビの画像に映し出される検死解剖のようすを生《ライヴ》で見守ることができる。このおかげで、身の毛のよだつ解剖のようすさえも気味の悪いテレビ・ドキュメンタリー程度にやわらげてくれる効果があった。ぼくはこの見学方法に大賛成だったが、ナイティンゲールは死体のすぐそばに近づく必要があるといった。

「なぜなんですか？」

「なぜなら、感覚は視覚のほかにもあるからだ」ナイティンゲールはいった。

「超感覚的知覚《ESP》のことをおっしゃってるんですか？」

「いいから思考を自由にしておくように」

解剖室のスタッフはぼくらを解剖台に近づける前に、清潔な上下つなぎの防護服とマスクを着けさせた。ぼくらは被害者の親族ではなかったから、彼らは死体の肩と頭のあいだの隙間を慎みぶかく布で隠そうともしなかった。さっき、ベントーを遠慮しておいたことをぼくはひどく感謝したくなった。

生前のウィリアム・スカーミッシュは見た目のさえない男だったらしい。中年で、平均よりもわずかに背が高く、すでに筋緊張が失われて肉がたるんでいたものの、太ってはいない。頭がもげて、首のあるべきところにちぎれた皮膚や筋肉がギザギザにのぞいているのを難なく目にできたことにぼくは自分でも驚いた。

警官が最初に目にする死体は殺人の犠牲者だろうと一般の人々は思いこんでいるだろうが、実際は交通事故の死者である場合がほとんどだ。ぼくの場合は警官になって二日目で、ビジネス文書を配達する自転車乗りが配送トラックにはねられて頭がもげた事故に遭遇した。そのあとは、けっして慣れてしまったわけではないが、もっとひどい事故もあることがわかった。首無しのミスター・スカーミッシュを見てぼくが楽しんでいたわけではないが、想像していたよりもはるかに不気味でなかったことは認めないわけにいかない。

ナイティンゲールは死体の上に覆いかぶさるようにして、切断された首の部分に鼻先を突っこまんばかりだった。彼は首を振り、ぼくを振り返った。

「死体をひっくり返すのを手伝ってくれ」

ぼくは手術用の手袋をはめていてさえも死体に触れたくなどなかったが、今さら怖《お》じ気《け》づくわけにいかなかった。死体は予想以上に重たく、冷たくぐったりしていて、横に返すとどさりとうつぶせになった。ぼくはすばやく死体から離れたが、ナイティンゲールがぼくに手招きした。

「きみの顔を死体の首にできるだけ近づけてもらいたい。目を閉じて、何を感じたか教えてくれたまえ」

ぼくはためらった。

「よりはっきりとするだろうことは約束しよう」彼はいった。

マスクとゴーグルはありがたかった。これのおかげで、死んだ男に誤ってキスするはめになる可能性はない。ぼくはいわれたとおりに顔を近づけて、目を閉じた。はじめは消毒薬やステンレス鋼《こう》、そしてきれいに洗われた皮膚のにおいしか感じなかったが、少しするとほかの何かに気づきはじめた。ガリガリ引っかき、引き締まったしなやかな身体で、ハッハッとあえぎ、湿った鼻をした、しっぽを振る何かの感覚を。

「さて？」とナイティンゲールがうながす。

「犬です」とぼくはいった。「小さな、キャンキャン吠える犬です」うなり、吠える、騒々しい声、石や棒がすばやく飛び去り、そして笑い声——狂乱した、かん高い笑い声。

ぼくは、がばっと身体を起こした。

「激しい動きと笑い声？」とナイティンゲールが問いかけた。

ぼくはうなずいた。

「あれはいったいなんですか？」

「異常な残存現象だ」ナイティンゲールがいった。「目を閉じたときに見えるまぶしい光のようなものだな。残像が残る。われわれはこれを〝痕跡《ウエステイギウム》〟と呼んでいる」

「ぼくが勝手に想像しただけじゃないとどうしてわかるんですか？」

「経験によってだ。経験によって、違いの見分け方を学ぶのだ」

ありがたいことに、ぼくらは死体に背を向けて部屋をあとにした。

「かすかに感じられただけなんです」着替えるあいだにぼくはいった。「いつもあんなに弱いものなんですか？」

「あの死体は二日間、氷に浸かっていた。死体というのはウェスティギウムをあまりうまく保持できない」

「それなら、あれを引き起こした何かはとても強烈なものだったに違いないですね」

「かなりな。それゆえに、われわれとしては犬がとても重要な意味をもつとみなして、その理由をみつけないといけない」

「ミスター・スカーミッシュは犬を飼っていたのかもしれませんね」

「そうだな。そこから調査をはじめるとしよう」

服を着替え終わって死体置き場を離れようとしたとき、悪い兆《きざ》しがぼくらに追いついた。

「この建物内でひどい悪臭がするって噂を聞いたんだが」背後から声がいった。「それが本当じゃないとすりゃ、どうとでもおれを好きにするがいい」

ぼくらは足を止め、振り返った。

アレグザンダー・シーウォル主任警部は二メートルにわずかに足りない程度の大男で、樽のように厚い胸にビール腹、そしてまわりの窓ガラスを揺らすほどの大声の持ち主だった。ヨークシャーかまたはそのあたりの出身で、問題を抱えた北の人間によくあるように、彼も心理療法の安上がりな代替手段としてロンドンに移ってきたのだった。彼の評判はぼくも聞いている。その評判というのは、どんな状況であっても彼とやりあうべきでないというものだった。彼はステロイドで興奮した雄牛のようにぼくらにずんずん近づいてきたから、ぼくはナイティンゲールの背後に隠れたいという衝動をこらえないといけなかった。

「こいつはおれのくそったれな捜査だ、ナイティンゲール」とシーウォルがいった。「あんたが今んとこ誰とかかずらってるのかは知らん――だがな、あんたの《Xファイル》もどきのたわごとに、正当な警察の仕事を邪魔されたくない」

「保証しよう、警部」とナイティンゲールがいった。「きみの邪魔をするつもりはない」

シーウォルはぼくのほうに顔を向けた。「こいつはいったい誰だ?」

「ピーター・グラント巡査だ」とナイティンゲールがいった。「わたしといっしょに働いている」

そう聞いてシーウォルがびっくりしたのはぼくにも見てとれた。シーウォルはぼくを注意ぶかく見なおしたうえで、ナイティンゲールに顔を戻した。

「弟子をとることにしたのか?」

「その判断はまだこれからだ」

「その点は、みんなで検討することになってる」とシーウォル。「同意があったはずだな」

「協定があった」とナイティンゲール。「状況はつねに変わりうる」

「そこまでくそったれなほど変わっちまったわけじゃない」とシーウォルはいったが、少し自信をなくしかけたように見えた。彼はもう一度ぼくを見おろした。「おれの助言を聞いておくんだな、坊や」彼は小声でいった。「まだ可能なうちに、この男から逃げておくがいい」

「いいたいことはそれだけかな？」とナイティンゲール。「とにかく、おれの捜査には近づくな」

「わたしは必要な場所に赴《おもむ》く。それが同意事項だ」

「状況はくそったれに変わりうる」とシーウォル。「さて、許してもらえるなら、被害者《ガイシャ》の腸内洗浄検査に遅れてるんでな」

シーウォル主任警部は通路を戻っていき、両開きの扉にぶち当たるようにとびこんで姿を消した。

「同意事項とはなんのことですか？」ぼくは尋ねた。

「たいしたことでもない」ナイティンゲールはいった。「犬をみつけにいこう」


ロンドンのカムデン特別区の北の端はふたつの丘が占めている。西にあるのがハムステッド、東にあるのがハイゲートで、そのあいだに、ロンドンでも一番大きな公園のひとつ、〈ザ・ヒース〉が緑の鞍《くら》のようにぶら下がっている。これらの高台から、地形はテムズ川とかつての氾濫原《はんらんげん》へと傾斜してくだっていき、その上にロンドンの中心街が積み上がっているわけだ。

ウィリアム・スカーミッシュが暮らしていたダートマス・パークはハイゲート・ヒルからくだった斜面の途上にあり、〈ザ・ヒース〉からでも楽に歩ける距離にあった。スカーミッシュはヴィクトリア朝時代からの住宅棟《テラスハウス》を改装したフラットの一階に住んでいた。街路樹の並ぶ通りの角に建ち、通りはほとんど危険なほど速度制限のための凹凸《おうとつ》がついていた。

さらに丘をくだった先にはケンティッシュ・タウンのレイトン・ロードがあり、ぼくはその一画で育った。学校の友だちのなかにはスカーミッシュのフラットのすぐそばに住んでいた子もいたから、ぼくはこのあたりをよく知っている。

玄関のドアの前で見張りをしていた制服警官にぼくらが身分証を見せているとき、二階の窓から顔がのぞいたことにぼくは目をとめた。改装されたテラスハウスによくあるように、かつては優雅だったはずの通路は石膏《せっこう》ボードでふさがれ、狭苦しいうえに、明かりがとぼしかった。突きあたりには新しい玄関のドアがふたつ横並びに据えられていた。右側のドアはなかば開いたままだが、警察の立入禁止のテープで象徴的にふさがれている。もう一方のドアは、おそらくカーテンが揺れた上階のフラットに通じているものと思われた。

スカーミッシュのフラットはこぎれいで、雑多な様式がパッチワーク状に取り入れられ、室内装飾の野望にとりつかれていない通常の人間が選びそうな家具が並んでいた。マスコミ業界人と聞いてぼくが予想していたよりも本棚は少なかった。写真がたくさん飾ってあるが、子どもが写っているものはどれも白黒や色あせた古いインスタント・カメラで撮ったものだった。

「〝静かな絶望の生活〟か」ナイティンゲールがつぶやいた。何かの引用だということはぼくにもわかったが、誰の言葉ですかと尋ねて相手を満足させるつもりはなかった。

シーウォル主任警部は、ほかの面ではどうあろうと間抜けではなかった。殺人課の連中が完璧に仕事をこなしたろうことはぼくらにも見てとれた――電話機やドアノブやドア枠には指紋採取用の粉が付着していたし、本は本棚からいったん引き出され、そのあとで逆《さか》さに戻されていた。最後の点が、厳格に正しくあること以上にナイティンゲールをいらだたせたらしい。

「単なる不注意だ」彼はいった。

引き出しはすべて引き出され、すでに探したことを示すためにわずかに開けたままの状態で残されていた。書きとめる価値のあるものはひとつ残らずメモに取られ、ＨＯＬＭＥＳのデータベースに記入されていた。おそらくは哀れなレスリーのような新入りの手で。しかし、殺人課はぼくの心霊能力《サイキック・パワー》や吠える犬のウェスティギウムについてまでは知らない。

そして、犬が存在した。または、スカーミッシュ本人がパル印の肉汁たっぷりドッグフードを好んで食べていたかのどちらかだが、彼の静かな生活がそこまで絶望的だったとは思えない。

ぼくは携帯電話からレスリーに連絡をとった。

「今、ＨＯＬＭＥＳの端末のそばにいるかい？」

「出勤してきて以来、このくそったれなもののそばを片時も離れてないわよ」レスリーはいった。「わたしがデータ入力といいまいましい調書の照合をやらされてるんだから」

「本当かい」ぼくは満足げな声にならないようにつとめた。「こっちがどこにいるか、推測がつくかい？」

「いまいましいダートマス・パークの、スカーミッシュのフラットにいるんでしょ」

「どうしてわかったんだい？」

「シーウォル主任警部が、執務室の壁ごしにそう怒鳴ってる声が聞こえたから。それで、ナイティンゲール主任警部って誰？」

ぼくはちらっとナイティンゲールのほうを見た。彼はいらいらしたようにぼくを見ている。

「あとで話すよ。ぼくらに代わって少しデータを確認してもらえないかな？」

「もちろん」レスリーはいった。「どんなこと？」

「殺人課がフラットを捜索したとき、犬をみつけなかったかな？」

関連するファイルを彼女が検索してキーを叩く音が聞こえた。

「報告に犬のことは記載されてないわね」

「ありがとう。きみは〝価値ある貢献〟をしてくれたよ」

「それじゃ今夜、一杯おごってもらうわね」レスリーはそういって、電話を切った。

ぼくはナイティンゲールに、犬がいなかったことを告げた。

「それなら、穿鑿《せんさく》好きな隣人をみつけにいこう」ナイティンゲールはいった。明らかに彼も、窓に浮かんだ顔を目にしていたらしい。

玄関のドアのほかに、インターフォンがドアベルの上に新設されていた。ナイティンゲールがボタンを押すが早いか、やかましいブザー音をたてて錠がはずれ、声が告げた。「上の階までいらっしゃいな」

ほこりっぽいほかはきれいな階段が上階に通じていて、その奥でさらにやかましいブザー音がして内側のドアが開き、ぼくらがのぼりだすと小型犬のキャンキャンやかましく吠える声がはじまった。上階でぼくらを迎えた老婦人は髪を紫に染めてはいなかった。実際、紫に染めた髪がどんなふうに見えるのかぼくはよく知らないし、そもそも紫に染めるのがなぜ名案だと思う人間がいるのだろう？　老婦人は指先を切った手袋をはめてもいないし、猫をたくさん飼ってもいなかった。が、彼女の風貌のどこかに、どちらも未来の生活スタイルの重要な選択肢になりうると思わせるところがあった。そして哀れな老婦人にしてはかなり大柄なほうで、動きはすばやく、少しも歳老いてなどいない。老婦人はミセス・シャーリー・パーマロンと名乗った。

ぼくらはすみやかにリヴィングへと案内された。この部屋が最後にすっかり改装されたのは一九七〇年代らしい。彼女は紅茶とビスケットを用意してくれた。彼女がせわしなくキッチンに入っていくあいだ、犬が、毛の短い白と茶色の雑種のテリアだが、しっぽを振りながら休みなく吠えつづけた。犬は明らかにぼくらのうちどちらがより大きな脅威となりうるか判断がつかず、首を交互に振って間断《かんだん》なく吠えつづけたから、ついにはナイティンゲールが犬に指を突きつけ、口の中でなにやらつぶやいた。犬はすぐさまごろんと寝ころがり、目を閉じて眠りこんでしまった。

ぼくはナイティンゲールのほうを見たが、彼は片方の眉をぴくりとつり上げただけだった。

「トビーは眠っちゃったのかしら？」ミセス・パーマロンが紅茶のトレイを手に戻ってきな

がら尋ねた。ナイティンゲールはとび上がるようにして立ち、老婦人がカップをコーヒーテーブルにおろすのを手伝った。彼は招待主が腰をおろすまで待ってから自分の席に戻った。

トビーは眠りこんだまま、脚で空《くう》を蹴ってうなっていた。死のお迎えがくる以外にこの犬を静かにさせておくことなどできはしないらしい。

「とっても騒々しいでしょ、この子は」ミセス・パーマロンがお茶を注ぎながらいった。

トビーが多少とも静かになった今、ぼくはミセス・パーマロンのフラットを見まわしてみて、この家に犬を飼っているしるしがまるでないことに気づいた。マントルピースの上には写真が何枚か飾られていた。おそらくミスター・パーマロンや子どもたちのものだろう。だが、インド更紗《さらさ》の家具カバーやレースの敷物はどこにもない。暖炉のそばに犬用のバスケットもなければ、ソファーの隙間に犬の毛のかたまりが挟まってもいなかった。ぼくはメモとペンを取り出した。

「この犬はあなたが飼ってらっしゃるんですか？」ぼくは尋ねた。

「いいえ、違うのよ」とミセス・パーマロン。「この子はかわいそうなミスター・スカーミッシュの飼い犬だったの。でも、あたしがしばらく面倒をみてあげてたのよ。いったん人に慣れると、悪さするような子じゃないんだけど」

「トビーはミスター・スカーミッシュが亡くなる前からここにいたんでしょうか？」ナイティンゲールが尋ねた。

「おお、そうなのよ」ミセス・パーマロンがおもしろがるようにいった。「ほら、トビーは裁きの手から逃亡してるの、〝雲隠れ〟してるというわけ」

「この犬の罪はなんだったのでしょう？」とナイティンゲール。

「深刻な暴行を加えた罪よ。ある男の人に嚙みついたの。その人の鼻に。警察を呼んだりする騒ぎになって」彼女は夢の中でネズミを追いかけているトビーを見おろした。「あたしがここでかくまってあげなかったら、豚箱行きだったのよ、あなたは」と老婦人は声をかけた。「そして、死へと旅立つ注射針を射《さ》されてたでしょうね」


ケンティッシュ・タウン署に電話で問い合わせてみると、そこからハムステッド署に取りついでくれ、確かにハムステッド・ヒースでクリスマス直前に犬に襲われたという通報があったことを教えてくれた。被害者は告訴することなく、そのため報告に残っている記載はそれですべてだった。ハムステッド署に被害者の氏名と住所を教えてもらった。ブランドン・クーパータウン、ハムステッド特別区ダウンシャー・ヒル在住。

「犬に魔法をかけたんですね」二人で家を出ながら、ぼくはいった。

「ほんのささやかなものだ」とナイティンゲール。

「つまり、魔術は本物なんですか。となると、あなたは……何者なんですか？」

「魔術師《ウィザード》だ」

「ハリー・ポッターのような？」

ナイティンゲールはため息をついた。「いや、ハリー・ポッターのようではない」

「どういった点で？」

「わたしは架空のキャラクターではない」とナイティンゲール。

ジャガーに乗りこんだぼくらは西をめざした。ハムステッド・ヒースの南のふちをめぐり、北に丘をのぼってハムステッドの街自体に入る。ここまで丘をのぼってくると、迷路のような狭い通りをBMWや大型の高級車《チエルシー・トラクター》がふさいでいる。周辺の家屋は七桁以上するはずで、〝静かな絶望〟というものがここにもあるとすれば、それは金で買えない何かをめぐってであるに違いない。

ナイティンゲールは居住者専用の駐車区画にジャガーを停め、ぼくらは歩いてダウンシャー・ヒルをのぼりながら住所を探していった。目的地は通りの北側に少し入ったところにあり、仕切り壁で分けられた準独立式《セミ・デイタツチト》のヴィクトリア朝時代ふう邸宅のひとつであることがわかった。とても豪壮な家で、ゴシック様式のふち飾りや張り出し窓が見てとれる。表の庭は職人の手で刈りこまれ、個別のインターフォンがないところからすると、クーパータウン家がまるごと所有しているらしい。

玄関のドアに近づいていくと、赤ん坊の泣き声が聞こえてきた。かぼそい、規則的な泣き声で、しだいに高まりつつあり、必要なら一日じゅうでも泣きつづける用意がある。これほど高級な屋敷の持ち主なら、乳母《うば》かまたは最低でも外国から語学を学びにきている子守の娘《オペア》ぐらいはつけているものと予想していたが、ドアを開けた女はそのどちらにしてもあまりにやつれた顔をしていた。

妻のオーガスト・クーパータウンは二十代後半で、背が高く、ブロンドの髪をしたデンマーク女性だった。ぼくらが彼女の出身国を知ったのは、会話がはじまってほとんど即座に彼女のほうからそのことに触れたためだ。赤ん坊を産む前の彼女はすらりとした男の子のような体型だったそうだが、産後はお尻が大きくなり、太腿《ふともも》にも脂肪がついてしまった。このことも、かなりすみやかに会話に織りこまれた。オーガストの意見によると、何もかもが英国人のせいで、育ちのいい北欧出身の女性が期待していたような高い生活水準にこの国は達していないのだという。ぼくにはその意味がよくわからなかった。おそらくデンマークの病院には、産科病棟にフィットネス・ジムでも併設されているのだろう。

彼女は仕切り壁のないリヴィングとひとつづきになったダイニングへと、ぼくらを案内した。床はブロンドウッドで、ぼくがサウナ以外の場所で目にしたいと思わないほど、皮を剝《は》いだマツ材がたっぷりと使われていた。彼女の最大限の努力もむなしく、赤ん坊はすでにこの家の無機質な清潔さを侵食しはじめていた。サイドボードのどっしりしたオーク材の脚の隙間に哺乳瓶がころがりこんでいたし、脱ぎ捨てた上下つなぎの幼児服《ロンパース》が、バング&オルフセン（デンマークのオーディオ・ビジュアル製品メーカー）のステレオの上にまるまったまま落ちていた。かるく四百ポンドはしそうな子ども用ベッドに寝ころがったまま、赤ん坊は泣きつづけていた。

趣味よくグループ分けされた家族の写真が、ミニマリスト様式の花崗岩《かこう》の暖炉の上にかかっていた。夫のブランドン・クーパータウンは、写真どおりなら四十代なかばのハンサムな中年男で、髪は黒く、顔はほっそりしていた。ミセス・クーパータウンがせわしなく動きまわっているあいだに、ぼくはカメラつきの携帯電話でこっそり写真を一枚撮っておいた。

「きみらにはそれができることを、いつも忘れてしまうよ」とナイティンゲールがぼそっともらした。

「二十一世紀にようこそ、主任警部」

ミセス・クーパータウンがせわしなく戻ってくると、ナイティンゲールは礼儀正しく立ち上がった。今度はぼくも用意ができていたから、彼のあとにつづいて立った。

「ご主人のご職業をお尋ねしてもかまわないでしょうか？」ナイティンゲールが尋ねた。

ブランドン・クーパータウンは、テレビ番組のプロデューサー、しかも成功者の部類で、英国映画テレビ芸術アカデミー《BAFTA》やアメリカへの番組フォーマット販売に関わっている――これで七桁の豪邸に住んでいる説明はついた。もっとよい暮らしもできるはずだが、世界的なプロデューサーとしての高い地平にのぼるには英国のテレビ業界の閉鎖性にはっきりと阻害されていた。英国内の視聴者だけに迎合した番組をつくりつづけたり、まったく魅力のない俳優たちをキャスティングするのをやめさえすればいいのだろうが。

英国テレビ業界の偏狭な地方性について、ミセス・クーパータウンの意見を拝聴するのはとても魅惑的なことではあったが、ぼくらとしては犬の事件についても尋ねてみないわけにいかなかった。

「それも典型的な例ですわ」とミセス・クーパータウンはいった。「もちろんブランドンは告訴を望みませんでした。あの人はイ、ギ、リ、ス、人ですからね。なんであれ、騒ぎたてたくないんです。だとしても、警察は犬の飼い主を訴追すべきでしたわ。あの動物は、はっきりと公共にとって危険な存在ですもの――かわいそうなブランドンのまさしく鼻の頭にがぶりと嚙みついてきて」

赤ん坊がふいに泣きやみ、ぼくらは全員が息をひそめたが、単にげっぷを一度もらすとまたしても泣きはじめた。ぼくはナイティンゲールに目をやって、赤ん坊のほうに目を向けて示した。おそらくはトビーのときと同じ魔法を使うこともできるのではないか。ナイティンゲールはぼくに眉をひそめた。赤ん坊にあれを使うのは、倫理的に問題があるのかもしれない。

ミセス・クーパータウンによると、赤ん坊は犬とのことがあるまではまったくおとなしかったのだという。今は、なんというか、歯が生えかけているか、疝痛《せんつう》か、または胃食道の逆流を起こしているに違いないとミセス・クーパータウンは考えていた。総合診療医は原因がちっともわからないらしく、許しがたいほど彼女にそっけないのだそうだ。個人開業医に診《み》てもらったほうがいいかもしれない、と彼女は考えていた。

「犬はいったいどうやって、ご主人の鼻に嚙みついたのでしょうか？」ぼくは尋ねた。

「どういう意味ですの？」ミセス・クーパータウンが問い返す。

「ご主人は鼻を嚙まれたとおっしゃいましたね。犬はとても小型のテリアです。どうやってご主人の鼻まで届いたのでしょう？」

「うちの愚かな主人がしゃがみこんだからですわ」ミセス・クーパータウンがいう。「わたしたちは〈ザ・ヒース〉を散歩していました、家族三人で。そしたら、あの犬が駆け寄ってきて。主人がしゃがんで犬を撫でようとしたら、ぱくっと、なんの警告もなしに、主人の鼻に嚙みつきましたの。はじめのうちはわたしも、とてもコミカルだと思いましたわ。けれど、ブランドンが悲鳴をあげはじめ、そしてあのいやな小男が駆けつけて怒鳴りはじめて。〝おお、わたしのかわいそうなワンちゃんに何をしてるんだ、離してやれ〟って」

「その〝いやな小男〟というのは、犬の飼い主のことでしょうか？」とナイティンゲール。

「いやな小犬に、いやな小男」とミセス・クーパータウン。

「ご主人は怒っておられましたか？」

「どうしてイギリス人について、そんなことがわかるというんですか？」ミセス・クーパータウンが返す。「止血するためのものを探しにいってわたしが戻ってくると、ブランドンは笑ってました——あなたがたイギリス人には、あらゆることが冗談のたねなんでしょうね。わたしが警察に電話してやらないといけませんでした。警察がやってきて、ブランドンが鼻を見せると、あの人たちまで笑いだしましたわ。誰もが楽しそうで、あのいやな小犬まで楽しげで」

「ですが、あなたは楽しくなかった、と？」ぼくは尋ねた。

「楽しいかどうかの問題じゃありません。犬が大人の男性に嚙みつくとすれば、どうやって子どもや赤ん坊に嚙みつかないようにすればいいんですの？」

「火曜の晩、あなたがどこにおられたか、うかがってもかまいませんか？」とナイティンゲールが尋ねた。

「いつもの晩と同じですわ。ここで、息子の世話をしてました」

「それで、ご主人は？」

オーガスト・クーパータウンは――うるさい女か、イエス、ブロンドか、イエス、愚かであるか、ノー――応じた。「なぜそんなことを知りたがるんですの？」

「たいしたことではありません」とナイティンゲール。

「あなたがたは、犬のことでここにいらっしゃったものと思ってましたけど」

「そのとおりです。ですが、ご主人のことで少し細かい点を確認しておきたいもので」

「わたしがこの話をでっちあげてるとお考えなんですか？」

彼女は、五分間にわたって警察の質問に協力してきたあとで民間人が浮かべる、おびえたウサギのような顔になった。長時間にわたって冷静なままでいられるとしたら、それは本職《プロ》の悪党か、外国人か、単なる間抜けであるかだ。いずれの場合も、慎重にやらないと牢獄送りにされかねない。一般人が警察と話すはめになったときは、冷静に、それでいて罪悪感を顔に浮かべておくよう助言しておきたい。そうするのが何よりも安全だ。

「そんなことはまったくありませんよ」ナイティンゲールがいった。「ですが、被害者であるご主人の調書をとっておく必要があります」

「主人はロサンジェルスですわ。今夜遅くに戻ってきます」

ナイティンゲールは名刺を渡し、彼自身、そして正しき信念を持った警察官全体にまで拡大して、われわれがやかましい小犬の襲撃をとても深刻に受け止めていることと、また連絡することをミセス・クーパータウンに約束した。

「あそこで何を感じたかな?」ナイティンゲールが、ジャガーのところまで歩いて戻るあいだに訊いた。

「ウェスティギウムとして?」

「ウェスティギウムというのは単数形で、複数形はウェスティギアだ。ウェスティギアを何か感じたかね?」

「正直いって、何も。ほんのわずかな形跡《ヴェスティッジ》さえも」

「泣きわめく子ども、絶望した母親、不在の夫。アンティークな室内装飾のことはいうまでもない。何か残っているはずだ」

「彼女は少し潔癖性のきらいがあるように見えましたね。たぶん、掃除機で魔法まですっかり吸いとってしまったとか?」

「少しくらいは確実にあったはずだ」ナイティンゲールはいった。「明日、夫にも話を聞いてみることにしよう。ひとまずコヴェント・ガーデンに戻って、あそこで痕跡が何かみつからないか調べてみよう」

「事件からもう三日ですよ。ウェスティギアは薄れてしまったのでは?」

「石はウェスティギアをとてもよくたもつ。だからこそ、古い建物にはそういったものがつきまとうのだ。そうはいっても、歩行者の多さや、あの地区の超自然な要素を考えてみれば、痕跡をたどるのは確かに簡単じゃない」

ぼくらはジャガーに戻りついた。

「動物はウェスティギアを感じとれるんでしょうか？」

「その動物によるな」

「すでに事件と結びついているらしい動物の場合は？」ぼくはいった。


「わたしたち、どうして寮の部屋で飲んでるの？」レスリーが訊いてきた。

「パブでは犬の同伴を許してくれないからだよ」とぼくがいう。

ぼくのベッドに腰かけていたレスリーは、手を伸ばしてトビーの耳の後ろを掻いてやった。犬はうれしそうにクーンともらし、レスリーの膝に頭をうずめようとした。「店の連中に、これは幽霊狩りに使う犬だっていってやればよかったのに」

「ぼくらは幽霊を狩ろうというんじゃない。超自然なエネルギーの痕跡を探してるんだ」

「彼は本当に魔術師だっていったの？」

レスリーにすべて打ち明けてしまったことを、ぼくは本気で後悔しはじめていた。

「そうなんだ。彼が魔法を使ったりするところをこの目で見たし」

ぼくらはグロールシュのビールをボトルで飲んでいた。レスリーが署のクリスマス・パーティの余りを木箱ごと略奪してきたもので、キチネットの壁の石膏ボードがゆるんだ部分をはずしてその奥に隠してあった。

「先週、暴行で逮捕した男のことを覚えてる？」

「どうして忘れられるはずがある？」もみあったときに、ぼくは壁に叩きつけられたのだった。

「あなた、自分で思ってる以上に強く頭を打ったんだと思うわ」

「すべて本当なんだ」ぼくはいった。「幽霊も、魔法も、何もかも」

「なら、どうしてこの世のすべてが一変したように見えないの？」

「なぜなら、つねにきみの目の前に存在してたからだよ。何も変わっちゃいない。だから、どうしてきみが気づくはずがある？」ぼくはビールを飲み干した。「気づくわけない！」

「あなたは懐疑論者だと思ってたけど。科学的に考える人かと思ってた」

レスリーが新しいボトルを渡してくれると、ぼくはそれを彼女に向けて振って見せた。

「オーケイ。うちの父親が昔、ジャズを演奏してたことは知ってるね？」

「もちろん。いっぺん、紹介してくれたじゃない――覚えてる？　すてきな人だと思った」

ぼくは顔をしかめないようにつとめながら、話をつづけた。「それじゃ、ジャズというのはメロディを即興《インプロヴァイズ》で演奏するものだってことは？」

「ううん。それはあなたがチーズについて即興で歌って、みんなのスパッツを結んじゃったときだと思う」

「そりゃおもしろいや」ぼくはいった。「前に一度、父親に尋ねてみたことがある」――父親がしらふでいるときに——「どんなふうに演奏すればいいのか、どうしてわかるの、って。するとと父親はいった、正しいメロディのラインに乗ったときには、それがわかる。なにしろ完璧なんだから。ラインをみつけたら、それに従うだけでいい」

「で、それがくそったれな何と関係あるの？」

「ナイティンゲールがやって見せた力は、ぼくの世界の見方にかなってるっていう点とだよ。ラインがあって、正しいメロディがある」

レスリーは笑った。「あなたは自分でも魔術師になりたいんでしょ」

「どうかな」

「嘘つき。あなたは彼の弟子になって、魔法を習って、ほうきに乗りたがってる」

「本物の魔術師は、ほうきになんて乗らないと思うけど」

「自分がたった今いったことについて、もう一度考えなおしてみたい？　だいいち、どうしてわかるっていうの？　わたしたちがこうして話してるあいだにも、彼が窓の外をスーッと飛びまわってるかもしれないのに」

「なぜなら、あれほどのジャガーを所有してる人は、ほうきにまたがって街をうろつくのに時間をつぶしたりしないからだよ」

「もっともな指摘ね」レスリーはそういって、ぼくとカチリとボトルを合わせた。

場所《ところ》はコヴェント・ガーデン、時刻はまたしても夜。今回は犬を連れている。

それに金曜の夜でもあって、それはつまり、ひどく酔っぱらってやかましい、二十もの言語でそれぞれに話す若者の群れがたむろしていることを意味している。ぼくはトビーを腕に抱えて運ばないといけなかった。そうでないと、群衆の中で見失ってしまうだろう――リードのひもといっしょに。彼は抱かれながらの移動を楽しみ、観光客に向かってうなるのと、ぼくの顔を舐《な》めるのと、行き交う人々のわきの下に鼻先を突っこもうとするのを交互にくり返していた。

レスリーにも無給での時間外労働の機会を申し出てみたが、奇妙なことに彼女は断ってきた。ただし、ブランドン・クーパータウンの写真をコピーして渡すと、HOLMESにあたって詳細を調べてみると約束してくれた。十一時をちょうどまわったころ、トビーとぼくは広場にたどり着き、〝俳優の教会《アクターズ・チャーチ》〟のそばでナイティンゲールのジャガーが、駐車違反でレッカー移動させられないぎりぎりのところまで近づいて停めてあるのをみつけた。

近づいてくるぼくを見て、ナイティンゲールも車を降りてきた。はたしてこれは、トラブル発生時にきと同じように銀の持ち手のついた杖を手にしていた。彼ははじめて出会ったときと同じように銀の持ち手のついた杖を手にしていた。はたしてこれは、トラブル発生時に手ごろな鈍器になるという以外に何か特別な意味があるのだろうか。

「どうやって進めるつもりかな?」ナイティンゲールが訊いた。

「あなたのほうが専門家ですから」

「これについて、文献をあたってみたんだが、あまり役には立たなかった」

「これについての文献があるんですか?」

「きみは驚くだろうな、巡査、文献のたくさんあることを知ったら」

「われわれには選択肢がふたつありますね。ぼくらのどちらかがトビーを連れて犯行現場付近を歩きまわるか、または彼の好きにやらせて、どこに向かうのか確かめるか」

「その順番でやってみるべきだと思うな」

「はじめは方向を定めて歩きまわるほうが犬を制御しやすいとお考えですか？」

「いや」ナイティンゲールはいった。「だが、彼を自由にして逃げられたら、それで捜査はおしまいだ。まずはわたしが彼を連れて歩こう。きみは教会のそばにとどまって、目を光らせていてくれ」

何に目を光らせておいたらいいのかまではいわなかったが、ぼくはすでにその答えがわかっている気がした。

思ったとおり、ナイティンゲールとトビーが覆い屋根のついたマーケットのわきをまわって姿を消すなり、誰かが、「ちょいと」と声をかけるのをぼくは聞いた。振り返ると、ニコラス・ウォールペニーが柱の陰から手招きしていた。

「こっちへ、旦那」ニコラスが小声で強くささやいた。「あの人が戻ってくる前に」彼はぼくを柱の裏側にいざなった。深い影になったそこでは、ニコラスは実体がよりはっきりして、不安が薄れたようだった。「あなたがいっしょにいるのがどんな種類の人間か、わかってるんですかい？」

「あんたは幽霊だろ」

「あたしのこっちゃありませんよ」とニコラス。「すてきな上下そろいを着て、ゴロツキを殴るための銀の杖を手にしてた、あの人のこってす」

「ナイティンゲール主任警部かい？　彼はぼくの上司だ」

「ええ、あなたの仕事に口出ししたくないですがね。あたしがあなたの立場なら、別の上司をみつけますね。触れられてない、もっとまともな人間を」

「触れられてないとは何に？」

「いいから、生まれた年を彼に訊いてごらんなさい」

トビーの吠える声が聞こえると、忽然とニコラスは姿を消した。

「そんなんじゃ、誰とも友だちになれないぞ、ニコラス」とぼくは見えない相手に向けていった。

ナイティンゲールがトビーといっしょに、そしてとりたててなんの報告することもないまま戻ってきた。幽霊のことも、そして彼について警告してきたことも、ナイティンゲールにはいわずにおいた。必要以上の情報を上司にもたらして、よけいな負担をかけないことが重要なように思えたからだ。

ぼくはトビーを抱き上げ、彼のばかげた犬の顔がすぐ目の前にくるようにした――パル印の肉汁たっぷりドッグフードのにおいは無視するようにした。

「よく聞いてくれよ、トビー」ぼくは犬に語りかけた。「おまえのご主人は死んだんだ。ぼくは犬好きな人間じゃないし、ぼくの上司はおまえを目にするなり、おまえを手袋にしちまうだろう。おまえはバタシーの犬猫保護施設と大いなる眠りへの片道切符を目の前にしてる。空の上の大きな犬舎行きを避ける唯一の手だては、おまえの持ってる犬の超自然な感覚を駆使して追いかけることだ……おまえのご主人を殺した何かの痕跡を。わかったか？」

トビーはハッハッとあえぎ、ワンと吠えた。

「まあいいだろう」ぼくは彼をおろしてやった。トビーはすぐさま柱のほうにとことこと駆けていって、片脚をひょいと上げた。

「わたしは彼を手袋になどしないぞ」ナイティンゲールが抗議した。

「そうなんですか？」

「彼は短毛種《ショート・ヘア》だ——手袋にしたら、ひどい見てくれになるだろう。いい帽子にはなるかもしれないが」

トビーは主人の死体がころがっていたあたりを嗅ぎまわり、顔を上げて一度吠えるなり、キング・ストリートのほうにとび出していった。

「くそっ」ぼくはつぶやいた。「こんなのは予想してなかった」

「彼のあとを追うんだ」とナイティンゲールが命じる。

すでにぼくはあとを追っていた。主任警部たる者はけっして駆けたりしない——そのために部下の巡査が存在している。ぼくはトビーを追いかけた。トビーは、ネズミに似た犬がどれもそうであるように、そうしたければじつにすばしこく動きまわれる。彼は角のテスコを越え、低予算のカートゥーン・アニメのように短い脚をせかせか動かしながらニュー・ロウを駆けていった。この二年にわたってレスター・スクウェアで酔っぱらいを追いかけてきた経験から、ぼくはいくらかスピードとスタミナが向上していたから、トビーがセント・マーティンズ・レーンを渡った向こう側のセント・マーティンズ・コートに達するころには距離を縮めかけていた。ノエル・カワード・シアターから出てきたオランダ人観光客の長い列をよけてまわりこむあいだに、その差がまたしても開いた。

「警察です」とぼくは叫んだ。「場所をあけてください！」

〝その犬をつかまえて〟とまでは叫ばなかった——ぼくにもいささかの基準はある。

トビーは〈J・シーキー・オイスター・バー〉の前を通り過ぎ、角の塩漬け牛肉とファラフェル（ヒヨコマメまたはソラマメから作った、コロッケのような中東の食べ物）が売りの店を越えて、チャリング・クロス・ロードをすばやく渡った。ここはロンドン中心部でも一番交通量の多い通りのひとつだ。ぼくは左右を確認したうえで渡らないといけなかったが、さいわいにもトビーはバス停で脚を止め、チケット販売機に向かって用を足した。

トビーはひとりで満足して、おつにすましたような笑みを浮かべていた。小型犬が飼い主の予想してもいない行動をとるか、または庭を荒らしたあとで浮かべるような笑みを。ぼくはどこ行きのバス停か確認した——そのうちのひとつは24系統だった。カムデン・タウン、チョーク・ファーム、そしてハムステッド行きの。

ナイティンゲールがやってくると、二人で周辺の監視カメラの数を数えた。少なくともバス停をうまくとらえているカメラが五つはある。ロンドン交通局がバスに常時搭載しているカメラのことはいうまでもない。ぼくはレスリーに電話して、24系統のバスからのカメラ映像をはじめにチェックしてみるようにとすすめておいた。メッセージを聞いたら彼女が歓喜するだろうと、ぼくには確信があった。

翌朝、彼女は八時に電話してくることで復讐を果たした。

ぼくは冬が嫌いだ。暗いうちから起きるのが嫌いだった。

「きみはちっとも眠らないのかい？」

「早起きは三文《ペンス》の得なのよ」レスリーはいった。「あなたが送ってよこした写真を覚えてる、ブランドン・クーパータウンのあれだけど？　彼は24系統に乗ったみたい。殺人の十分後に、レスター・スクウェアから」

「シーウォルには話したのかい？」

「もちろんよ。あなたのことは好きだけど、そのために自分の職を台なしにするつもりはないから」

「なんて話したんだい？」

「参考人Aの手がかりをつかみました。この二日間で得られた数百のうちのひとつですが、ってつけ加えたかもね」

「それで、彼はなんていった？」

「調べてみろって」

「ミセス・クーパータウンによると、夫はもう戻ってるはずだ」

「なおさら好都合ね」

「ぼくを車で拾っていってくれるかい？」

「もちろん。親分《ヴォルデモート》は？」

「ぼくのケータイ番号を知ってる」

レスリーと外で落ち合う前に、シャワーを浴びてコーヒーを飲むだけの時間はあった。彼女は麻薬のガサ入れに使われたように見える十年落ちのホンダ・アコードで到着した。トビーが後部シートにとびこむと、彼女はぼくに渋い顔をした。

「これは借り物なのよ、ほら」

「彼を部屋に残していくつもりはない」ぼくがそういうあいだも、トビーはシートの隙間の、神のみぞ知る何かのにおいを嗅いでいた。「その男がクーパータウンだっていう確信は？」

レスリーはプリントアウトされた紙を二枚よこした。バスのセキュリティ・カメラは乗降階段をのぼってくる者をはっきりととらえられる角度に設置されていて、顔を見誤りようもなかった——クーパータウンだ。

「痣《あざ》かな」ぼくは訊いた。クーパータウンの頬や首筋に染みのようなものが見える。レスリーは気づかなかったらしいが、寒い晩だったから、酒のせいかもといった。

土曜日だったおかげで道はほどほどの混みようで、ぼくらはちょうど三十分ほどでハムステッドに着いた。あいにくなことに、ぼくらがダウンシャー・ヒルで車を停めるとき、見慣れた銀色のジャガーがレンジ・ローヴァーやBMWのあいだに停まっているのが目にとまった。トビーがキャンキャン吠えだした。

「彼はちっとも眠らないの？」とレスリー。

「ひと晩じゅう張りこみをしてたんだと思う」

「彼はわたしの上司じゃないから、わたしは自分の仕事をこなしてくるわね。いっしょに来る？」

ぼくらはトビーを車に残して家に向かった。ナイティンゲール主任警部がジャガーから出てきて、玄関のすぐ手前でぼくらをさえぎった。彼が昨夜と同じスーツ姿であることにぼくは気づいた。

「ピーター」彼はそう声をかけてから、レスリーのほうにかるく顔をひねった。「メイ巡査。きみの捜査はうまくいったということかな？」

〃生意気の女王〃レスリーでさえも、上官の問いかけを面と向かって無視することはできず、バスの監視カメラ映像について彼に説明し、それとゴーストハント犬から得られた証拠を合わせれば、ブランドン・クーパータウンが実際の殺人犯ではないとしても、最低でも参考人Aであることは九割がた確信がありますと伝えた。

「彼の出入国記録はもう確認したのかな？」ナイティンゲールが訊いた。

ぼくがレスリーを見ると、彼女は肩をすくめた。

「いいえ」とぼくがいった。

「だったら、殺人が起きたとき、彼はロサンジェルスにいたということもありうるわけだ」

「本人に尋ねてみるつもりでした」とぼく。

トビーが吠えはじめた。普段のいらだたしいキャンキャンした吠え方ではなく、本物の怒った吠え声だった。その一瞬、ぼくは何かを感じたように思った。サッカー場の観衆のただ中にいて、ひいきチームに得点が入ったときの興奮のような強烈な感情の波を。

ナイティンゲールがすばやく首をめぐらし、クーパータウンの家のほうを見た。

窓が割れ、女性の悲鳴が聞こえた。

「巡査、待て！」

ナイティンゲールが叫んだものの、レスリーはすでに門を抜け、庭に入りこんでいた。そうして、彼女があまりにも唐突に立ちどまったために、ナイティンゲールとぼくはあやうく彼女の背中に突っこむところだった。彼女は芝生の上の何かをじっと見つめていた。

「なんてこと、そんな」彼女はささやいた。

ぼくもそれを目にした。誰かが二階の窓から赤ん坊をほうり投げたという考えから、ぼくの脳はのがれようとしつづけた。ぼくが目にしているのはただのぼろきれのかたまりか人形だと納得させようとした。だが、そうではなかった。

「救急車を呼べ」ナイティンゲールはそういいおいて、階段を駆け上がった。

ぼくは携帯電話をつかみ、レスリーは赤ん坊のほうによろけつつも駆け寄り、ひざまずいた。彼女が小さな身体を仰向《あおむ》けにして脈を調べるのが見えた。ぼくは反射的に緊急コードと住所を伝えていった。レスリーは屈みこみ、規定どおりに赤ん坊の鼻をふさいでマウス・トゥ・マウスで人工呼吸による蘇生を試みはじめた。

「グラント、こっちに来てくれ」とナイティンゲールが上から呼んだ。その声はしっかりと、てきぱきしている。そのためにぼくは階段を上がり、ポーチに立った。ナイティンゲールは蝶番《ちょうつがい》ごとドアを蹴やぶったに違いない。というのも、ぼくは廊下に入りこむのにドアを踏み越えていかないといけなかったからだ。このいまいましい物音がどこから聞こえてくるのか聞きとるために、ぼくらはいったん立ちどまらないといけなかった。

またしても女が悲鳴をあげた――上の階からだ。誰かがカーペットにぶつかるような音がドスンと響いた。

声がわめいていた。男のものかもしれないが、とてもかん高い。「これで本物の頭痛になったか？」

ぼくは自分が階段を上がったことさえも覚えていなかった。唐突にぼくは踊り場に立っていて、目の前にはナイティンゲールの姿があった。妻のオーガスト・クーパータウンが踊り場の向こうの隅にうつ伏せに倒れていて、片方の腕が階段の手すりの支柱のあいだから突き出ていた。髪の毛は血で濡れて、頬の下に血だまりが広がりつつあった。その上から見おろすように男が立っていて、少なくとも長さが一・五メートルはある木の棒を手にしている。男は激しい息づかいをしていた。

ナイティンゲールはためらいもせず、肩を低くして突進していった。ラグビー・タックルで相手を打ち倒すつもりなのは明白だった。ぼくもそのあとからつづいた。倒れた男の腕を押さえこむつもりだった。ところが男はくるりと身をひるがえし、雑作《ぞうさ》もなく逆手《さかて》でナイティンゲールの背中を張りとばしたから、彼は勢いあまって手すりに激突した。

ぼくはまっすぐに相手の顔を見つめることになった。夫のブランドン・クーパータウンに違いないと思ったが、はっきりと判断はつけがたかった。片方の目は見えているが、鼻のまわりの皮膚が大きくめくれ、もう一方の目は隠れてしまっている。口のあるべきところに広がる血まみれの穴のまわりには、折れた歯や骨が白くまだらに並んでいた。ぼくは驚愕のあまりよろけ、そのおかげで命びろいをした。クーパータウンがぼくめがけて振りまわした棒はぼくに当たることなく頭の上を越えていった。

ぼくは床に倒れ、このくそったれな男はぼくの身体を踏み越えていった。片足がぼくの背中を踏みつけた際に、肺の空気が抜け出た。ぼくがころがったときには、男が階段を駆け降りる音が聞こえた。ぼくはどうにか四つん這《ば》いのまま起きなおった。指の下に、何か濡れてねばついたものを感じとり、踊り場から階段につたい落ちていく細い血の筋であることに気づいた。

下の廊下から、何かがぶつかる音とゴンゴンという音が何度か聞こえた。

「立つんだ、巡査」とナイティンゲールが声をかけた。

「いったいなんだったんですか、あれは？」

ぼくがそう尋ねるあいだにも、彼が手を貸して立たせてくれた。ぼくは廊下の先に目をやった。クーパータウンが、またはあれがいったい誰であるにしても、倒れているところを——さいわいにも顔は下を向いていた。

「さっぱりわからん」ナイティンゲールはいった。「血の筋から離れて、踏まないようにな」

ぼくはできるだけ急いで階段を降りていった。新鮮な血は明るい赤色で、動脈から出たものだ。彼の顔にあいた穴から噴き出たものに違いないと推測できた。ぼくはしゃがみこみ、おそるおそる首筋に触れ、脈をさぐった。何も感じとれない。

「いったい何が？」ぼくは問いかけた。

「ピーター」とナイティンゲールがいった。「きみには死体から離れて慎重に外に出てもらう必要がある。すでにやってしまった以上に現場の状況を荒らすわけにはいかない」

こういうときのためにこそ、前もって決められた手つづきや訓練やドリルがある。衝撃のあまり、脳がひとりでに考えられないときでも行動ができるように——どの兵士にでもいいから訊いてみるといい。

ぼくは外の陽《ひ》の光のもとに出ていった。

遠くのほうでサイレンの音が聞こえてきた。

3 愚壮館《ザ・フォリー》

ナイティンゲール主任警部はレスリーとぼくに庭で待っているようにと伝え、自分は屋内に戻ってほかに誰もいないことを確認した。レスリーは赤ん坊にコートを掛けてやり、寒い屋外で震えていた。彼女にジャケットを羽織らせるつもりでぼくはもぞもぞと脱ぎかけたが、彼女が押しとどめた。

「血がべっとりついてるわよ」

彼女のいうとおりだった。袖の上のほうに血の汚れが染みていて、袖口までしたたっている。ズボンの膝にも血がついていた。生地《きじ》ごしにでも染みとおった血のねばつきが感じられた。レスリーの顔にも、唇のまわりに血がこびりついている。赤ん坊を蘇生させようとしたときについたものだ。ぼくが見つめていることに彼女は気づいた。

「わかってる」彼女はいった。「まだ口の中に血の味がしてるもの」

二人とも震えていて、ぼくは叫び声をあげたかったが、レスリーのためにも自分が強い気持ちをたもたないといけないとわかっていた。さっきのあのことは考えないようにつとめていたが、ブランドン・クーパータウンの血まみれの顔が絶えず脳裏に這い戻ってくる。

「ほら」レスリーがいった。「気持ちを落ちつけて」

　彼女は心配そうな顔で、ぼくがくっくっと笑いだすとさらに不安そうになった――ぼくは笑いを抑えることができなかった。

「どうしたの、ピーター？」

「ごめん。だけど、きみはぼくのために強がってるし、ぼくはきみのために強がってて――いってる意味がわかるかい？　こうやってぼくらは仕事をこなすものなんだ」ぼくは笑うのをどうにか抑え、レスリーもかすかな笑みを浮かべた。

「わかった。あなたがそうなら、わたしも気を高ぶらせるのはやめる」彼女はぼくの手を取って、ぎゅっと握りしめたうえで離した。

「応援部隊はハムステッド署から歩いてくるつもりだと思うかい？」ぼくは訊いた。

　先に救急車が到着し、救急隊員が庭に駆けこんできて、その後二十分にわたって子どもを蘇生させようと懸命に力を尽くしたが、効果はなかった。救急隊員はつねに人命を優先する。それで犯行現場がどれほど破壊されようとも。どのみち彼らを止めることなどできないのだし、やりたいようにさせておいたほうがいい。

　救急隊員が作業をはじめた矢先、輸送用のヴァンに詰めこめるだけの制服警官が到着して、混乱した現場を動きまわりだした。巡査部長が慎重にぼくらに近づいてきた――ぼくらを血まみれの民間人と間違えて、それゆえに容疑者の可能性もあるとみなしているらしい。

「大丈夫ですか？」巡査部長が声をかけてきた。

ぼくは何もいえなかった――あまりにもばかげた質問に思えた。

巡査部長は肩ごしにちらっと救急隊員を見やった。彼らはまだ赤ん坊の救命活動にあたっている。「何があったのか話してもらえますか？」

「重大な事件が発生したんだ」ナイティンゲールが家から出てくるなりいった。「きみ」とそばにいた運の悪い巡査を指で示す。「誰かもう一人と、裏口にまわって誰も出入りできないように見張ってくれ」

巡査は仲間を一人つかまえ、命令されたとおり裏口に向かった。巡査部長は身分証の提示を求めたがっているような顔をしたが、ナイティンゲールはそのすきを与えもしなかった。

「道路の両方向を十ヤードにわたって封鎖してもらいたい。今にも記者が押しかけてくるだろうから、充分な人員を配備して連中を抑えておくように」

巡査部長は敬礼しなかった。ぼくらはロンドン警視庁の一員であって、敬礼はしない。が、彼がくるりと背を向けて去っていくようすは練兵場の行進のようだった。ナイティンゲールはレスリーとぼくが震えて立っているほうを見た。ぼくらを安心させるようにうなずくと、残っていた巡査のうち一人に向かって別の命令を怒鳴りはじめた。

その後まもなく毛布があてがわれ、輸送用車輛の中に場所をあけてもらい、熱い紅茶のカップとスティック・シュガー三袋がぼくらの手に押しこまれた。ぼくらはありがたく紅茶を飲みながら、状況が落ちつくのを黙って待った。

シーウォル主任警部がダウンシャー・ヒルに到着するまでに四十分もかからなかった。土曜の比較的少ない交通量とはいえ、ベルグレイヴィアから緊急用のランプとサイレン《ブルーズ・アンド・トゥーズ》を使って駆けつけてきたに違いない。彼はヴァンの横のスライドドアの前に姿をあらわし、レスリーとぼくに眉をひそめた。

「二人とも、大丈夫か？」

ぼくらは二人ともこくりとうなずいた。

「うむ、くそったれなここから一歩も動くな」彼はいった。

そうせずにいる見こみなどありそうになかった。大がかりな捜査活動は、いったんはじまると《ビッグ・ブラザー》（十数人の男を外界から隔絶した家で暮らさせて、その様子を放送するリアリティTV番組）の再放送を見ているように興奮するものだ。ただし、あれほどセックスとヴァイオレンスは含まれていないだろうが。犯人は名刑事のみごとな推理によって逮捕されるのではなく、かわいそうな下働きの連中が一週間かけて、特定のメーカーのスニーカーを売るハックニー特別区周辺のあらゆる店をまわり、すべてのセキュリティ・カメラ映像を確認することで果たされる。すぐれた上級捜査官というのは、部下たちがすべての〝i〟に点を打ち、すべての〝t〟に横棒を入れるように確実にする者のことであり、とりわけ、カツラをかぶった弁護士どもが被告人のクレジットカードを差しこんで訴訟事件を無理やりこじ開けることができないようにするものだ。

シーウォルはもっともすぐれた捜査官の一人で、ぼくらは手はじめに、法医学班が入口の門のそばに設営したテントに別々に連れていかれた。そこでぼくらは私服を脱いで下着姿になり、スタイリッシュな上下つなぎの防護服に着替えた。一番のお気に入りだったジャケットが証拠品袋に入れられるのを見守りながら、この衣服を二度と取り返すことはできそうにないとぼくは悟った。仮に返してくれることがあったとしても、その前にドライ・クリーニングまでしてくれるだろうか？　彼らはぼくらの顔や手についた血を綿棒で採取し、そのあとで親切にも残りは自分でふき取れるようにタオルを渡してくれた。

ぼくらは輸送用車輌に戻り、その中で昼食をとることになった。近くの店で買ってきたサンドイッチが数切れだけだったが、ここはハムステッドであるために具材はかなり高級だった。ぼくは自分でも驚くほど腹ぺこだったことに気づき、サンドイッチをもうひとつもらおうかと考えかけたとき、シーウォル主任警部がぼくらのヴァンに乗りこんできた。彼の体重のおかげでヴァンは片側に沈み、彼の存在のおかげでレスリーとぼくは無意識のうちに背後のシートに身体を押しつけた。

「お二人さん、元気にやってるか？」シーウォルが声をかけた。

ぼくらは元気で、実際のところひどくはつらつとしていて、すぐにでも仕事に戻る準備ができていると答えた。

「ばかをいえ」彼はいった。「だが、少なくとも信用のできるばかげた話だな。数分後にはおまえたちをハムステッド署に連れていく。そこでスコットランド・ヤードから派遣されたとてもすてきな女性がおまえたちの調書をとる――別々にな。そしておれは、すべてに誠実であることを信条にしてる男だが、くそったれなこの調書にはくそったれな《Xファイル》もどきのたわごとがいっさい記入されないことははっきりいっておくぞ。わかったか？」

彼はまさしく適切に意図を伝えることができた、とぼくらは示した。

「ほかの連中に関するかぎり、通常どおりのくそったれな警察機構がおれたちをこの混乱に突っこんで、通常どおりのくそったれな警察機構がここから出してくれる」

そうしてヴァンのサスペンションをきしませながら、シーウォルは去っていった。

「彼はたった今、上官に嘘をつけとぼくらに頼んだのかな？」ぼくは訊いた。

「そのとおりよ」とレスリー。

「確認してみただけだよ」

そうしてぼくらは、午後の残りを別々の取調室で偽りの証言をして過ごすことになった。ぼくらはおおまかな部分について証言が一致するように気をつけたが、真実らしく見える食い違いがいろいろとあった。とはいえ、警察官ほど供述をうまくごまかせる者はほかに存在しない。

嘘をつき終わると、ぼくらは寮内に保管されていた余りものの衣類を借りてそれに着替え、ダウンシャー・ヒルに戻った。ハムステッドのような地区で重大犯罪が起きるといつも大きなニュースになるもので、とりわけ、ニュース番組の司会者の半数が今日は自宅から歩いて現場に到着できたおかげで、メディアが大挙して押しかけていた。

ぼくらは怪しいくらいおとなしいトビーをホンダ・アコードから出してやり、一時間ほどかけて後部シートをきれいにしたうえで、チャリング・クロスまで窓を開けたまま戻った。トビーを責めることはできない。なにしろ、彼を車内に一日じゅう放置したのはぼくらなのだから。彼にはマクドナルドで子ども用のハッピーセットをごちそうしてやったから、ぼくらのことを許してくれたと思う。

ぼくの部屋に戻ると、ぼくら二人はグロールシュの最後のボトルを飲んだ。そうしてレスリーは服を脱ぎ捨て、ぼくのベッドにもぐりこんだ。ぼくも彼女の背後からもぐりこみ、彼女の身体に腕をまわした。彼女はため息をもらし、ぼくらは二本のスプーンのような姿勢をとった。ぼくは下半身が反応していたが、彼女は親切にもそのことを指摘しなかった。トビーもベッドの端で楽に寝そべり、ぼくらの脚を枕代わりにした。このようにしてぼくら全員が眠りについたのだった。

翌朝、目を覚ましてみるとレスリーの姿はなく、携帯電話が鳴っていた。電話に出てみるとナイティンゲールからだった。

「仕事に戻る準備はできているかな?」彼は訊いた。

できてます、とぼくは答えた。

そうして、仕事に戻った。イアン・ウェスト法医学バー&グリルに。ナイティンゲール主任警部とぼくはあそこで、ブランドン・クーパータウンのひどい傷を見学するツアーを予約していた。ぼくはドクター・アブドゥル・ハック・ウォリッドに紹介された。五十代にしては動きの敏捷な男で、ハイランド地方のやわらかななまりがあった。

「ドクター・ウォリッドはわれわれの特殊な事件をすべて引き受けてくれている」とナイテ

ィンゲールが説明した。

「わたしの専門は未確認病理学でね」とドクター・ウォリッド。

「サレム」ぼくはあいさつした。

「あなたの上にも神の平安がありますように《アル・サラーム・アライクム》」ドクター・ウォリッドが応じて、ぼくの手を握った。

ぼくとしては、今度こそ遠隔モニター室を望んでいたが、ナイティンゲールはこの段階での検死を映像記録に残すことを望まなかった。またしてもエプロン姿でマスクとゴーグルをつけ、ぼくらは検死室に入った。ブランドン・クーパータウン、または少なくともぼくらがクーパータウンとみなしている男は、裸で解剖台の上に横たわっていた。ドクター・ウォリッドがすでに胴体に標準的なY字型の切り込みを入れていて、病理学者がさぐるのがなんであれ中身を掻きまわしたあとで、また縫いあわせてあった。クーパータウンの身元はパスポートの生体認証から確認された。

「首から下は」とドクター・ウォリッドが説明した。「肉体的に健常な四十代後半の男性だ。われわれが興味を持ったのは顔の部分でね」

または、顔の残された部分だ。ドクター・ウォリッドは鉗子《かんし》を使ってはがれた皮膚を広げ、そのためブランドン・クーパータウンの顔はピンクと赤のヒナギクにひどく似ていた。

「頭蓋骨からはじめよう」ドクター・ウォリッドはそういうと、身を乗り出して指し棒で示した。ナイティンゲールもそれにならったが、ぼくは彼の肩ごしにのぞきこむだけで満足した。「見てのとおり、顔面の骨には広範囲にわたって損傷がある——下顎骨、上顎骨、頬骨ははっきりと粉砕されていて、歯も、通常は残存を期待できるものだが、すっかり折れてしまっている」

「顔に強烈な打撃をくらったせいで？」とナイティンゲール。

「わたしも最初はそう推定した」とドクター・ウォリッドはいった。「これがなければね」彼は鉗子を使ってひらひらした皮膚のうち一枚をつかみ——かつては頬を覆っていたものだろう——そして顔にかぶせた。皮膚はちょうど頭蓋骨の幅を覆って、反対側の耳のところまでふさいだ。「通常の許容限度を超えて引き伸ばされたため、皮膚は原形をとどめておらず、筋肉組織はあまり残っていないが、それも横方向の損傷を示している。圧迫された方向から判断して、何かが顎から鼻にかけて顔の周囲を押して皮膚や筋肉を引き伸ばし、骨を粉砕してまでその位置にとどめていたといっておこう。そうして、皮膚をそのままの形にたもっていた何かが消えると、骨や軟組織は本来の姿を失って、実質的に彼の顔は崩れ落ちた」

「〝ディシムロ〟を想定しているのかな？」

「または、それとよく似た手法を」とドクター・ウォリッド。

ナイティンゲールがぼくのために説明してくれた。ディシムロというのは姿を変えることのできる魔法だ、と。実際には〝魔法〟という言葉を使ったわけではないが、そういったに等しい。

「あいにくと」とドクター・ウォリッドがいった。「この手法は根本的に筋肉や皮膚を新たな場所に動かすことになり、そのために恒久的なダメージを引き起こしかねない」

「けっして人気のある手法ではない」とナイティンゲールがいい添えた。

「これを見ればそのわけがわかるだろう」とドクター・ウォリッドはいって、ブランドン・クーパータウンの顔の残骸を示した。

「彼が術士であった可能性を示すなんらかのしるしは？」ナイティンゲールが訊いた。

ドクター・ウォリッドがふたつきのステンレス製トレイを取り出した。「あなたがそう訊いてくることはわかっていたよ。そのために、あらかじめ取り出しておいた」

彼はふたを持ち上げ、人間の脳をあらわした。ぼくは専門家でもなんでもないが、これが健常な脳のようには見えなかった。しわくちゃに縮んでへこみがあり、まるで日射しのもとにさらしておいたためにしぼんでしまったようだった。

「見てのとおり、大脳皮質にかなりの萎縮《いしゅく》が見られ、頭蓋内に出血もある。これをある種の退化した状態と関連づけることができるかもしれないな、ナイティンゲール主任警部とわたしがすでに真の原因を見慣れているのでないなら」

彼は脳を半分に刻み、内側を見せてくれた。虫のくったカリフラワーのようだった。

「そしてこれが」とドクター・ウォリッド。「魔法に冒された脳だ」

「魔法で脳がそんなふうになるんですか？」ぼくは尋ねた。「もう誰も魔法を使わなくなったのも無理はないな」

「限度を超えて使うとこうなる」ナイティンゲールがいって、ドクター・ウォリッドに向きなおった。「彼の自宅には、術をおこなっていた証拠は何ひとつみつからなかった。関連書籍もなければ、道具もなし、ウェスティギウムもなしだ」

「誰かが彼の魔法を奪うことはできるんでしょうか？」ぼくは尋ねた。「彼の脳から吸い取ることは？」

「とうていありえない」とナイティンゲール。「他人の魔法を盗むことはほぼ不可能だ」

「死の瞬間を除いては」とドクター・ウォリッド。

「われらがミスター・クーパータウンが、自分でこれをやったというほうがはるかに可能性がありそうだ」

「だとすると、最初の襲撃のときも仮面をつけていたわけではないというんですか？」

「そのようだな」とナイティンゲール。

「つまり、彼の顔は火曜の晩にぐしゃぐしゃになった」ぼくはいった。「それだったら、バスのセキュリティ・カメラに映っていた彼の顔がまだらに見えたのも説明がつく。そして彼はアメリカに飛んで、向こうで三泊して戻ってきた。そのあいだじゅう、彼の顔は実質的に崩壊していた」

　ドクター・ウォリッドはじっくりと考えてみてからいった。「それなら、負傷した箇所や骨片のまわりに初期段階の再生のしるしが見られることとも矛盾しない」

「かなりひどい痛みだったに違いない」とぼく。

「必ずしもそうとはかぎらんな」とナイティンゲールがいった。「ディシムロの危険のひとつは、それが痛みを覆い隠してしまうことにある。術士は自分で身体を痛めつけているという事実にまったく気づかないこともありうる」

「ですが、彼の顔が普通に見えていたのは——単に魔法が顔をたもっていたためだと？」ドクター・ウォリッドがナイティンゲールに目をやった。

「そうだ」とナイティンゲール。

「眠っているときには、魔法はどうなるんですか？」

「おそらく効力は失せるだろう」

「ですが、彼はあまりに損傷がひどかったため、いったん魔法が失せたら顔もはがれ落ちてしまう。アメリカにいるあいだ、彼は魔法を使いつづけなくてはならなかったはずです。彼はまるまる四日間、眠らなかったというんですか？」

「それは少し疑わしいようだな」とドクター・ウォリッド。

「魔法はソフトウェアのように機能するんでしょうか？」

ナイティンゲールはぼくにぽかんとした顔を向けた。

ドクター・ウォリッドが助け船を出した。「どのようにして？」

「無意識のまま、魔法をたもつように命じることはできるんでしょうか？　そうすれば、魔法は眠っているあいだも機能しつづける」

「倫理的にはともかく、理論的に可能ではあるが、わたしにはできない」とナイティンゲールがいった。「生身《なまみ》のいかなる魔術師にもできないと思う」

生身のいかなる魔術師にも——なるほど。

ドクター・ウォリッドとナイティンゲールがぼくを見ていた。彼らはすでに結論に達し、ぼくの頭が追いつくのを待っているのだと気づいた。

「ぼくが幽霊やヴァンパイアや狼男について尋ねたとき、表面をなぞってさえいないとあなたがいったのは、冗談ではなかったんですね？」

ナイティンゲールはかぶりを振った。「そのようだ。残念ながら」

「くそっ」とぼく。

ドクター・ウォリッドが笑みを浮かべた。「わたしも三十年前に、まったく同じ言葉をもらしたもんだよ」

「つまり、哀れなミスター・クーパータウンをこんな目にあわせたのは、おそらく人間ではないと」ぼくはいった。

「確信をもってそういいたくはないが」とドクター・ウォリッドがいった。「賭けるとすればそっちに賭けたいね」

ナイティンゲールとぼくは、よき警官が日中に空き時間のできたときにするとおりのことをした——パブを探しに出たのだった。角を曲がってすぐのところに、容赦なく高所得者向けの〈マーキス・オブ・クインズベリー〉という名の店をみつけた。建物は午後の小糠《こぬか》雨に濡れて、少し薄汚れて見えた。ナイティンゲールがビールをおごってくれ、ぼくらは隅のボックス席で、ヴィクトリア朝時代の素手で殴りあうボクシング試合を写した写真の下に腰を落ちつけた。

「あなたはどうやって魔術師になったんですか？」ぼくは尋ねた。

ナイティンゲールは首を振った。「ロンドン警視庁犯罪捜査部《CID》に加わるのとはわけが違う」

「それは驚きですね。いったい、どんなふうにすればいいんですか？」

「徒弟制度によってだ」彼はいった。「義務を負うことになる。この技量への、わたしへの、そしてきみの国家への」

「あなたを師父《シフ》と呼ばないといけませんか？」

この言葉のおかげで、少なくとも相手の顔に笑みがもたらされた。「いや。わたしのことは師匠《マスター》と呼ばなくてはいけない」

「マスター？」

「そういう習《なら》わしだ」

ぼくはこの言葉を頭の中で何度かつぶやいてみた。この言葉は、黒人奴隷がかつてそう呼んだように、旦那さま《マッサー》というようにくり返し響いた。

「代わりに主任警部と呼ばせてもらうわけにはいきませんか？」

「きみになんらかの地位《ポスト》を申し出ていると、どうして思うのかね？」

ぼくはパイントグラスからぐいっとひと飲みして、つづきを待った。ナイティンゲールはまたしても笑みを浮かべ、自分のビールに口をつけた。

「いったんこのルビコン川を渡ったら、あと戻りはできないぞ」彼はいった。「そして、わたしを主任警部と呼んでもらってもさしつかえない」

「ぼくは妻と子どもを惨殺した男を目にしたばかりです。この凶行に何か合理的な理由があるなら、それを知りたく思います。彼が自分のとった行動に責任がないというわずかな可能性さえもあるのなら、ぜひそれを知りたく思います。そうすれば、同じことがまたくり返されるのを防げるかもしれませんから」

「それだけでは、この任務を受け入れるのにふさわしい理由とはいえないな」

「ふさわしい理由なんてものがあるんですか？　ぼくは加わりたいと思います。知らないといけないんです」

ナイティンゲールは乾杯のしるしにグラスを掲げた。「その理由のほうがまだましだ」

「では、これからどうしたらいいんですか？」

「今のところは何もない。今日は日曜だ。明日の朝一番に、二人で警視総監に会いにいく」

「ご冗談でしょう」

「いや、本当だ。彼こそは最終判断をまかされているただ一人の人物であるがゆえに」

かつてのニュー・スコットランド・ヤードは、一九六〇年代までロンドン警視庁が間借りしていたありきたりなオフィスビルにあった。それ以降、上級幹部の個室の内装は何度か改装され、一番最近では九〇年代にもおこなわれている。施設の装飾を替えるには、一九七〇年代以降ではダントツに最悪なあの時代に。そのせいで、警視総監の執務室の手前にある待合室は合板や成型ポリウレタンの椅子が並ぶ寒々とした荒野に見えるのだろう。そして訪問者をくつろがせるために、過去六代の警視総監の肖像写真が壁の上からにらみつけていた。

サー・ロバート・マーク（一九七二〜一九七七年）はとりわけぼくらの意図に賛同していないように見えた。彼はぼくが〝重要な貢献〟をしているとは思っていないらしい。

「きみの申請を取り下げるなら、まだ遅くはないぞ」ナイティンゲールがいった。

いや、そんなことはない。けれど、ぼくがそう願っていないというわけでもなかった。普通なら、警視総監の執務室の待合室にすわっている ヒラの巡査はとても勇敢であるか、とても愚かな場合だけだし、自分がどちらにあてはまるのかぼくにもよくわからなかった。

警視総監は十分待たせただけで、秘書にぼくらを呼び入れさせた。彼の執務室は広く、スコットランド・ヤードの残りの部分と同じように明確なスタイルが欠けたままデザインされ、オーク材に似せた模造の合板が壁一面に張りめぐらされていた。壁の片側には女王陛下の肖像画が、別の壁には初代警視総監サー・チャールズ・ローワンの肖像画が飾られている。ぼくはロンドンの警官なら誰でもできるとおり練兵場での気をつけに近い姿勢で直立し、警視総監のほうから手を差し伸べてきたために、びくっとたじろぎかけた。

「グラント巡査、きみのお父さんはリチャード・グラント、だったたな？　彼がタビー・ヘイズと演奏していたころのレコードをわたしも何枚か持っているよ。アナログ盤でだがね、もちろん」

彼はぼくの返事を待ちもせず、ナイティンゲールの手を握って、ぼくらに椅子にすわるようにと手で示した。彼もまた北部の出身で、苦労して警視庁の階級をのぼり、北アイルランドでも勤務してきた。ロンドン警視庁の警視総監になろうという者には、それが必須であるらしい。おそらくは、凶悪な過激派と向きあうことが警視総監の人格養成に欠かせないと考えられているためだろう。彼は制服を立派に着こなしていて、おそらく完全なあやつり人形《マペット》ではなさそうだと一般人からも判断されていた――このことからも、彼の前任者たちよりはずっと上に位置づけられる。

「予期せぬ事態だな、主任警部」と警視総監がいった。「これを不要な手つづきとみなす者もいよう」

「警視総監閣下」ナイティンゲールが慎重に言葉を選んでいった。「現在の状況を鑑《かんが》みて、計画の変更は正当化できるものと思われます」

「きみの部署のことを最初に説明されたとき、わたしはただの痕跡として残っている機関だと信じるにいたったものだ。そして――」警視総監は無理に言葉をしぼり出さないといけなかった。「――〝魔法〟は減少傾向にあり、女王陛下の平和にとってさほどの脅威となるものではない、と。実際、内務省内で〝減少〟という言葉が交わされていたのをはっきりと覚えている。〝科学技術に覆《おお》い隠されて〟というフレーズもよく聞いた」

「科学と魔法がたがいに相容《あいい》れないものではないことを、内務省はけっして本当にはわかっていません。われわれの創始者こそは、そのことの充分な証明になっています。魔法による活動は、ゆっくりとながら確実に増加しているとわたしは信じております」

「魔法が戻りつつあるというのかね？」

「ええ、六十年代なかばから」

「六十年代？　なぜ、そう聞かされても驚かんのだろう？　いまいましいくらい不都合な話だ。その理由はわかっているのかね？」

「いいえ」ナイティンゲールはいった。「ですが、そもそものはじめになぜ減少したのかについても、本当の意味で意見が一致しているわけではありません」

「その文脈に、エッテルベルクという言葉が使われるのを聞いたことがある」警視総監はいった。

一瞬、ナイティンゲールの顔に本物の痛みが浮かんだ。「エッテルベルクはその一部でした、確かに」

警視総監は頰をふくらまし、ため息をついた。「コヴェント・ガーデンとハムステッドの殺人事件、あのふたつは関連があるのかね？」

「はい」

「状況は悪化しつつあると考えておるのかね？」

「はい」

「協定を破るに充分価《あたい》するほどに？」

「弟子を教育するのに十年かかります。わたしの身に何かあったときの用心のため、予備の人員を用意しておいたほうがよいでしょう」

警視総監は楽しくもなさそうにくっくっと笑った。「彼は自分がどんなことに足を踏み入れようとしているのかわかっておるのかね？」

「どの警官にしても、自分が何をしていのるかわかっているでしょうか？」

「よかろう」警視総監がいった。「立ちなさい、きみ」

ぼくらは立った。ナイティンゲールはぼくに、手を挙げるようにといって、誓いを読み上げていった。

「そなた、ケンティッシュ・タウンのピーター・グラントよ、われらが君主、女王陛下とその子孫に心から誓うがよい。そして徒弟期間中はそなたの師に心から仕えるのだ。そして仲間の守り手や、力をまといし衣服にも従うがよい。くだんの仲間の秘密に敬意を示し、くだんの仲間以外の何者にも情報をもらすことなきように。そしてそれらすべてをもって、そなたは心から真摯《しんし》に行動し、この誓いのことはそなたの力のうちに秘めておくように。そうして神の、そなたの君主の、この世界を動かしている力の助けがありますように」

ぼくはそのとおり誓った。ただし、〝衣服〟のくだりではあやうくつっかえかけたが。

「では、神の照覧《しょうらん》あれ」警視総監はいい終えた。

ナイティンゲールの弟子となる以上、今後はぼくも彼のロンドンでの住まいであるラッセル・スクウェアで寝起きする必要があるといわれた。彼は住所を教え、チャリング・クロスの寮でぼくを降ろした。

荷造りはレスリーが手伝ってくれた。

「ベルグレイヴィアで殺人課の仕事をしてないといけないんじゃないのかい？」

「今日一日、休みをとるようにいわれたの」レスリーはいった。「特別な——マスコミの網に引っかかるなよ——休暇ってわけ」

その点は理解ができる。カリスマ的な金持ち一家の崩壊というのは、ニュース番組の担当者にとって夢のような話だ。おぞましいこの事件をいったん詳細に調べ終えると、連中は範囲を広げて、クーパータウン家の悲劇的な死がわれわれの社会に何を告げているのか尋ねてみることもできる。なぜこの悲劇が、現代文化の、世俗的ヒューマニズムの、政治的な正しさの、パレスティナの状況の——適当なところで文章を割愛《かつあい》してもらいたい——告発となるのか？　話題を活気づかせることのできるただひとつのネタは、そこに見てくれのいいブロンドの女性警察官《WPC》を加えることで、こうつけ加えてよければ、監督者もつけずに彼女を危険な任務にあたらせることだ。きっと質問攻めにあうだろうが、なんと答えるかなど誰も聞こうとはしない。

「誰がロサンジェルスに行くことになるんだい？」ぼくは訊いた。誰かがアメリカでのブランドンの足どりをたどらないといけない。

「わたしがまだ会う機会もない部長刑事二人よ。あなたのトラブルに巻きこまれるまでに、わたしはあそこでほんの数日勤めただけだから」

「きみはシーウォルのお気に入りだ。主任警部はあのことできみを非難したりしないさ」

「まだあなたはわたしに借りが残ってると思うけど」彼女はそういうあいだにもバスタオルを取って、てきぱきときっちり四角形にたたんでいった。

「どんなことをお望みかな？」

夕方から休みはとれそうかとレスリーが訊いてきたから、なんとかできると答えた。

「寮にこもっていたくない」彼女はいった。「ちょっと外に出たくて」

「どこに行きたいんだい？」ぼくは訊いて、彼女がタオルを広げなおしてまた三角形にたたんでいくのを見守った。

「パブ以外ならどこでも」彼女はそういって、タオルをぼくに渡した。ぼくはリュックに詰めこんだが、その前にもう一度たたみなおさないといけなかった。

「映画なんかどうかな？」ぼくは訊いた。

「よさそうね。だけど、笑えるやつじゃなきゃだめ」


ラッセル・スクウェアはコヴェント・ガーデンから北に一キロほどのところにあって、大英博物館の裏側にあたる。ナイティンゲールによれば、そこは前世紀の初頭には文学や思想活動の中心だったそうだが、ぼくがこの場所に聞き覚えがあったのは、古いホラー映画でここが地下システムに暮らす食人鬼たちの住処《すみか》だったからだ。

教えられた住所は広場の南側で、そこにはジョージ王朝時代の屋敷の並びが残っていた。屋根裏を改装した部分も数えれば五階建てで、地下階のフラットまでの急な斜面を錬鉄の柵が囲っている。ぼくが探していた番地の建物には近隣よりもはっきりと立派な階段がついていて、真鍮《しんちゅう》の金具がついたマホガニーの両開き扉へと通じている。扉の上の楣石《まぐさ》には〈SCIENTIA POTESTAS EST〉（知識は力なり）という文字が刻まれていた。

〝科学は東を指している《サイエンス・ポインツ・イースト》〟だろうか？　それとも、〝科学はもったいぶったものである《サイエンス・イズ・ポーテンタス》〟か？　〝科学はあまりに抗議しすぎる《サイエンス・プロテスツ・トゥー・マッチ》〟？　〝科学的なポテトが支配する《サイエンティフィック・ポテトズ・ルール》〟？　ぼくは危険な植物遺伝学者の根城《ねじろ》にでもころげこんだのだろうか？

ぼくはリュックとスーツケースふたつを玄関の踊り場まで運び上げた。真鍮のドアベルを押してみたが、厚い扉ごしに鳴る音は聞こえなかった。ややあって、扉がひとりでに開いた。行き交う車の音のせいかもしれないが、モーターやいかなる仕組みであれ機械の作動する音が聞こえなかったことは誓ってもいい。犬のトビーがクーンと鳴いて、ぼくの足の後ろに隠れた。

「気味が悪いことなんてないんだぞ」とぼくはいって聞かせた。「ちっとも」

ぼくはスーツケースを扉の奥に引きずりこんだ。

玄関の広間はローマ様式のモザイク床で、そばには板とガラスで組んだ仕切り部屋《ブース》があった。けっしてチケット売り場に似ているわけではないが、この建物にははっきりと内側と外側の区別があり、中に入りたければ許可を得たほうがいいとほのめかしていた。ここがなんであるにしても、ナイティンゲールの私的な居住空間ではない。

ブースの向こう側には、新古典主義ふうの柱二本に挟まれて大理石の彫像が立っていた。学者が着るガウンに膝丈の短いズボン姿の男の像だ。男は片方の腕に大部の書物を、もう一方には六分儀《ろくぶんぎ》を抱えている。その角ばった顔はなだめがたい好奇心をたたえていて、台座の文字を見る前からぼくにもこの人物の名前がわかった。台座にはこう書かれていた。

自然と自然法則とは夜の闇に隠れていた
神が「ニュートンあれ」と言われると、すべてが明るくなった

彫像のかたわらでナイティンゲールがぼくを待っていた。

「愚壮館《ザ・フォリー》にようこそ。一七七五年以来、英国魔術の公式な館《やかた》となりし場所に」

「あなたの守護聖人はサー・アイザック・ニュートンなんですか？」

ナイティンゲールがにんまりする。「サー・アイザックはわれらの創始者で、魔術の実践を最初に体系化した人だ」

「彼は近代科学を発明した人だと教わりましたけど」

「どちらも彼の業績だ。天才とはそういうものなのだよ」

ナイティンゲールはぼくを案内してドアをくぐり、四角い吹き抜けの広間《アトリウム》へと入っていった。この部屋が建物の中央部を占めている。頭上にはバルコニーが二段に並び、鉄骨とガラスからなるヴィクトリア朝ふうのドームが屋根をかたちづくっていた。トビーのかぎ爪が、磨かれたクリーム色の大理石の上でカタカタと音をたてた。とても静かな場所で、どこにも汚れひとつないために、ぼくは隔絶したような感覚を強烈におぼえた。

「そこを抜けた先に、われわれがもう使っていない晩　餐　室《ダイニング・ルーム》がある。それに、ラウンジと喫煙室も今は使われていない」ナイティンゲールはアトリウムの向こう側のドアを示した。「向こうが一般の図書室と講堂。下の階は、キッチン、食器洗い場、ワイン・セラーだ。裏の階段は、実際はそっちが正面なんだが、その向こうにある。馬車置き場や厩《うまや》は裏口を抜けた先だ」

「ここにはどれくらいの人間が暮らしているんですか？」

「われわれ二人だけだ。それと、モリーと」

トビーがいきなりぼくの足もとで屈みこみ、うなりだした。まさしく〝キッチンにネズミがいる〟というときのうなり声で、務めを果たしている声だ。ぼくが振り返ると、女性が一人、磨かれた大理石の床をすべるように渡ってくるのが見えた。彼女は細身で、エドワード朝時代のメイドのような格好をしている。ゆったりしたスカートと白いコットン・ブラウスの上に、ぱりっと糊《のり》のきいた胸もとまであるエプロンをつけていた。服装に似合わず、顔は長すぎて骨が鋭く突き出ているうえに、アーモンド型のつり上がった黒い目をしている。フリルのついたモブキャップをかぶってはいるが、長い髪がのぞいていて、黒い帳《とばり》が腰まで垂れ落ちていた。ぼくは彼女を見たとたんにぞくっとした。それはなにも、日本のホラー映画を見過ぎているせいばかりではない。

「こちらがモリーだ」ナイティンゲールがいった。「われわれのためにいろいろしてくれる」

「いろいろって、何をですか?」

「必要なことをあれこれと」とナイティンゲール。

モリーは目を伏せ、ぎこちなく頭をかるく下げた。正式な会釈《えしやく》か、お辞儀のつもりだったのかもしれない。またしてもトビーがうなると、モリーも急にうなり返し、気がかりなくらい鋭い歯をのぞかせた。

「モリー!」とナイティンゲールが鋭く制した。

モリーはとりすましたようすで口もとを手で覆い、くるりと背を向けるなり、元の方向にすべるように戻っていった。トビーはひとり満足したかのようにかすかに鼻を鳴らしたが、彼自身を除けば誰もあざむけはしなかった。

「それで、彼女は……?」ぼくは尋ねた。

「欠くことのできない存在だ」

上の階に向かう前に、ナイティンゲールは北側の壁から奥にくぼんだアルコーヴへとぼくを案内した。奥の台座の上に、館《やかた》の守り神のように鎮座していたのは鍵のかかった展示用のケースで、その中には革装の本が一冊だけおさめられていた。本は扉のページが開いていて、ぼくはのぞきこんで文字を読んだ。〈Philosophiae Naturalis Principia Artes Magicis,

Autore: I. S. Newton〉（『自然哲学の魔術的技法の諸原理』著者アイザック・ニュートン）

「つまり、われらがサー・アイザックは科学の革命を起こすだけでは満足せずに、魔術も発明したというわけですか？」

「発明したのではない。彼が基本的原則を体系化し、それまでほどいき当たりばったりではないものにまとめ上げたのだ」

「魔術と科学」とぼくはつぶやいた。「彼は仕上げ《アンコール》に何をしたんですかね？」

「王立造幣局を改革して、国家を破綻の危機から救ったんだよ」とナイティンゲールはいった。

おもな階段はふたつあるらしく、ぼくらは東側の階段をのぼって、二階の柱廊になったバルコニーや、羽目板とほこりよけの白い布が雑然と並ぶ空間をたどっていった。さらに階段をふたつのぼると三階の廊下に出て、そこには重たそうな木の扉がいくつも並んでいた。ナイティンゲールは適当に選んだかのようにそのうちのひとつを開け、中に入るようにとぼくをうながした。

「ここがきみの部屋だ」

この部屋はぼくが使っていた警察寮の部屋の二倍は広さがあって、均斉がとれていて天井も高かった。真鍮の柱つきのダブルベッドは片隅に寄せて置かれ、反対側の壁にはナルニアふうの衣装箪笥《ワードローブ》が据えられ、そのあいだには書き物机が、上げ下げ式の窓からちょうど明かりが入りこむ位置に置かれていた。本棚が壁の二面をすっかり覆い、のちに調べてみてわかったことだが、一九一三年発行のブリタニカ百科事典と、ぼろぼろの『すばらしい新時代』の初版本と聖書以外はからっぽだった。かつては明らかに暖炉があったらしいところには、代わりにガス・ストーヴが据えられ、緑色のタイルで囲われていた。机の上の読書灯には日本画を模した柄《がら》の入ったシェードがついていて、そのわきには、ぼくの父親よりも古株に違いないベークライト製の電話が置かれている。ほこりや最近使ったばかりらしいつや出し用ワックスのにおいがした。この部屋は過去五十年間を、ほこりよけの白い布の下でまどろんで過ごしてきたのだろうと推測できた。

「荷物をほどいたら、下の階で落ち合おう」ナイティンゲールがいった。「人前に出ても見苦しくない服装でな」

それがどういう意味なのかはぼくにもわかったから、なるべく時間を引き延ばそうとしてみたが、荷をほどくのにあまり長くかかるはずもなかった。

厳密にいうと、悲しみにくれる両親を空港に迎えにいくのはぼくらの仕事というわけではない。正式にはこれがウェストミンスターの殺人捜査本部が担当する事件だという事実は別にしても、オーガスト・クーパータウンの両親が殺人に直接結びつく情報を何かもっているとはきわめて考えにくい。冷淡に聞こえるだろうが、刑事には近親を亡くした遺族に即興のカウンセリングをしてやるよりもふさわしい仕事がある。これは親族連絡係の仕事だ。

ところがナイティンゲールはそう考えていないらしく、そのため彼とぼくはヒースロー空港の到着出口の柵の手前に立って、フィッシャー夫妻が税関を抜けてあらわれるのを待つことになった。段ボールのプラカードに名前を書いて掲げるのはぼくの役目だった。

夫妻はぼくが予想していた外見とはかなり違っていた。父親は背が低くて禿《は》げ上がっていたし、母親は髪がネズミ色でずんぐりしていた。ナイティンゲールはデンマーク語とおぼしき言葉で自己紹介して、ぼくには夫妻の荷物をジャガーに運びこむようにと告げた。ぼくは喜んでその指示に従った。

どの警官にでもかまわないから、仕事のうちで何が一番つらいか尋ねてみるといい。きっと親族に悪い知らせを伝えることだと答えるだろう。が、それは真実とはいえない。最悪の部分は、知らせを打ち明けたあとでその部屋にとどまり、誰かの人生が彼らのまわりで崩壊していくあいだ、そこにとどまるしかなくなることのほうだ。そんなことは気にならないとうそぶく者もいる——が、そういった連中のことは信用すべきでない。

フィッシャー夫妻は、明らかに娘の家から一番近いホテルをグーグルで検索していたらしく、ヘイヴァーストック・ヒルにある牢獄とガソリンスタンドを融合させたような煉瓦《レンガ》造りのホテルに予約を入れていた。ホテルのロビーは薄汚れていて騒がしく、職業安定所と同じくらい、また訪問したいとは思えないところだった。フィッシャー夫妻が気づいたかどうかは怪しいが、このホテルは彼らにふさわしくないとナイティンゲールが考えているらしいのをぼくは見てとれたし、一瞬、彼が夫妻に愚壮館《ザ・フォリー》での逗留《とうりゅう》をすすめるつもりではないかと思ったくらいだ。

やがて彼はため息をつくと、フロントのところで荷物をおろすようにとぼくに指示した。

「あとはわたしが引き受ける」

彼はそういって、ぼくを先に帰した。ぼくはフィッシャー夫妻に別れのあいさつをして、できるだけすみやかに彼らの人生から遠ざかった。


そのあとであまり外に出かける気にはならなかったが、レスリーがぼくを説《と》きふせた。

「悪いことがあったからって、足を止めちゃだめよ」彼女はいった。「それに、あなたはわたしにひと晩つきあう借りがあるんだから」

ぼくは反論しなかったし、つまるところ、ウェスト・エンドに住む利点はいつだって映画を観られる場所がどこかにあることだ。ぼくらは手はじめにプリンス・チャールズ映画館をあたってみたが、そこでは下のフロアで《12モンキーズ》を、上のフロアではクロサワ映画を二本立てで上映していたから、ぼくらは角を曲がってレスター・スクウェアのヴォイッジ館に向かった。ヴォイッジは八つのスクリーンを備えたミニチュア版のシネコンで、そのうちの少なくともふたつは、一般家庭の平均的なプラズマテレビよりも大きい。普段のぼくなら、ある程度の余分なヴァイオレンスが含まれた映画を好んだろうが、今月おすすめのしあわせな気分になれるロマンティック・コメディ、アリソン・タイクとデニス・カーター主演の《シャーベット・レモンズ》こそが楽しい気分にさせてくれるうってつけの映画に違いないというレスリーの意見に従った。おそらく、これでうまくいきさえしたかもしれない。ぼくらが実際にそれを観る機会があったなら。

劇場のロビーは場内売り場が占めていて、建物の幅いっぱいに広がっていた。処理カウンターは八カ所あって、ポップコーン製造機やホットドッグ用のグリル、最新の超大作とタイアップしたキッズ用ボックスセットをすすめる手書きの表示板などが混在するなかに、それぞれレジが備わっている。それぞれの入場口の上には液晶ディスプレイ《LCD》のワイドスクリーンが設置されていて、上映される映画名、年齢制限の指定、上映開始時刻、上映までの残り時間、そしてそれぞれのスクリーンに空席があとどれだけ残っているかが表示されている。一定の間隔をおいて、画面は予告編や、機械処理された肉を使った製品のコマーシャルや、ヴォイッジ・チェーンの映画館でどれほど楽しい時間が過ごせるかが宣伝されていた。

その晩は入場口が一カ所しか開かれておらず、およそ十五人ほどが一列に並んで順番を待っていた。ぼくらは着飾った中年女性に付き添われた九歳から十一歳までの少女四人のあとから列に加わった。レスリーもぼくも待つことは気にならなかった――警官になって学ぶことがひとつあるとすれば、それはいかにして待ちつづけるかという点だ。

そのあとでおこなわれた捜査で明らかになったところでは、そのとき入場口に配されていたただ一人の場内スタッフはスリランカから亡命してきたサダン・ラナタンガという二十三歳の男で、その晩レスター・スクウェアのヴォイッジ館で働いていた四人のうちの一人だった。事件発生当時、スタッフのうち二人は次の上映のためにスクリーン1とスクリーン3を清掃中で、一人がチケットの販売を担当し、残る一人は男子トイレのとりわけ不快なこぼれものを始末しているところだった。

ミスター・ラナタンガはチケットとポップコーンを同時に販売していたため、列がさばけてぼくらの前に並んでいた女性がそろそろ順番を期待しはじめるまでに少なくとも十五分はかかった。彼女が保護者として付き添ってきた子どもたちは、それまで自分たちだけでほかの場所で遊んでいたが、欲しいお菓子を買ってもらえるように早めに列に戻ってきた。保護者の女性は見ていて感心するくらい厳格で、おやつの支給は一人につき飲み物をひとつとポップコーンひと箱か袋入りのお菓子だけであるとはっきりさせていた——例外はなし、それにプリシラのお母さんがあんたたちを連れていったときに何を買ってくれたかなんて、あたしの知ったことじゃありませんからね。誰もナチョなんて買ってやれないの。そもそも、ナチョってなんなの？　いい子にしてないと、何も買ってあげないわよ。

チャリング・クロス署の犯罪捜査部《CID》の調べによると、転機は彼女たちの前に並んでいたカップルが入場料のことでごねはじめたときに起こった。このカップル、名前はニコラ・ファブローニとユージニオ・トゥルコといい、ナポリからやってきたヘロイン常用者で、薬を抜くためロンドンに滞在中だと判明したが、二人はピカデリー英会話学校のパンフレットを持っていて、間違いなくそこに在籍している生徒だといい張った。

少なくとも先週までなら、ミスター・ラナタンガは折れてそのまま通していたろうが、その日の午後、劇場の支配人から、レスター・スクウェアのヴォイッジ館では割引チケットを使う客が多すぎると本部から指導があったため、今後は疑わしい客の要求を断るようにといわれていた。この指示に従い、ミスター・ラナタンガはトゥルコとファブローニに正規の金額をお支払いくださいと残念そうに伝えた。

カップルはこれに納得がいかなかった。というのも、二人は割引で劇場にもぐりこめるという前提で今夜の予算を見積もっていたからだ。頑《がん》として応じないミスター・ラナタンガに二人は抗議したが、双方とも第二言語を使ってやりとりしていたため、貴重な時間がいたずらに過ぎていった。ようやく、トゥルコとファブローニは汚れた五ポンド札二枚とひと握りの十ペンス硬貨でもってしぶしぶながら正規の料金を支払った。

どうやらレスリーは、はじめからこのイタリア人カップルに警官として注意の目を向けていたらしい。一方のぼくは――すぐに気がそれてしまう性質であることを思い出してもらいたい――レスリーを愚壮館《ザ・フォリー》の自室にこっそり連れこむことはできるだろうかと考えをめぐらせていた。そういったわけで、ぼくらの前に立っていた高級なコートを着た上品な中流階級の女性が、カウンターごしにとびついてミスター・ラナタンガを絞め殺そうとしたことに、ぼくは少なからず驚かされた。

女性の名はシリア・マンロー、フィンチリー在住で、娘のジョージナとアントニア、それに娘の友だち二人、ジェニファーとアレックスを特別のご褒美《ほうび》としてウェスト・エンドに連れてきていた。口論はミズ・マンローがチケットの支払いの一部にヴォイッジ映画館会員の割引券五枚を使おうとしたときにはじまった。ミスター・ラナタンガは申しわけなさそうに、この割引券は当館では使用できませんと伝えた。ミズ・マンローはなぜ使用できないのかと問い、ミスター・ラナタンガはうまく答えることができなかった。支配人はそもそものはじめから、この割引制度について彼に説明してもいなかったからだ。ミズ・マンローは不満をいささか力ずくで表明した。このことは、ミスター・ラナタンガや、レスリーとぼく、そしてのちの供述によると、ミズ・マンロー自身さえも驚かせた。

このときになってレスリーとぼくは仲介に入ることにしたが、ぼくらが前に進んで、どうかしましたかと尋ねるひまもなく、ミズ・マンローは行動に出た。それはとてもすばやく起こったため、予想外の出来事の場合にはよくあるように、ぼくらには何が起きているのか見てとるのに少し時間がかかった。

さいわいにもぼくらは通りでの勤務に充分慣れていたから、その場で凍りついてしまうことなく、二人がかりで女性の肩をつかんでミスター・ラナタンガから引き離そうとした。しかしながら彼女が相手の首をつかむ力はあまりに強く、ミスター・ラナタンガまでカウンターごしに引きずり出された。そのころまでに女の子たちは興奮状態になっていて、どうやら一番年上らしいアントニアがぼくの背中を拳《こぶし》で殴りつけはじめたが、そのときのぼくは気づきもしなかった。ミズ・マンローの唇は怒りのためにめくれ上がり、首や前腕の筋が浮き立っていた。ミスター・ラナタンガの顔は赤黒くなり、唇は紫色に変わりつつあった。

レスリーがミズ・マンローの手首の痛点を親指で強く押すと、女性はあまりにもいきなり相手を離したから、ぼくらは二人とも後ろ向きに床にひっくり返った。ミズ・マンローはぼくの身体の上にころがり、ぼくは彼女の腕を押さえつけようとしたが、その前に肋骨に強烈な肘《ひじ》打ちをくらうことになった。ぼくは体重の差と腕力の優位を生かして彼女をはねのけてひっくり返し、ポップコーンのにおいの染みついたカーペットにうつぶせに押さえこんだ。もちろん、手錠は携帯していなかったから、彼女の両手を背中にまわして押さえないといけなかった。法的にいえば、いったん容疑者に手をかけた以上、逮捕もしないといけない。ぼくが警告を発すると、彼女はぐったりとなった。レスリーのほうを見ると、彼女は首を絞められた男の具合を確かめるだけでなく、子どもたちを押しとどめながら、チャリング・クロス署に連絡して、てきぱきと事件を報告していた。

「あなたを自由にしても、おとなしくしていられますか？」ぼくは訊いた。

ミズ・マンローはうなずいた。ぼくはころがるようにして離れ、彼女をその場で起きならせた。

「あたしはただ映画を観たかっただけなのに」彼女はいった。「あたしが小さかったころは、地元のオデオン座に行って、〝チケットをください〟っていうだけでよかった。お金を払えば、それでチケットがもらえた。いつからこんなに複雑になったの？　いつから、胸のむかむかするナチョなんてものがこの国に入ってきたの？　くそったれなナチョって、そもそもなんなの？」

女の子の一人が、この汚い言葉づかいを聞いてくすくすと不安げに笑った。

レスリーは警察手帳に書きつけていた。〝あなたが口にすることはすべて、証拠として使われることがあります〟という警告のことは誰でも知っていよう。これこそはそれだ。

「あの青年は怪我してないかしら?」ミズ・マンローは確証を求めるようにぼくを見た。

「自分でも何があったのかわからないの。あたしはただ、英語をちゃんとしゃべれる人と話したかっただけ。去年の夏にはバイエルンに旅行に行ったんだけれど、あそこではみんな英語をとってもうまく話してたわ。それが、子どもたちを連れてウェスト・エンドに来てみると、まわりの誰もが外国人だなんて。この人たちがいってることは、ちっとも意味がわからない」

検察局《CPS》の嫌味な連中なら、この発言を人種差別から引き起こされた犯罪に結びつけることもできるのではないかと思えた。ぼくがレスリーと目を合わせると、彼女はため息をついたもののメモをとるのをやめた。

「あたしはただ、映画を観たかっただけなの」とミズ・マンローがくり返す。

救済はネブレット警部の姿をとってあらわれた。彼はぼくらをひと目見ていった。「きみたち二人からは片時も目を離しておけんのか?」

もちろん、ぼくの目をあざむくことはできない。ここにやってくるまでのあいだじゅう、彼がこのセリフを何度も練習していたのだとぼくにはわかった。

それはともかく、ぼくらは全員そろって署に戻り、逮捕の手つづきを完了して書類仕事を片づけることになった。これこそはぼくの人生のうちで急いで振り返りたいとは思えない三時間だった。ぼくらは時間外勤務をこなす警官がみんなそうするように、署内の食堂で紅茶を飲みながら書類に記入していった。

「事件処理推進ユニットの助けが必要なこんなときに、誰かさんはいったいどこへ行っちゃったんだろ？」レスリーがつぶやいた。

「だから《七人の侍》を観るべきだっていったろ」

「事件全体が、どこか妙だったと思わない？」

「妙だったって、どんなふうに？」

「ほら、中年女性がいきなり取り乱して、映画館で人を襲った。しかも、自分の子どもたちの見てる目の前で。あなた、本当に何も感じなかったの……？」彼女はぼくの顔の前で指を揺らした。

「注意を払ってなかったんだ」ぼくはいった。振り返ってみると、確かに何かあったかもしれない。暴力と笑い声がちらっと感じられた気がする。だが、疑わしいほど後付けのもののように感じられた。事実のあとでつくり上げた記憶のように。

九時をまわったころ、ミスター・マンローが弁護士と到着し、ほかの子どもたちの親もやってきた。一時間以内にミスター・マンローの妻は保釈された。レスリーとぼくが書類を書き終えるよりもかなり早かった。そのころにはひどくくたびれていたから、ぼくはそれ以上頭のよいことをしでかす前にレスリーと別れ、迅速対応用のパトカーに乗せてもらってラッセル・スクウェアまで戻った。

ぼくは真新しい鍵の束《たば》をもらっていて、そのなかには裏手の通用口の鍵もあった。この入口からなら、サー・アイザックの同意しかねる視線の前を通り抜ける必要もない。中央のアトリウムはぼんやりと明かりがともっていたが、最初の階段をのぼるとき、下の床をすべるように渡る淡い人影が見えたような気がした。

朝食室が夕食のときとまったく違う部屋で、異なる食器で出されるのを見れば、自分が優雅な場所に滞在していることがわかるだろう。そこは愚壮館《ザ・フォリー》の南東に面していて、一月の淡い光が降りそそぎ、馬車置き場と厩を見おろしている。食事をしているのはぼくとナイティンゲール二人だけだというのに、どのテーブルにもきれいに洗濯された真っ白なテーブルクロスが敷かれていた。たっぷり五十人はここにすわれるだろう。そのうえ、テーブルには銀めっきの大皿《サーヴァー》に盛られた燻製ニシン《キッパー》や、卵、ベーコン、ブラック・プディング、そして器いっぱいに盛ったライスや豆と干しダラ《ハドック》の身をほぐしたケジャリー（インド料理をもとにした、英国の伝統的な朝食メニューのひとつ）だとナイティンゲールが教えてくれたがこれ見よがしに並べられていた。ぼく同様に、彼も食事の量の多さに面食らっているようだった。

「モリーは少し張り切りすぎたのかもしれないな」彼はそういって、自分のぶんのケジャリーを取った。ぼくもすべての皿から少しずつ食べ、トビーはソーセージやブラック・プディングをもらい、器から水を飲んだ。

「全部食べきるなんて、とてもできませんよ。残ったものを彼女はどうするつもりなんでしょう？」

「そういう質問はしないことを、わたしは経験から体得したよ」

「答えを知りたいかどうか、自分でも確信をもてないからだ」

「なぜですか？」

ぼくにとって最初の正式な魔術のレッスンは、二階の奥にある実験室のひとつでおこなわれた。ほかの実験室はかつて研究のために使われてきたが、この部屋は弟子に教えるために使われるもので、実際に学校の化学実験室のようにも見えた。腰の高さほどのベンチがあって、ブンゼン・バーナーのためのガス栓が一定の間隔をおいて並び、白磁のシンクがニスを塗ったテーブル板の表面をえぐってしつらえられている。壁には周期表のポスターまで貼ってあって、第二次大戦以降に発見された元素がごっそり欠けていることにぼくは気づいた。

「はじめにシンクに水を張っておく必要がある」ナイティンゲールがいった。彼はそばにあったひとつを選んで、白鳥の首をかたどった細長い蛇口の根元についている水道栓をひねった。遠くでかすかにゴンゴンと打つような音がして、黒い白鳥の首が震え、ゴボゴボいってから茶色の水のかたまりを吐き出した。

二人とも、思わず一歩跳びのいた。

「この場所を最後に使ってからどれくらいになるんですか？」

ゴンゴンという音が高まって、間隔がせばまり、そして蛇口から水がほとばしった。はじめのうち水は汚れていたが、しだいにきれいに澄んで、ゴンゴンいう音も薄らいでいった。ナイティンゲールは排水口に栓をして、シンクに四分の三までためてから水を止めた。

「この呪文を試すときには、安全のため、つねにシンクに水を用意しておくように」

「火が出るんですか？」

「きみがしくじった場合にはな。わたしが手本を見せるから、よく注意を払ってもらわないといけない——ウェスティギアをさぐるときのように。わかったかな？」

「ウェスティギアのように、ですね。わかりました」

ナイティンゲールは右手の手のひらを上に向けて差し出し、拳を握った。

「この手をよく見ていろ」彼はそういって、指を開いた。

いきなり、手のひらの数センチ上に光の玉が浮かび上がった。明るくはあったが、まぶしすぎてじっと見つめていられないほどではない。

ナイティンゲールが指を握りなおすと、光の玉は消えた。

「もう一度やってみるか？」彼が訊いた。

そのときまで、ぼくの頭の中のほんの一部では合理的な説明を期待していた。が、ナイティンゲールがこれほど簡単に妖光《ワーライト》をつくり出すのを目の前にして、合理的な説明が得られたと悟った——魔法は機能する。次なる疑問は、もちろん——いったいどうやって機能しているのだろうか？

「もう一度お願いします」とぼくは頼んだ。

彼が手を開くと、光があらわれた。光のみなもとはゴルフボール大で、真珠のように光沢《こうたく》のあるなめらかな表面をしている。ぼくは身を乗り出したが、光が玉の内側から放散しているのか、それとも表面から発しているのかどちらともつかなかった。

ナイティンゲールが手のひらを閉じた。「気をつけるんだ。目を傷つけたくはないだろう」

まばたきしてみると、紫色の染みが見えた。彼のいうとおりだ——やわらかな光にだまされて、長いあいだまじまじと見つめてしまっていた。ぼくは目をかるく水ですすいだ。

「もう一度やってみる準備はいいかな？」ナイティンゲールが訊いた。「わたしが光をつくるときの感覚に集中してみるんだ——何か感じられるはずだ」

「何か？」

「魔術とは音楽のようなものだ。聞く者によって音色《ねいろ》は違う。われわれの使う学術用語では〝型《フォルマ》〟という。が、〝何か〟という以上に役立つわけでもない、違うかな？」

「かまわんとも」

「目を閉じてもかまいませんか？」

確かに〝何か〟を感じた。光の玉がつくり出された瞬間に、沈黙の引き金が引かれたかのようだった。実演が何度かつづけられるうちに、ぼくが想像しているだけではないと確信がもてるようになった。何か質問はあるかな、とナイティンゲールが訊いた。この呪文はなんと呼ばれているんですか、とぼくは尋ねた。

「一般には〝ワーライト〟という名で知られている」

「水の中でもできますか？」

ナイティンゲールはシンクに手を突っこみ、窮屈な姿勢ながら、見たかぎりなんの困難もなくワーライトをつくって見せた。

「ということは、酸化の作用ではないんですね」

「集中しろ」とナイティンゲール。「魔術が第一、科学的な解明はあとでだ」

ぼくは集中しようとした、が、いったい何に？

「あと一分したら。きみにもわたしが実演したのと同じやり方で手を開いてもらう。わたしがワーライトをつくり出したときにきみが感じたのと同じものを心の中で形づくってもらいたい。扉を開く鍵のように、それを考えるのだ。わかったかな？」

「手、形、扉、鍵、ですね」

「そのとおり」とナイティンゲール。「では、はじめてもらおう」

ぼくは深呼吸をして、腕を突き出して拳を開いた——何も起こらなかった。

ナイティンゲールは笑わなかったが、ぼくとしては笑ってもらったほうが気が楽だったろう。ぼくはもう一度深く息を吸いこみ、頭の中で〝形〟をつくり出そうとした、それが何を意味しているにしても。そしてもう一度手を開いた。

「もう一度やって見せよう」ナイティンゲールはいった。「そして、きみにまねてもらう」

彼はワーライトをつくり出し、ぼくはフォルマの形を感じとってそれをまねようとした。それでも自分で光をつくり出すことはできなかったが、今度はフォルマのかすかな響きを感じたように思った。通り過ぎる車からちらっと聞こえる音楽の断片のように。

何度かこの動作をくり返すうちに、ぼくはフォルマを形づくるとはどんなものかわかったと確信できた。が、自分の頭の中で形をみつけることはできなかった。このような過程はナイティンゲールにも見慣れたものだったに違いない。ぼくがどの段階にあるのか彼にははっきりと指摘できたからだ。

「この練習をあと二時間つづけるんだ」彼はいった。「それから昼食をとって、またそのあとで二時間練習する。そのあとは夕べの休息時間だ」

「これだけをやるんですか？　古い言語を学んだり、魔術の理論を学ぶこともなしに？」

「これが最初の一歩だ」ナイティンゲールはいった。「これを習得できないなら、ほかのことなどあまり問題ではない」

「それじゃ、これはテストなんですか？」

「徒弟の訓練とはそういうものだ。このフォルマを習得できたそのときは、たっぷりと学ぶことがあると約束しよう。ラテン語はもちろんのこと、ギリシャ語、アラビア語、実用ドイツ語も。わたしが手がける事件の現地捜査をすべてきみに引き受けてもらうことはいうまでもない」

「それはよかった」ぼくはいった。「やる気が出てきましたよ」

ナイティンゲールは笑いをもらし、ぼくを残して部屋を去っていった。

4 川のほとり《バイ・ザ・リヴァー》で

人には目を覚まして十分以内にはやりたくないことがいくつもあるものだが、グレイト・ウェスト・ロードを猛烈な速度でとばすこともそのうちのひとつだろう。たとえ今は午前三時で、回転灯とサイレンを鳴らして道をあけさせ、しかも道路はロンドンで可能なかぎり交通量の少ない時間帯であるにしても。ぼくはドアのつり革につかまりながら、このジャガーがヴィンテージ・カーとして多くの点でスタイルや工芸においてすぐれているにしても、悲しいかな、エアバッグや最新の衝突時緩衝機能が欠けていることはなるべく考えないようにしていた。

「無線を調節してくれたかな?」ナイティンゲールが訊いてきた。

かなり以前から、このジャガーは現代的な無線装置を備えていた。ナイティンゲールはその使い方を知らないことをむしろおもしろがるかのように認めていた。ぼくはなんとか無線機のスイッチを入れたものの、ナイティンゲールがかなりのスピードでホーガース環状交差路《ラウンダバウト》に入りこんだため、サイド・ウィンドウに頭をぶつけてそれどころではなくなった。そこから先は比較的まっすぐな道がつづくのを利用して、ぼくはリッチモンド特別区の警察司令のチャンネルに無線を合わせた。そここそが問題の発生した地区だとナイティンゲールはいっていた。報告の最後の部分が聞こえてきた。パニックを起こしてなどいないように必死によそおった誰かが発する、かるく首を絞められたような声だった。ガチョウがどうこうといっていた。

「タンゴ《T》・ウィスキー《W》1からタンゴ《T》・ウィスキー《W》3に告ぐ。もう一度くり返してくれないか?」

　TW1というのは地元の司令室で当直中の警部だろう。TW3はこの特別区内の緊急対応車輌のひとつだ。

「タンゴ・ウィスキー3からタンゴ・ウィスキー1へ。こちらは〈ホワイト・スワン〉のそばを走行中で、いまいましいガチョウどもに襲撃されている」

「ホワイト・スワン?」とぼくがつぶやく。

「トゥイッケナムにあるパブの名だ」とナイティンゲールがいった。「イール・パイ島に渡る橋のたもとにある」

　イール・パイ島ならぼくも知っている。ボートの艇庫《ていこ》や家屋が点在する、長さわずか五百メートルほどの川中にある小島だ。一度ローリング・ストーンズがそこでギグをしたことがあり、うちの父親も演奏したことがある——それでぼくもその名を知っていた。

「それで、ガチョウどもというのは?」

「番犬どもよりもましだ」とナイティンゲール。「ローマ人に訊いてみるといい」

TW1はガチョウどもには興味を示さず、指令室の女性オペレーターは犯罪について知りたがった。二十分前に九九九番に複数の緊急通報があり、治安妨害のおそれと、若者が集団でもめているという苦情があった。ぼくの経験からいって、それは結婚前に女友だちだけで祝う飲み会がひどい方向に発展したという可能性から、キツネがゴミ箱をひっくり返しただけということまで考えられる。

TW3の報告によると、ジーンズに作業用の防寒ジャケット姿のIC1男性からなる集団が、人数不詳のIC3女性とリヴァーサイド・ロードでもめているのを目撃したというのだった。IC1というのは白人を意味する識別コードで、IC3は黒人のことだ。興味のある向きのために補足しておくと、ぼくはIC3とIC6――アラブ人および北アフリカ人――のあいだを行き来しがちだ。その直前にどれだけ日射しを浴びていたかによって判断は違ってくる。それはともかく、黒人対白人の争いごとというのはあまり多くないにしてもありえなくもないが、少年対少女というのはこれまで聞いたことがなく、TW1も同じだったらしく、くわしい説明を求めた。

「女です」TW3が報告した。「間違いなく女で、そのうちの一人はすっ裸でした」

「そうじゃないかと怖れていたんだが」とナイティンゲールがもらした。

「怖れるとは何を？」

ジャガーの窓外ではだだっ広い土地がすばやくとび去っていき、ぼくらはチズウィック橋を猛然と渡った。チズウィックの上流でテムズ川はキュー王立植物園を巻くように北に大きく蛇行している。ぼくらはその底部を突っ切って、リッチモンド橋をめざした。

「あそこの付近に重要な聖地がある」ナイティンゲールがいった。「少年たちはあそこを狙ったのかもしれない」

彼が聖地といったとき、まさかラグビー場のことを指しているのではあるまいとぼくはみなした。

「それで、女の子たちがその聖地を守っていると？」

「そんなところだ」ナイティンゲールは運転の腕がよかったし、集中力も高かったから、スピードを出していてもぼくはいつも安心していられたが、さしもの彼でさえ道が細くなるとスピードをゆるめないわけにいかなかった。ロンドンの大半がそうであるように、リッチモンドの中心街も都市計画がほかの人々のためのものであった時代に計画されていた。

「**タンゴ・ウィスキー４からタンゴ・ウィスキー１へ。こちらは川沿いにチャーチ・レーンを走行中。五、六人のＩＣ１男性がボートに乗りこみ——追いかけようとしています**」

ＴＷ４というのはリッチモンドの二台目の緊急対応車輛だろう。つまり、今や対応可能な車輛のほぼすべてが急行していることになる。

ＴＷ３からは、ＩＣ３女性の姿は、裸であるかどうかにかかわらずどこにも見あたらないが、ボートは向こう岸をめざしていると報告してきた。

「連中に呼びかけて、われわれも現場に向かっていると伝えてやれ」ナイティンゲールがうながした。

「われわれのコール・サインは？」

「ズールー1だ」

ぼくはマイクのスイッチを押した。「ズールー1からタンゴ・ウィスキー1へ。詳細を教えてください」

TW1がぼくの言葉を咀嚼《そしやく》するまでに少し間《ま》があいた。当直の警部はぼくらが何者か知っているのだろうか、とぼくはいぶかしんだ。

「タンゴ・ウィスキー1からズールー1へ。了解した」警部の声には抑揚がなく、とまどっているようだった。ぼくらが何者なのか、向こうもわかっている、確実に。「不審者は川を渡り、現在は南岸にたどり着いたかもしれないとの報告があった」

ぼくは礼をいおうとしかけて声を呑みこんだ。ナイティンゲールが一方通行のジョージ・ストリートに逆方向から進入したからだ。たとえ警察の回転灯やサイレンをつけているとしても、こんなことはすべきでない。真夜中に道路を清掃するためにつくられた頑丈で重たい何かと正面衝突する危険があるのだから。ジャガーのヘッドライトがチェリーレッド色のものに反射したため、思わずぼくは足もとの床に足を突っぱって身構えた。ドラッグストア〈ブーツ〉のショーウィンドウに掲げられた、大きさが二メートルはあるヴァレンタイン用のハート型のディスプレイだった。

TW3が連絡してきた。「不審者の乗るボートに火の手が上がったとの報告を受けました。川にとびこんで、逃げ出すのが見えます」

ナイティンゲールがさらにアクセルを踏みこんだものの、ありがたいことにぼくらは角を曲がって通りを正しい方向に戻った。右手にリッチモンド橋が見えたが、ナイティンゲールは小さな環状交差路をまっすぐ渡ってテムズ川に沿ってつづく通りに入った。TW1がロンドン消防局にボートの燃えていることを知らせる声が聞こえてきた――少なくとも、到着までに二十分はかかるだろう。

ナイティンゲールがジャガーのハンドルを右に切り、ぼくが気づきもしなかった小道に入りこんだ。いきなりぼくらは暗闇の中をガタガタ揺れながらとばしはじめ、シャシーの底で砂利石が跳ねとんだ。ナイティンゲールが左に急ハンドルを切り、岸辺のすぐそばに沿って走りだすと、またしても北に湾曲していく川筋を追いかけだした。向こう岸にほど近いあたりにキャビン・クルーザーが並んで繋留《けいりゅう》され、さらにその向こうに黄色い炎が見てとれた――ぼくらが探していた、燃えるボートだ。最新のプレジャー・ボートではなく、長さはその半分ほどしかない運河通行用の平底舟のように見えた。同毒療法《ホメオパシー》の治療師が所有していそうなボートだ。舷側に手書きで船名が書かれ、屋根にはのんびり眠りこける猫が休んでいそうだった。このボートにもし本当に猫が乗っているとしたら、泳ぎが達者であることをぼくはひそかに祈った。というのも、舳先《へさき》から艫《とも》まですっかり炎に包まれているのだから。

「あそこに」とナイティンゲールが指摘した。

前方に顔を戻すと、ヘッドライトの届く限界のあたりでいくつか人影が見てとれた。ぼくはそのことをTW1に報告した。「不審者を確認してください、南岸の……ここはいったいどこなんですか？」

「ハマートンズ・フェリーだ」ナイティンゲールがそういったから、ぼくはそのまま伝えた。

ナイティンゲールがジャガーのブレーキを踏みこみ、燃えるボートとは反対側の岸で停めた。グラヴ・コンパートメントの中に懐中電灯があった。旧式のフィラメント電球がついた、硫化《りゅうか》処理されたばかでかい代物《しろもの》だ。ぼくが手にしたそれは心強くなるくらい手にずっしりと重く、ナイティンゲールとぼくは暗闇の中に踏み出していった。

ぼくは道の先を光でさっと照らしたが、不審者は——さっきの人影がそうだとしても——すでに逃げてしまっていた。ナイティンゲールは路上よりも川のほうに興味があるらしかった。ぼくは懐中電灯を使って平底舟のまわりの水面を確認してみた。ボートはゆっくりと下流にただよっていくが、水中には誰の姿も見えない。

「ボートに誰も残っていないのを確認すべきじゃないですか？」ぼくは訊いた。

「ボートには誰も残っていないほうがいい」ナイティンゲールが大声でいった。まるで、ぼくにというよりも川に向かってしゃべっているかのようだった。「そして、今すぐ火を消してもらいたい」

暗闇の向こうから、くすくす笑う声をぼくは聞いた。声のした方向に懐中電灯を振り向けたものの、向こう岸に繋留してあるボートのほかには何も見えない。ぼくが顔を戻したとき、燃えるボートが川に呑みこまれるのが見えた。まるで誰かが舟底をつかんで、水中にぐいっと引きずりこんだかのようだった。最後の炎がロウソクの炎のようにふっつりと消え、ボートがゴム製のアヒルのおもちゃが逃げるように水中からぷかりと浮かび上がったとき、炎は完全に消えていた。

「いったい何が?」ぼくはつぶやいた。

「川の精霊だ」とナイティンゲールがいう。「わたしが上流を確認してくるあいだ、ここにとどまっていろ」

川向こうから、またしても笑い声が聞こえてきた。そして、ぼくの立っているところから三メートルも離れていないあたりから、間違いなくロンドンっ子らしいアクセントの女性の声で、誰かがひどくはっきりといった。「おお、くそっ!」と。

そうして、金属がちぎれる音がした。

ぼくは急いで駆け寄った。このあたりの川岸は泥土の斜面が木の根や石で補強されていた。近づいていくあいだに、ポチャンという音を聞いて懐中電灯を向けると、なめらかなふくらみのある人影がちょうど水面下に消えていくのが見えた。もしかしたらカワウソかと思ったかもしれない——体毛がなく、人間ほども大きくなるようなカワウソがこの世に存在すると考えるほどぼくが愚かだったなら。すぐ下の足もとに、鶏舎用の金網でつくった四角いかごがあった。あとで知ったところによれば、川岸の浸食を防ぐための計画の一部らしいが、その片隅が破れていた。

ナイティンゲールはなんの成果もなく戻ってきて、消防艇が到着して平底舟の残骸を曳《ひ》いていくまでここで待っていたほうがよさそうだといった。ぼくは彼に、人魚みたいなものはこの世に存在するんでしょうかと尋ねた。

「あれは人魚じゃない」

「つまり、人魚みたいなものは存在するわけですか」

「重要な問題のほうに集中しろ、ピーター。一度にひとつずつだ」

「あれが川の精霊だったんですか？」ぼくは尋ねた。

「ゲニイ・ロコルムだ。地霊、川の女神だな、こういう呼び方のほうを好むなら」

もっとも、テムズ川の女神自身であるはずはない、とナイティンゲールは説明した。いかなる抗争にも女神が直接関与するのは同意事項に違反するからだ、と。例の〝同意事項〟と同じものか、それともまったく別のものですか、とぼくは尋ねた。

「同意事項はいくつもある」ナイティンゲールはいった。「われわれがやっている任務の大半は、それらを誰もが確実に守るようにすることにある」

「つまり、川の女神は存在するわけか」とぼくはつぶやいた。

「そう――マザー・テムズは存在する」彼は忍耐づよくいった。「そして、川の男神――つまりファーザー・テムズも」

「二人は夫婦なんですか？」

「いや。そして、それこそが問題の一部なのだ」

「彼らは本当に神なんですか？」

「わたしは神学的な疑問を一度も気にかけたことはないな。彼らは現実に存在し、彼らには力があり、女王陛下の平和を乱すことができる――その点において、彼らは警察の対処すべき案件となる」

暗闇の向こうからいきなりサーチライトの光が射しつらぬいて、川の上を一度、二度と行き来してから平底舟の残骸へと戻った――ロンドン消防局が到着したのだった。消防艇が慎重にボートと並ぼうとするあいだに、ディーゼル・エンジンの排気のにおいがして、黄色いヘルメット姿の人影が放水ホースと鉤棹《かぎざお》を手に待ちかまえていた。サーチライトのおかげでボートの上部構造がすっかり炎にやられてしまっているのが明らかになったが、船腹が赤く塗られて黒いふちどりのあるのが見てとれた。消防士が仲間うちで声をかけあいながら乗り移り、平底舟を消防艇に固定した。

何もかもが安心できるくらいにありふれていた。そのために、ぼくは別のことを頭に思い浮かべた。ナイティンゲールとぼくはベッドからとび起きてジャガーに乗りこみ、これが普段の金曜の夜の終わり以上の何かであるというなんのしるしもみつからないうちに、西に向かって急行していた。

「どうしてこれが、ぼくらを呼ぶ緊急の知らせだとわかったんですか？」

「わたしには特別な情報源があるのでね」

リッチモンドの緊急対応車輛のひとつが現場に到着し、乗っていた当直警部とぼくらは公僕にありがちな意地の張り合いに少しふけったうえで、それぞれの言いぶんがもっともであることを証明しあった。リッチモンド側が余分に得点を上げたが、それは単に彼らのうちの一人が携帯用フラスクにコーヒーをたっぷり入れてきていたためだった。

ナイティンゲールが地元警察に要点をかいつまんで報告していった――これは不良少年同士の抗争だ、と。ＩＣ１の若者数人が、疑いなく酔っぱらったすえにボートを盗み、テディントン・ロックの上流からくだってきて、地元のＩＣ３の若者集団と喧嘩をはじめた――そのうちの数人は女の子だった。逃げようとしたとき、テディントンの悪ガキたちは、偶発的にボートに火をつけ、ボートを乗り捨ててテムズ川沿いの道を走って逃げていった。

誰もが顔をうなずかせた――大都市の典型的な金曜の夜らしく聞こえた。溺《おぼ》れた者は一人もいない、とナイティンゲールがいったが、リッチモンドの当直警部は念のために捜索救助隊を呼ぶことにした。

そうして、われらが上司二人がそれぞれの柱に縄張りのマーキングづけをしたあとで、ぼくらは別々の道をたどって別れた。

ぼくらはリッチモンド方面に戻っていったが、橋のかなり手前で車を停めた。夜明けは少なくともまだ一時間ばかり先だったが、ナイティンゲールのあとから鉄製の門をくぐりながら、ぼくらがたどっている道は川に向かってくだる斜面を利用してつくられた市営公園を抜けてつづいているのが見てとれた。前方にオレンジ色の明かりが見え、プラタナスの低い枝に風防つきのランタンが下がっていた。その光が、道を支えている護岸をえぐるようにしていくつもつづいている赤煉瓦のアーチの並びを照らし出している。この人工的につくられた洞穴の奥に、寝袋や、段ボールや古い新聞紙の寝床が垣間《かいま》見えた。

「これから、あそこのトロールと話してくるつもりだ」ナイティンゲールがいった。

「主任警部、この連中のことは、路上生活者と呼ぶべきかと思いますが」

「この男は違う。彼はトロールだ」

アーチのひとつの陰の奥で動きがあって、青白い顔、ぼさぼさの髪、冬の寒さをしのぐために重ね着した古着が見てとれた。ぼくにはやはり路上生活者に見えた。

「トロールですか、本当に？」

「彼の名はナサニエルという。以前はハンガーフォード橋の下で眠っていた」

「なぜ移動したんでしょう？」

「郊外で暮らしたかったんだろうな」

郊外暮らしのトロール、とぼくは考えた。それのどこがいけない？

「あなたのタレコミ屋、ですね」ぼくはいった。「あなたに情報を提供する」

「警官の仕事は、情報提供者の善《よ》し悪《あ》しにかかっている」ナイティンゲールはいった。近ごろではそういうのを〝内密の諜報源〟と呼ぶべきだということはいわずにおいた。「少し退《さ》がっていてくれ」彼はいった。「彼はまだきみを知らないからな」

ナサニエルが頭を下げてねぐらのほうに引っこむと、ナイティンゲールはトロールの洞窟の入口まで近づいて、礼儀正しくしゃがみこんだ。ぼくは寒さを追い払うため頻繁に足を動かし、指先に息を吐きかけた。賢明にも制服のジャンパーを引っかけてきていたが、ジャケットの下にそれを着こんではいても、二月に川辺で三時間も過ごしていると寒さにタマが縮み上がる領域に近づきつつあった。わきの下に手を突っこむのにこれほど忙しくしていなかったら、自分が何者かに観察されていることにもっと早く気づいていたかもしれない。実際、この数週間、ウェスティギアと通常のとりとめのない偏執症《パラノイア》とを区別しようとつとめていなかったら、まったく気づきもしなかったろう。

それはとまどいのような、唐突な顔の赤らみとしてはじまった。八年生のときに学校のディスコ会があって、ロナ・タングがまわりに誰もいないダンスフロアを渡って近づいてきて、はっきりしていなくもない言葉で、フンミ・アジャイがぼくと踊りたがってるよ、と告げたときのように。けれど、ぼくは共謀した十代の女の子たちが見守っている前で踊るつもりなどなかった。それと同じような、じろじろ見る目だった――傲慢で、からかうようで、好奇心にあふれている。

そんなときに誰もがそうするように、ぼくはまずはじめに背後を確かめてみたが、道の先にはナトリウム灯の光以外に何ひとつ見てとれなかった。ぼくは頬に温かな息を感じたように思った。陽光、刈りとった芝生、焦げた髪の毛といったような感覚を。ぼくは振り返り、川の先をじっと見やった。そして一瞬、動きを見てとれたように思った。顔、何かの……

「何か見えたのかな?」とナイティンゲールがふいに問いかけて、ぼくを跳び上がらせた。

「キリストにかけて……」とぼくは悪態をつきかけた。

「この川では、あの奇蹟は見られそうにない。かのブレイクでさえも、それが可能だとは考えなかった」（水の上を歩いて奇蹟を見せたとされるキリストが、かつてブリテン島にもやってきたという伝承について、詩人ウィリアム・ブレイクは否定的見解を示している）

ぼくらはジャガーと一九六〇年代のヒーターの気まぐれな抱擁《ほうよう》のもとへと戻っていった。今度は一方通行を正しくたどりながらリッチモンドの中心街を抜けて戻るあいだに、トロールのナサニエルは役に立ちましたか、とぼくは尋ねた。

「われわれがにらんでいたとおりだと確証してくれた」彼はいった。ボートに乗っていた少年たちはファーザー・テムズの信奉者で、イール・パイ島の聖地を襲撃しに川をくだってきて、マザー・テムズの信奉者にみつかったのだ、と。彼らは疑いようもなくひどく酔っていて、おそらく逃げ出そうとするうちにみずから火をはなってしまったのだろう。テムズ川の下流はマザー・テムズの支配域で、上流はファーザー・テムズに属している。境界はイール・パイ島の上流二キロの地点にあるテディントン・ロックだ。

「それで、ファーザー・テムズが縄張りを奪おうとしているとお考えですか？」ぼくは尋ねた。こう口にしてみると、〝神々〟がドラッグ密売人のようにも聞こえた。帰り道は交通量がはっきりと増えていた――ロンドンが目覚めようとしている。

「土地の精霊がたがいに縄張りを誇示するのは、さほど驚くべきことでもない」ナイティンゲールはいった。「どちらにしても、きみはこの問題にユニークな視点を持ちこんだかもしれないな。きみにマザー・テムズと会って話してきてもらいたい」

「それで、ぼくとそのユニークな視点とやらを使って、ミセス・テムズになんといったらいいんですか？」

「何が問題なのか明らかにして、友好的な解決策がみつからないか探ってみるんだ」

「それで、うまくみつからなかったら？」

「そのときは、彼女にこう思い出させてやってほしい。ある人々がどう考えていようと、女王の平和は王国全域に及ぶものなのだ、と」

ナイティンゲール以外の何者もあのジャガーを運転することはない。それも無理はなかった。ぼくだってあのような車を所有していたら、ほかの誰にも運転させはしないだろう。しかしながら、ぼくは十年落ちのエレクトリック・ブルーのフォード・エスコートを利用できた。この車全体に、元パトカーであったことが刻まれている。ナイティンゲールはレスリーと同じ中古車屋のショールームを利用しているらしい。警察からの払い下げの車は、いつだって簡単にいい当てられるものだ。どれほど懸命に磨いても、警官の古いにおいが染みついているのだから。

ショアディッチ、ホワイトチャペル、ワッピング——イースト・エンドの新旧の街並みは金と妥協とがごった混ぜにせめぎあっている。マザー・テムズはロンドン塔の東にあたる改装された倉庫《ウェアハウス》で暮らしていた。シャドウェル・ベイシンのすぐ手前だ。かつて伝説的なジャズ・スポットだった古いパブ、〈プロスペクト・オブ・ウィットビー〉とは造船用の船架を挟んで向かい合っている。うちの父親は、そこでジョニー・キーティングといっしょにすわっていたこともある。キャリアを自分から台なしにしてしまうみごとにチューニングされた持ち前の能力でもって、リタ・ローザと演奏する機会をまんまとのがすことになったのだが——彼の代わりにロニー・ヒューズが入ったのだったと思う。

倉庫は表通りに対してはロンドン煉瓦ののっぺりした面をさらし、現代ふうの窓がところどころに開いているが、テムズ川サイドはかつての荷揚げ波止場が駐車場に代わっていた。ぼくはオレンジ色のシトロエン・ピカソと、アーバン・ダンスFMのステッカーをフロントガラスに貼ってある、耐熱煉瓦色のジャガーXFのあいだに車を停めた。

車から降りながら、ぼくはこれまでもっともはっきりしたウェスティギアを感じた。コショウと潮の唐突な香りが、カモメの叫びのようにいきなり強烈に浴びせられた。それ自体はさして驚くにもあたらない。なにしろ、ここの倉庫一帯はかつてのロンドン港、すなわちこの世でもっとも忙しい港の一部だったのだから。

ひどく冷たい風がテムズ川から吹きつけてくるため、ぼくは入口のロビーへと急いだ。どこかの誰かが、衛生安全基準を侵害するレヴェルの重低音で音楽をかけていた。メロディは、たとえそれがあるにしても聞きとれなかったが、ベース・ラインはぼくの胸の中でも聞きとれるくらいだ。唐突に、この音を突きやぶって、女性のものらしいかん高い笑い声が響いた。いたずらで、おしゃべり好きそうな笑い声だった。ネオ・ヴィクトリア様式のロビーは最高級のインターフォンで防備されていた。

ぼくはナイティンゲールに教えられたとおりに番号を押して待った。もう一度押しなおそうとしかけた矢先、ドアの向こう側からゴムぞうりがパタパタとタイルを叩いて近づいてくる音が聞こえた。そうしてドアが開き、猫のような目をした黒人の若い娘が姿をあらわした。サイズがいくつか大きすぎる黒いTシャツを着ていて、前面には〈WE RUN TINGZ〉(おれらが周りをまわしてる)と書かれていた。

「あのさ」彼女はいった。「なんの用？」

「刑事のグラントという者です。ミセス・テムズにお会いしたいのですが」

娘はぼくを上から下まで眺めまわし、なんらかの仮想上の基準に照らしあわせてみたうえで、胸の前で腕を組み、ぼくをにらみつけた。「それで？」

「ナイティンゲールがぼくを送ってよこしたんだ」

娘はため息をつき、振り返ると、共用通路の先に向かって怒鳴った。

「変な男が来て、〝魔術師《ウィザード》〟が送ってよこしたっていってるよ」

Tシャツの背中には〈TINGZ NUH RUN WE〉(周りがおれらをまわしてんじゃねえ)とあった。

「入れておやり」建物の奥から、声が呼びかけた。かすかに聞きとれる程度ではあったが、はっきりとナイジェリアのなまりがある。

「さっさと入ったほうがいいよ、あんた」娘がいって、わきにどいた。

「きみの名は？」

「ビヴァリー・ブルック」彼女はそういって、わきを通り抜けるぼくを見ながらいぶかしげに首をかしげた。

「はじめまして、ビヴァリー」ぼくはいった。

建物内は暑く、熱帯のようで、ほとんど蒸し暑いといってもいいくらいだった。ぼくは顔や背中に浮いた汗でむずむずしてきた。共用通路内の玄関ドアが大きく開いていて、重低音は階をつなぐ錬鉄の階段から流れてくる。ここは英国の歴史上、もっとも隣人づきあいの友好的なフラットか、それともマザー・テムズが建物全体をすっかり支配しているかのどちらかだろう。

ビヴァリーはぼくを一階のフラットに案内した。Tシャツの裾からちらちらのぞく、茶色のすらりと長い脚にぼくは目を向けないようにしていた。フラット自体はさらに暑く、ヤシ油とキャッサバの葉の香りに気づいた。ほんのりピーチ色に塗られた壁や、キッチンにたっぷり用意されているらしいライスとチキンやモリソンズ・ブランドのカスタードクリーム・ビスケットからも、この家のスタイルをはっきりと知ることができた。

ぼくらはリヴィングへと通じている戸口の手前で立ちどまった。ビヴァリーがぼくを手招きして顔を近づけさせ、ぼくの耳もとにじかにささやきかけた。「ここから先は、少し敬意を示しなよ」

ぼくは焦げた髪とココア・バターのにおいを深く吸いこんだ。また十六歳のころに戻ったような気分だった。

一九九〇年代にこの地域の開発をまかされた建築家は、自己主張の強い若きプロフェッショナルのためのぜいたくなアパートを設計するように求められた。間違いなく彼は、パワースーツと未来ふうの装具や、室内をスカンディナヴィアの探偵小説のように陰気なミニマリストふうの家具で飾ることを想定していたろう。彼にとって最悪の悪夢であっても、おそらく、居住者がリヴィングのかなりの部分に、〈ワールド・オブ・レザー〉の三点セット・ソファーを少なくとも四組も詰めこむ言いわけにするとは考えてもみなかったはずだ。今はサッカーの試合を消音《ミュート》で映しているプラズマテレビや、巨大な鉢植えのことはいうまでもない。鉢植えに植わっているのがマングローヴの樹木で、マングローヴの木だということに、ぼくは驚きとともに気づかされた。本物のマングローヴの根は鉢のふちからこぼれ出て、けば織り《シャギーパイル》のカーペットの上を探索の旅に出ている。見上げてみると、一番高い枝が天井から突き出ていた。白漆喰《しっくい》で塗り固めていた部分が削りとられ、そこからマツ材の梁《はり》がのぞいていた。

レザーのソファーに並んですわっていたのは、ペンテコステ派の教会で見かけられるようなみごとなまでにまちまちなアフリカ系の中年女性たちで、全員がビヴァリーと同じようにぼくをざっと眺めまわして品定めしていた。そのなかに一人だけ調和せずにすわっていたのは、ピンクのカシミアのツインセットにパールの首飾りをつけた、骨ばった白人女性で、まるでぶらっとこの街に入りこみ、そのまま二度と出ていかなかったかのように、完璧なまでにくつろいで見えた。この女性が室内の暑さを気にかけてもいないことにぼくは気づいた。彼女はぼくに親しげにうなずいた。

しかし、そういったことはどれも重要ではなかった。というのも、この部屋にはテムズ川の女神自身も存在していたのだから。

彼女は最高級の重役用肘掛け椅子の玉座に坐《いま》していた。髪は細かくいくつも編みこみ、黒いコットンのひもで縛り、先端に金色の飾り玉をつけている。おかげで、それが眉の上に王冠のように垂れ落ちていた。丸顔でしわはなく、肌はなめらかで子どものように完璧だ。唇はふっくらとして、とても濃い色だった。彼女もビヴァリーと同じで猫のような黒い目をしている。ブラウスと巻きスカート《ラップ》は最高品質の金色のオーストリアン・レースで、ネックラインは銀と深紅できわだたせ、襟ぐりが大きく開いて片方のなめらかでふくよかな肩があらわにのぞき、乳房の上のふくらみを惜しみなくのぞかせていた。

きれいにマニキュアを塗った片方の手がサイドテーブルに載せられ、脚もとには黄麻布《おうまふ》の袋や小ぶりな木箱が積み上がっていた。ぼくが近づいていくにつれ、潮とコーヒー、ディーゼルとバナナ、チョコレートと魚の内臓のにおいがした。ナイティンゲールに指摘してもらわなくとも、自分が超自然の何かを感じとっていることはわかった。あまりに強烈な魅力で、潮流に押し流されるようなものだった。彼女の圧倒的な存在感を前にして、ぼくは川の女神がナイジェリア人であるという事実を少しも奇異には思わなかった。

「それじゃ、あなたが〝魔術師〟のとこの坊やなのね」ママ・テムズがいった。「同意事項があったと思ってたけど？」

ぼくはどうにか声をみつけた。「というよりは、協定のようなものだと思いますが」

ぼくは彼女の前に身を投げ出してひざまずき、その豊満な胸に顔をうずめておいおいと泣きだしたい衝動にあらがっていた。おすわりなさいと彼女からすすめられたとき、ぼくは身体があまりにもこわばっていたために、腰をおろすのも痛いくらいだった。

ビヴァリーが口もとを手で隠して忍び笑いをもらすのが見えた。ママ・テムズも同じく気づいて、この十代の娘をキッチンに追い払った。このことをぼくは事実として知っている。アフリカの女性が子どもをたくさんつくるのは、ほかの者に家事をやらせるためだ。

「紅茶でもいかが？」とママ・テムズが訊いた。

ぼくは礼儀正しく辞退した。この点につき、ナイティンゲールはとてもはっきりと警告していた。彼女の家の中ではいっさい飲み食いをするな、と。「何か口にしたら、きみは彼女に囚われることになる」と彼はいった。うちの母親ならそんなふうに断ったりしたら侮辱されたととらえるだろうが、ママ・テムズは優雅にうなずいただけだった。おそらくはこれも協定の一部なのだろう。

「あなたのお師匠さん」彼女はいった。「彼は元気かしら？」

「ええ、ママ」

「歳をとるにつれ、ますます元気になるようね、あたしたちのナイティンゲール先生は」彼女はいった。どういう意味かとぼくが尋ねるよりも先に、彼女はぼくの両親について尋ねてきた。「あなたのお母さんはフラニ族（西アフリカのサハラ一帯に広く居住する民族）――だったわね？」

「シエラ・レオネの出身です」

「そして、あなたのお父さんはもう演奏していないようね？」

「父を知っているんですか？」

「いいえ」彼女はそういって、わかっているのよといわんばかりの笑みを浮かべた。「ロンドンのミュージシャンはみんなあたしに従属してる、という意味において以外はね。とりわけ、ジャズ・ミュージシャンやブルースマンは。あれは川に深く関係してるから」

「ということは、あなたはミシシッピ川とも親しい間柄《あいだがら》なんですか？」

ジャズはブルースと同じようにミシシッピの濁った水から生まれた、とうちの父親がいつも決まってそう断言していた。うちの母親が決まっていうには、悪魔の最良の仕事がすべてそうであるように、ジャズは酒瓶から生じるのだそうだ。ぼくとしてはちょっとした冗談のつもりだったが、マザー・テムズがいるのなら、どうして〝オールド・マン・リヴァー〟、すなわちミシシッピにも神がいてはいけないのだろうかと急に思いついたのだった。もし存在するなら、両者は会話することがあるのだろうか？　長距離電話で、沈泥《シルト》のことや、分水域や干満の差の大きな地域での流水管理の必要性についても話しあってきたのだろうか？　それとも、Eメールやテキスト・ファイルやツイッターを使うとか？

この現実に向きあうことで、女神の魅力が少し薄れたのにぼくは気づいた。ママ・テムズも感じとったに違いない。というのも、ぼくに抜け目のない視線を向け、うなずいたからだ。

「そう。今になってわかったわ。あなたのお師匠さんがあなたを選んだのはとっても賢い判断だった。巷間《こうかん》では、老犬には芸当ひとつ教えられやしない、というけれど」

二週間にわたってナイティンゲールからも同じくらい不可解な答えばかりもらってきたために、ぼくは格言ふうの言いまわしに対して洗練された対抗手段をみつけていた——つまり、ただ単に話題を替えることにしたのだった。

「あなたはいったいどうやってテムズ川の女神になったのですか？」

「本当に知りたい？」彼女は尋ねたものの、ぼくが興味を示したことにまんざらでもないようすが見てとれた。誰だって自分について語るのが大好きなことはいうまでもない。告白のうち十中八九は、注意して耳を傾けてくれる聞き手に自分の人生の物語を話したいという人間のまさしく自然な本能から生じている。たとえそれが、いかにしてゴルフのラウンド仲間をクラブで殴り殺すにいたったかというようなことまで含まれるとしてもだ。ママ・テムズも例外ではなかった。実際、神というのは常人以上に自分自身を説明する必要があるのだとぼくは気づいた。

「あたしは一九五七年にロンドンにやってきたの」ママ・テムズは語りだした。「けれど、そのときはまだ女神じゃなかった。ただの愚かな田舎《いなか》娘で、もう忘れちまった名前があって、看護婦になる訓練を受けにきた。けれど、正直いって、あたしはあまりいい看護婦じゃなかったといわないといけない。病人のそばに近づくのは好きじゃなかったし、看護学校のクラスにはイボ族（ナイジェリア南東部やビアフラ湾一帯に居住する民族）の娘があまりにもたくさんあふれてたし。愚かな患者たちのせいで、あたしは試験をことごとくしくじって、学校からほうり出された」ママ・テムズは連中を軽蔑するかのように舌打ちをした。「文字どおり、ロンドンの通りにね。そしてあたしの美しいロバート、三年にわたってあたしにいい寄りつづけてきた男はこういった。〝これ以上、おまえが決心する日を待ってなんかいられない。おれはアイリッシュの白い雌《ビッチ》犬《チ》と結婚することにしたよ〟って」

　彼女はまたしても舌打ちして、それは部屋じゅうのほかの女によっても増幅された。

「傷心のあまり」とママ・テムズはつづけた。「あたしは自殺しようとした。おお、そう、あの男はそれほどひどくあたしの心をずたずたにしたの。それであたしは、ハンガーフォード橋に行って川に身を投げようとした。けれどあそこは鉄道橋で、その横に古い歩行者用の橋が並んで架《か》かってた——あのころの橋はひどく汚れてたっけ。あのころは、あらゆる生き物が橋の上に住んでた。浮浪者やトロールやゴブリンが。あそこは慎ましいナイジェリア娘が身を投げたくなるような場所じゃない。何が見てるかわかりゃしないでしょ？　それであたしはウォータールー橋に向かったんだけど、そのころにはもう日暮れどきで、まわりの景色はあまりにきれいで、身を投げる気になんてなれなかった。そのうちに暗くなったんで、あたしは夕食を食べに家に帰った。

　翌朝、あたしはえらく早起きして、ブラックフライアーズ橋行きのバスに乗った。だけど、あそこには北の端にいまいましいヴィクトリア女王の像があって、たとえよその方角を向いてるにしても、あたしが欄干《らんかん》の上に立ったときに彼女が振り返ったりしたら、どんなにきまりが悪いか考えてみて」

　部屋じゅうの女の頭が、同意のしるしにうなずいた。

「サザーク橋から身を投げることなんて、できるはずもなかった」ママ・テムズはつづけた。

「それで、また長いこと歩きつづけたすえに、あたしがどこにたどり着いたと思う？」

「ロンドン橋？」

ママ・テムズが手を伸ばし、ぼくの膝をぽんと叩いた。「あれは古いほうの橋で、そのあとすぐにすてきなアメリカ紳士に売られることになったのよね。川をいい気持ちにさせるすべを知ってる人がいた。ギネスの樽ふたつと、ラム・バルバンクールを木箱でひとつ、それこそはあたしがお供《そな》えとして要求する代償だった」

ママ・テムズが紅茶に口をつけるあいだ、沈黙の間があいた。ビヴァリーがカスタードクリーム・ビスケットを皿に載せて入ってきて、ぼくの手がすぐに届くところに置いた。ぼくは自分が何をしているのか気づく前にビスケットを手にしていて、あわててそれを戻した。

ビヴァリーは、ふんと鼻を鳴らした。

「旧ロンドン橋の真ん中には礼拝堂があった。聖ビリナスの祠《ほこら》が。あたしはよき日曜クリスチャンだったから、これこそはとび降りるのにもってこいの場所だと思った。そこに立って西を見てると、潮の流れが変わりはじめた。その当時のロンドンはまだ港だった。衰《おとろ》えかけてはいたけど、長いこと刺激的な人生を送ってきた老人みたいに、たくさんの物語や記憶であふれてた。彼が老いて衰弱してるのを見て、あたしは驚愕した。誰も彼の面倒をみる者もない。川にはなんの生命も残されてなかったから。オリシャ（おもに西アフリカなどで広く信仰されてきた自然霊のような神のこと）もいなければ、なんの精霊もいない。老人を気にかける者なんていなかった。川があたしに呼びかけてくるのが聞こえた。今はもう忘れちまったあたしの名前を。〝おまえの苦しみを見てとれるぞ。おまえが一人の男のために、子どものように泣き叫ぶのが〟って。

それであたしはいった。〝おお、川よ、あたしはこれほど遠くまでやってきたけど、看護婦としてしくじったし、女としてもしくじった。だから恋人は、あたしのことなんか愛してくれやしないの〟って。

するとかわはあたしにこういった。〝おまえの苦しみを取り除いてやろう。おまえをしあわせにして、たくさんの子や孫をもたせてやろう。世界じゅうから人々がやってきて、おまえの足もとに贈り物を供えるだろう〟って。

さて、魅力的な申し出だったから、あたしは尋ねた。〝代わりにあたしは何をしないといけないの？　あたしに何を求めてるの？〟って。すると川は答えた。〝すでにおまえが喜んで差し出そうとしているもの以外には何もいらない〟って。

それであたしは川に跳びこんだ――バシャーンって！　あたしは川底まで沈んでいって、それで、こういっておこうかしらね、川底には信じがたいものが存在してたって。浚渫《しゅんせつ》の必要があって、いろいろ捨てないといけなかったとだけいっておきましょ」

彼女はものうげに川のほうに腕を振って示した。「あたしはワッピング階段《ステア》で川から上がった。以前はあそこで海賊を溺死させて処刑してたんだけどね。それ以来、あたしはずっとここにいる。ここは産業用の水路としてはヨーロッパ一きれいな川なのよ。偶然でそうなってると思う？　六〇年代のスウィンギング・ロンドン、九〇年代のクール・ブリタニア、テムズ・バリア（一九八四年にロンドン下流に完成した巨大な可動式防波堤）。こうしたすべてが偶然だったと思う？」

「ミレニアム・ドーム（ミレニアム事業の一環として二〇〇〇年にロンドン南東のグリニッジにつくられた、世界最大規模のドーム施設）も？」

「今じゃヨーロッパで一番ポピュラーな演奏スポットよね。ラインの乙女たちも、あたしのもとを訪問してどんなふうなのか視察にくるの」彼女はぼくに意味ありげな視線を向けた。

〝ラインの乙女たち〟とはいったい誰のことなんだろうか、とぼくはいぶかった。

「おそらく、ファーザー・テムズは違うふうに見てるんでしょう」ぼくはいった。

「尊師《ババ》テムズ」とママが吐き捨てた。「彼も若いときに、あたしが立ったのと同じ場所に立ったことがあるんだよ、橋の上に。そしてあたしと同じ約束を交わした。けれど、一八五八年の〝大悪臭〟以降は、テディントン・ロックより下流に近づいたこともない。あのじいさんが戻ってくることは二度となかった、バザルゲットがロンドンの街に下水を設置したあとでさえも。電撃戦《ブリッツ》のときや、街じゅうが燃えてたときでさえも。それが今になって、自分の川だなんていってきてる」

ママ・テムズは椅子の上で背筋をぴんと伸ばし、まるで正式な肖像画のポーズをとるような姿勢になった。

「あたしは強欲じゃない」彼女はつづけた。「彼には上流のヘンリーやオックスフォード、ステインズをあげる。あたしはロンドンをもらう。それと、世界じゅうからやってきて、あたしの足もとに供えられる贈り物も」

「われわれとしては、あなたがたをたがいに争わせるわけにはいきません」ぼくはいった。

〝女王陛下の配下にあるわれわれ〟という意味での〝われわれ〟は、警察の仕事においてとても重要な意味をもつ。こう称することで、話している相手に、おれたちの後ろには強力な機関が、つまりロンドン警視庁が控えてるんだぞ、と思い出させる効果がある。法律という権威をすっぽりと身にまとい、戦力のうえでは、小国家に侵攻できるほどの力を備えた機関が。この呼称を使うときには、警視庁全体が目下《もっか》のところ自分と同じ方向を向いているものと期待するだけだ。

「テディントン・ロックをくぐって、こっそり忍びこんでるのはババ・テムズのほうよ」ママ・テムズがいった。「手を引く必要のあるのはあたしじゃない」

「われわれがファーザー・テムズとの対話を取りもちます」ぼくはいった。「あなたには、部下たちの行動を押さえてもらえるものと期待しています」

ママ・テムズは首をかしげ、ぼくを長いことじっと見ていた。

「それじゃね、ババ・テムズを正気づかせるのに、チェルシー・フラワー・ショー（ロンドン西部のチェルシーで毎年五月下旬に開かれる、英国最大のガーデン・ショー）まで時間をあげる。それ以降はあたしたちの手で問題を解決するから」彼女の使う〝あたしたち〟は、ぼくの使った呼称よりもはるかに自信ありげだった。

会見はこれで終わり、辞去のあいさつをすますと、ビヴァリー・ブルックが玄関まで送ってくれた。アトリウムにたどり着くあいだに、彼女は意図的にお尻でぼくの身体をかすめるようにしたから、ぼくは急に、セントラル・ヒーティングの暑さとはまったく無関係に、かあっと顔が赤らんだ。

彼女はいたずらっぽい視線をぼくに向けながら、ドアを開けてくれた。

「バイバイ、ピーター」彼女はいった。「またね」

愚壮館《ザ・フォリー》に戻り、二階の読書室でナイティンゲールをみつけた。室内には緑色の革張りの肘掛け椅子や、足載せ台、サイドテーブルがあちこちにちらばっていた。前面がガラス張りになったマホガニー製の本棚が壁二面にずらりと並んでいるが、ナイティンゲールの認めるところによると、かつて人々はたいてい昼食後に昼寝のためここにやってきたのだという。彼は《テレグラフ》紙のクロスワードを解いているところだった。

ぼくが向かいに腰をおろすと、彼が顔を上げた。「どう思ったかな？」

「確かに彼女は、自分がテムズ川の女神だと考えていますね。そうなんですか？」

「今のはあまり有益な質問といえないな」とナイティンゲールはいった。

モリーが音もなくあらわれ、コーヒーとカスタードクリーム・ビスケットを盆に載せて運んできた。ぼくはビスケットを見て、彼女に疑わしげな視線を向けたが、いつものとおり彼女の表情からは何も読みとれない。

「その場合」ぼくはいった。「彼らの力はどこからもたらされているんですか？」

「そのほうがずっとましな質問だ。それについてはいくつか対立する仮説がある。力は信者たちからもたらされる、または土地そのものからもたらされる、または死すべき定めを持った人間の領域を超えた神聖なる源泉から」

「サー・アイザックはどう考えていたんでしょう？」

「神性についてとなると、サー・アイザックはいささか盲目なところがあった——イエス・

キリストが本当に神なのかという点についてさえも、彼は疑問視していたからな。三位一体の考えを好んでいなかった」

「なぜなんです?」

「彼はとても整然とした思考の持ち主だった」

「彼らの力は魔術と同じところからもたらされているんでしょうか?」

「こうしたすべては、きみが最初の呪文を習得すればずっと説明が簡単になる。午後の紅茶の時間までに、たっぷり二時間は練習の時間がとれそうだな」

ぼくはそっと抜け出して、実験室に向かった。


レスリー・メイとビヴァリー・ブルックの二人とベッドをともにしている夢を見た。どちらもしなやかな裸体でぼくの両側に寝そべり、ただし、そうあるべきほどにはエロティックなことは少しもなかった。あえてどちらか一方を抱きしめたりして、もう一人を収拾のつかなくなるほど怒らせたくはなかったからだ。ぼくがただ両者に等しく腕をまわす戦略をとっていると、ビヴァリーが手首に嚙みついてきたため、ぼくは右腕にひどい痛みをおぼえて目を覚ました。

意味もなく禁欲的でいたためにベッドからころげ落ちて、まる二分間も手足をばたつかせることになっただけでもひどいものだ。苦悶の痛みのあまり目を覚ますようなひどいことはほかになく、もう眠りに戻れないとはっきりすると、ぼくは部屋を出て何か食べるものを探しにいった。

愚壮館《ザ・フォリー》の地下はかつて数十人ものスタッフを誇っていたころの名残《なごり》で部屋がウサギの巣穴のようにあちこちに存在していたが、奥の階段がキッチンの横につづいていることをぼくは知っていた。モリーの邪魔をしたくはなかったから、できるだけ音をたてないようにそっと足を忍ばせて階段を降りたが、地階に達してみると、キッチンの明かりがついているのが見えた。近づくにつれトビーのうなり声が聞こえ、やがて吠え声になり、そして奇妙にリズミカルなかん高い音がつづいた。すぐれた警官は自分の存在を知らせずにおくべきときを心得ているもので、ぼくはキッチンのドアにそっと忍び寄って、中をのぞきこんだ。

モリーが、なおもメイドの制服姿のまま、キッチンの片側を占めているあちこち疵《きず》のついたオーク製テーブルのふちにじかに腰かけていた。彼女のそばには、テーブルの上にベージュ色の陶製のミキシング・ボウルが置かれていて、彼女の三メートルほど手前でおすわりしているのはトビーだった。ドアはモリーの肩ごしの位置にあったから、彼女はぼくに目をとめることもなく、ボウルに手を入れて四角く刻んだ肉片をつまみ上げた——生肉のままで、血がしたたっている。

トビーが興奮して吠えるあいだ、モリーは肉をちらつかせてしばらく彼をからかい、それから慣れた手つきでスナップをきかせて肉片を彼のほうにほうり投げた。トビーはおすわりしていた位置からみごとにジャンプして、空中で肉片をとらえた。トビーが小さな輪を描いてまわりながらがつがつと肉を嚙《かじ》るのを見て、モリーは笑いだした——さっき耳にしたリズミカルなかん高い音はこれだ。

モリーはまたしても肉片を取り上げてトビーに振って見せたから、彼は犬らしい期待をこめたダンスをはじめた。今度はモリーが彼をだまし、困惑して輪を描くのを見てかん高く笑い、彼が見ているとよくわかったうえで、血まみれの肉のかたまりを自分の口にほうりこんだ。トビーは怒ったように吠えたが、モリーは不自然に長く、そして物をつかむのに適した舌を彼に突き出して見せた。

ぼくははっと息を呑むか、体重をかけていた足を移し替えたに違いない。というのも、モリーがテーブルを跳び降りて、ぼくのほうにさっと顔を向けたからだ。彼女は目を見開き、口をぽかんと開けて鋭く尖った歯を剝き出したまま、鮮やかな赤い血が青白い皮膚をつたって顎にしたたっていた。彼女は手で口をふさぎ、驚きと恥ずかしさを顔に浮かべたまま、無言でキッチンをとび出していった。トビーがぼくに、いらだったうなり声をあげた。

「ぼくのせいじゃないぞ」と彼にいってやった。「何か食べるものが欲しかっただけなんだ」

トビーが何を不満に思ったのかはわからない。彼はボウルに残っていた肉をすべて手に入れたのだから――ぼくは水を一杯、手に入れただけだった。

5 遠征活動《アクション・アット・ア・ディスタンス》

たびたび腕が痙攣《けいれん》したり、はっきりと握力が向上したことを除けば、ぼく自身の力でワーライトをつくり出すための努力はひどくいらいらがつのるものだった。朝は一日おきにナイティンゲールが技を実演して見せてくれたあと、ぼくは一日四時間にわたって、いかにも意味ありげなやり方で手のひらを上向きに広げる。ありがたいことに二月も三週目となったある日、大きな進歩があった。その日、レスリー・メイとぼくはレスター・スクウェアの映画館での暴行事件の容疑者、シリア・マンローに対して証言をおこなうことになっていた。

その朝、ぼくらは二人とも規定どおりに制服姿で――治安判事は警官が制服姿で出席するのを好むものだ――指定されたとおり十時に出廷した。裁判は少なくとも二時まで延期されるだろうとはっきり確信があったものの。先読みができて、しかも野心的な警官であるぼくらは、それぞれに読み物を持参していた。レスリーは『ブラックストーンの警察捜査マニュアル』の最新版を、ぼくは一八九七年に刊行されたホレイス・ピットマンの『テムズ・ヴァレーの伝承』を。

シティ・オブ・ウェストミンスター治安判事裁判所はホースフェリー・ロードにあって、

ヴィクトリア駅の裏手にあたる。一九七〇年代に建てられた、なんのおもしろみもない箱型の建物だ。あまりにも建築的にすぐれた点がないとみなされているために、これを保存リストに登録して後世の市民に醜悪な建物の警告として残しておこうという話があったほどだ。建物の中に入ると、待合ロビーは混みあった忙しさと味気ない無機質さが独特に混じりあっていた。これこそは二十世紀後半の英国における建造物の光輝とでも呼ぶべきものだ。

法廷の外にはベンチがふたつ用意されていた。片方にぼくらが腰をおろし、もう一方には被告人のシリア・モンローが、彼女の弁護士と、精神的な支援のために連れてきていた友人とともに、ミスター・ラナタンガやミスター・ラナタンガの兄と共有していた。誰一人としてこの場にいたくはなかったし、誰もがぼくらのことを責めていた。

「ロサンジェルスから何か知らせは？」ぼくは訊いた。

「ブランドン・クーパータウンは危機に瀕《ひん》してたんだって。どうやらアメリカでの取引はすべて不調に終わって、彼の製作会社は破綻寸前だったみたい」

「それで、あの家は？」

「〝われらみな、生きとし生けるものの道をたどる〟（聖書の「ヨシュア記」より）」レスリーがいった。ぼくはぽかんとした顔をした。「住宅ローンはこの六カ月間にわたって滞《とどこお》ってる。それに、彼の今年の収入はかろうじて三万五千ってとこらしいし」

ぼくが正規の巡査としてもらえるはずの額よりもゆうに一万ポンドは多い——ぼくが彼を憐れむ気持ちは限定的だった。

「典型的な家族内暴力による崩壊のように見えはじめたわね」と法心理学の項を本で復習していたレスリーがいった。「壊滅的な地位の喪失に直面した父親は、恥辱にまみれて生きつづけることができずに、自分がいなければ妻や子どもの人生も意味がないと判断する。彼はいきなりキレてマスコミ同業者を殺し、家族を殺し、自分自身をも始末した」

「自分の顔の皮膚をずる剝《む》けにして？」

「どんな仮説も完璧ってことはないでしょ。とりわけ、あの晩、ウィリアム・スカーミッシュがウェスト・エンドにいた理由さえわかってないんだから」

「女をナンパしにきてたのかも」

「女をナンパしにきたんじゃない。わたしにはわかってる」

犠牲者ウィリアム・スカーミッシュの〝事前の行動記録〟は事件にほとんど関係がなかったため、捜査の最後の部分は殺人課で一番の新入りにまかされていた。つまり、レスリーに。ウィリアム・スカーミッシュの最後の数時間を再構築するためにレスリーはあれほど多くの時間と努力を注ぎこんできたから、心から喜んで――実際、喜びいさんで――うんざりするほどの詳細をぼくに打ち明けてくれた。彼女はウィリアム・スカーミッシュの恋愛実績を調べてみたが、性的対象を求めてウェスト・エンドをうろつきまわるような過去はみつからず――一貫して一人の相手とのつきあいをつらぬいていた、われらがウィリアムは――すべての男とは仕事や共通の友人をとおして出会っていた。それにまた、彼があの晩たどった経路の監視カメラをレスリーはすべて確認していた。レスリーの知るかぎり、彼は自宅から歩いてタフネル・パーク駅に向かい、地下鉄でトッテナム・コート・ロードに出た――そこからマーサー・ストリートを経由して、まっすぐ徒歩でコヴェント・ガーデンに向かい、クーパータウンと致命的な邂逅《かいこう》を果たしていた。寄り道やためらいはなかった――まるで彼には約束があったかのようだった。

「まるで彼の頭を何かがあやつってたかのように」レスリーはいった。「そうじゃない？」

そこでぼくはディシムロの呪文のことと、何かがクーパータウンの頭を乗っ取って、彼の顔を変えさせ、ないか、ウィリアム・スカーミッシュとそのあとで自分の家族までも殺させたのではないか、という仮説についてレスリーに話してやった。そこから自然に、ママ・テムズを訪問した話になった。魔術の訓練のこと、それとメイドの、〝彼女が何者なのかは神のみぞ知る〟モリーについても。

「そのことはわたしにいう必要があったの？」レスリーが訊いた。

「話しちゃいけないってわけでもないだろ。ナイティンゲールからも、誰にも話しちゃいけないとはいわれてない。きみのボスも、これが本物だって信じてる。あまり気に入ってないだけだ」

「つまり、何かがクーパータウンの思考をあやつってた――そういうこと？」

「そういうこと」

「そしてそれがなんであるにしても」とレスリーがつづけた。「ウィリアム・スカーミッシュの思考にも介入できた。彼をウェスト・エンドまでやってこさせることができた、自分の頭を切り落とされるだけのために。つまり、もしそれが一人の思考をあやつれるなら、どうしてほかの人間にもそうできないの、あなたやわたしにも？」

廊下を渡って突っこんでくるクーパータウンのあのときの恐ろしい顔や、血のにおいをぼくは思い出した。

「思い出させてくれてありがとう、レスリー。きっとあの記憶を生涯大切にするよ——たぶん、夜ふけに眠りにつこうとするときに」

レスリーはシリア・マンローがとりすましてすわっているほうにちらっと目をやった。

「あの女《ひと》も同じように、急な怒りのようなものに駆られた。彼女の思考もあやつられてたんだとしたら？」

「彼女の顔は崩れ落ちはしなかったろ」

シリア・マンローはぼくらが見ているのに気づき、びくっとたじろいだ。

「クーパータウンは大波で、彼女はただのさざ波だとしたら？」レスリーがいった。「ほかにも似たような事件があちこちで起きてた可能性もある。わたしたちはたまたまこの事件が起きたときにその場にいただけで」

「犯罪報告記録をチェックして、あてはまる事件がほかにないか調べてみることもできる。芋蔓《いもづる》式に出てこないか調べてみよう」

「ウェストミンスターとカムデンの全域でしょ。犯罪記録はたんまりありそう」

「傷害事件でしかも初犯のものに限定するんだ。大半の仕事はコンピューターがやってくれる」

「そっちは何をするつもり？」

「手のひらから光をつくり出す技術を学ぶ」ぼくは意気揚々《ようよう》といった。


二日後、ぼくがバスルームを出たところでナイティンゲールが下の階から呼びかけた。今日の練習は中止になり、どうやら朝食もなしということらしい。ナイティンゲールは彼の〝仕事着〟とぼくがみなすようになった服を着ていた。薄茶色のダブルのヘリンボーン・ツイードで、革の肘当てがついている。バーバリーのオリジナルのトレンチコートをたたんで腕にかけ、銀の持ち手がついた杖をたずさえている――これまで、日中にこれを持ち歩くのは見たことがなかった。

「われわれはパーリーに向かう」彼はそういって、驚いたことに、ジャガーのキーをぼくに投げてよこした。

「パーリーになんの用があるんですか？」

「それはいわずにおこう。きみ自身が判断してもらいたい」

「警察の任務か、それとも魔術師の弟子としてのものですか？」

「両方だ」

ぼくはジャガーの運転席に乗りこみ、イグニッションに挿したキーをまわして、エンジン音をしばし楽しんだ。人生のすばらしい瞬間を生き急がないことが大切だ。

「用意ができたらいつでも出してくれ」とナイティンゲールがうながした。

車は予想していたほどハンドルが扱いやすくはなかったが、アクセルを踏みこむぼくの足にエンジンが反応するようすは、オーヴァーステアぎみであることや、一時的にヒーターからよどんだ熱い空気が顔に吹きつけてくるといったほかの欠点をおぎなってなお余りある。

ぼくはランベス橋を渡るルートをたどった。平日のロンドンの渋滞はいつでもひどく、〈ジ・オーヴァル〉（ケニントン・パークにあるクリケット競技場）を抜けてブリクストンからストリーサムまでは動いたり停まったりをくり返していた。そこからはサウス・ロンドンの郊外に入る。数ヘクタールにわたって広がるエドワード朝時代ふうの二階建てテラスハウスの並びが、相互に乗り入れ可能な幹線道によって分断されていた。ときおり、いびつな四角形の緑地を通り過ぎた。古い村だった時代の名残で、ペトリ皿の中で増殖していくカビ菌のようだった。主《A》要道23号線はいつしかパーリー・ウェイと名を変えて、IKEA《イケア》のロゴが上に載った高い二本の煙突のわきを通り過ぎた。次の停車駅はパーリー、名高きパーリー、いいたいことはわかってもらえるだろうか？

パーリー駅の駐車場では、ロンドン市消防局《LFB》のロゴがついた赤いフォルクスワーゲン・トランスポルターがぼくらを待っていた。その隣に車を停めると、サイド・ドアから大男が出てきて、手を上げてあいさつしてよこした。四十代の男で、鼻は折れて曲がり、縮れた茶色の髪は短く刈っている。彼はフランク・キャフリーだとナイティンゲールが紹介してくれた。

「フランクはニュー・クロス署に勤めている。消防隊内のわれわれの連絡係だ」

「なんの連絡係なんですか？」ぼくは尋ねた。

「これのだ」フランクはそういって、ぼくにカンヴァス地の肩掛けかばんを渡してよこした。かばんは思ってもみなかったほど重たくて、ぼくはあやうく落としかけた。かばんの中で金属が何かコッンと音をたてた。

「注意して扱ってくれ」とナイティンゲールがいさめる。

ぼくは布ぶたをめくって中身をのぞきこんだ。中に入っていたのは筒状の金属がふたつで、エアゾール缶ほどの大きさだが、それよりはずっと重たかった。表面は白く、〈No.80 WP Gren.〉とステンシルで記されていた。てっぺんにはばね式のトリガーが大きな金属のピンでとめてある。ぼくは軍事オタクではないが、手榴弾を目にすればそれくらいはわかる。ナイティンゲールの顔を見ると、彼はいらいらしたように手を振るしぐさをした。

「しまっておくんだ」彼はいった。

ぼくは布ぶたを戻し、かばんをそっと肩に掛けた。

ナイティンゲールがフランクに向きなおった。「そっちの準備は？」

「消防車二台がスタンバイしてます――念のために」

「よし」とナイティンゲール。「三十分ほどで終わるはずだ」

ぼくらはジャガーに戻り、ナイティンゲールに指示されるまま鉄道線の高架をくぐって、まったく同じに見える通りをふたつ進むうちに、とうとう彼がいった。「この家だ」

ぼくらは角を曲がった先に駐車スペースをみつけ、そこから歩いて戻った。

グラスミア・ロードは線路と並行にはしり、見たところまったく普通で、独立した、または準独立《セミ・デイタッチト》式の一九二〇年代に建てられた家屋はどれもチューダー朝時代を模した正面《ファサード》や張り出し窓をのぞかせている。付近に人の姿はなく、子どもはみんな学校に行っているだろうし、親も仕事に出ている。ぼくらはさりげない足どりをよそおって歩きつづけた。少なくとも、手榴弾ふたつが腰に打ちつけている状況で可能なかぎりは。誰か見ている者がいたら、ぼくら二人を縄張りにマーキングづけしにきた悪辣《あくらつ》な不動産業者とでも思ったろう。

ナイティンゲールはいきなり左に折れ、ある家の門を抜けて敷地に入りこむと、ちょうどドアの大きさにつくられた木の門をめざした。これが脇道への侵入経路をふさいでいる。彼は足をゆるめることなく右腕を突き出し、手のひらを門に向けてかざした。小さな音がして錠前が板からポンッとはずれ、向こう側の通路にカタリと落ちた。

ぼくらは開いた門をくぐり、外から人目につかないところで立ちどまった。ナイティンゲールが顎をしゃくって門のほうを示したから、ぼくは扉を閉めなおし、大きなテラコッタの植木鉢で押さえた。鉢にはまだ土が入ったままで、しなびた黒い茎が突き出ていた。ぼくは通路の日が射す側に並んでいる同じような鉢を確認してみた。どれも枯れていた。ナイティンゲールは腰を屈め、土をひと握りすくい取って、鼻先で細かく砕いた。ぼくも彼にならって嗅いでみたが、土はなんのにおいもせず、やせていて、軒先に長いあいだ置きっぱなしにされていたかのようだった。

「連中はしばらく前からここにいるわけか」とナイティンゲールがつぶやいた。

「誰のことですか？」ぼくが尋ねても、彼は答えなかった。

この家は背面が線路に接していたから、ぼくらとしては両隣に気をくばるだけでよかった。庭はジャングルというほどではないが、芝生は何カ月も刈っていないようだし、以前はきれいだったであろう花壇も鉢植えと同じように枯れていた。庭のパティオに通じている両開きのガラス扉は鍵がかかっていて、カーテンでしっかりと閉ざされている。ぼくらはキッチンにまわりこんだ。窓にはブラインドがおりていて、ドアは内側からボルト錠が掛かっている。またナイティンゲールが錠前を壊す技を使うものと予想してぼくはじっと見守っていたが、彼はただ単に杖で窓を叩き壊した。ガラスごしに手を差し入れ、ボルト錠をはずしてドアを開けた。彼のあとからぼくも屋内に入った。

薄暗いことを除けば、まったくどこにでもありそうな郊外のキッチンだった。スウェーデンふうの調理カウンター、ガスレンジ、オーヴン、電子レンジ、そして炻器《ストーンウエア》を模した壺には、砂糖、紅茶、コーヒーと記されている。冷凍冷蔵庫はスイッチが切ってあって、メモやレシートがドアにマグネットで貼りつけてある。レシートは一番最近のものでも六カ月前だった。そのわきのメモに書かれた文字は、〝おじいちゃん〟だろうか？　その下に貼ってあるのはスケジュール表で、幼稚園のお迎えの時間が書きこまれていた。

「ここには子どもが暮らしてる」ぼくはもらした。

ナイティンゲールの顔はけわしかった。「もう今はいない。それもわれわれが気づいた理由のひとつだ」

「これはいい結果には終わらない、違いますか？」

「ここで暮らしていた家族にとってはな」

ぼくらは足を忍ばせて廊下を進んだ。ナイティンゲールがぼくに上の階を確認してくるようしぐさでうながした。ぼくは伸縮式の警棒を伸ばし、いつでも使えるようにして階段をのぼっていった。階段の上の窓には黒いクレヨンで塗った画用紙を雑にセロテープでとめて日射しをふさいである。そのうちの一枚は子どもが描いた家の絵で、四角い窓と、ゆがんだ煙突からは豚の尻尾状に煙が上がり、かたわらに手足が棒状のママとパパが誇らしげに立っていた。

薄暗い階段の踊り場に立ったぼくの脳裏に、ある言葉が浮かんだ。音節《シラブル》は二つで、Vではじまり、dire（悲惨な）と韻《いん》を踏む言葉だ。ぼくはその場で凍りついた。ナイティンゲールは、ある意味ですべて正しい、といった。それにはヴァンパイアも含めないといけない、そうじゃないか？　そういった連中が本やテレビに出てくるような姿と似ているとは考えにくいが、ひとつだけはっきりしている——連中が陽の光を浴びてはつらつと動きまわることは絶対にありそうにない。

左側にドアがひとつあった。ぼくは自分をせきたてて中に入っていった。子ども部屋で、レゴ・ブロックやアクション・ヒーローの人形を床に散らかしっぱなしにしておくくらい幼い男の子だ。ベッドはきれいに整えられていて、枕カバーと羽毛布団はおもしろみのない青と紫で色を合わせている。少年はアニメのベン10とチェルシーFCが好きらしく、壁にポスターを貼っていた。ほこりのにおいがするが、長く空き家だった部屋に特有の白カビや湿っぽさはない。主寝室も同じで、ベッドはきれいに用意され、乾いたほこりっぽさがあるが、天井の隅にもクモの巣ひとつ張っていない。ベッドわきのデジタル式目覚まし時計はコンセントに挿してあるにもかかわらず止まっていた。持ち上げてみたとき、底面の継ぎ目から白い砂がこぼれ落ちた。慎重に時計を元の位置に戻し、あとでもう一度確認しようと心にとめた。

その奥にある主室は育児室だった。ピーター・ラビットの壁紙、乳児用ベッド、ベビーサークル。低アレルギー性の木材でつくられたガルト社の知育玩具シリーズのおもちゃの車が開けはなしたままのドアから入りこむ隙間風に震えていた。ほかの部屋と同様、ここにも争った形跡や急いで家を出たようすさえもなかった。すべてがきれいに準備されていた。子どもの寝室にしては不自然なくらいに。同じくらい不自然なのは、浴室にシャワーの黒カビがないこと、または貯水タンクの水がなんのにおいもせずにただほこりっぽいことだ。

上階の最後の部屋は、不動産屋が〝小寝室〟と呼びそうな、幼い子どもか広場恐怖症《アゴラフォビア》の極端に小柄な大人に適した大きさだった。ここはミニ・オフィスに改造されていて、二年もののデル・パソコンと、驚くことでもないが、IKEAのファイル・キャビネットやデスク・ランプが備わっていた。コンピューターに触れてみると、さっと舞うほこりとオゾンを感じた。主寝室で感じたのと同じウェスティギウムだ。パソコンの側面のケースをはずすと、中には同じく白い砂が積もっていた。すくって指先でこすりあわせてみる。とてもきめが細かく、均質の粉だったが、はっきりとざらついて、金色のものがところどころに混じっていた。マザーボードを回収しようとしたとき、ナイティンゲールが戸口に姿をあらわした。

「いったい何に時間をかけているんだ？」彼が抑えた声で強くささやいた。

「コンピューターを確認してたんです」

彼はためらい、額にかかった髪を掻き上げた。

「ほうっておけ。残る部屋はひとつだけだ」

証拠品袋を持って戻り、忘れずにコンピューターをまるごと回収しないといけない。

廊下にはドアがひとつあって、細い階段が下につづいていた。階段はすり減った硬木の板でできていて、この家を建てた当初から設置されていたものと推定できた。ドアを入ってすぐのところに裸電球がぶら下がっていて、ぼくはなかば目がくらみ、階段の下の暗がりがさらに濃くなったように感じた。

地下室か。なぜ驚きもしないんだろう？

「さあ」ナイティンゲールがうながす。「われわれは若返りできるわけではないのだぞ」

ぼくは喜んで彼に先を譲った。

狭い階段を降りていきながら、ぼくはぶるっと身を震わせた。冷凍庫に降りていくかのように冷たいが、吐いた息が白くないことにぼくは気づいた。わきの下に手を入れてみたが、体温に変化はない。肉体的な冷たさではなく、なんらかのウェスティギウムに違いない。ナイティンゲールは足を止め、体重を前後に移して、今にも闘おうとするボクサーのように肩を曲げ伸ばししてほぐした。

「きみもこれを感じているか？」彼が訊いてきた。

「ええ」ぼくはささやいた。「なんなんですか？」

「タクトゥス・ディスウィタエ、〝反生命のにおい〟だ——連中はこの下にいるに違いない」

何がいるのか彼はひと言も説明せず、ぼくも尋ねなかった。ぼくらはまた階段を降りはじめた。

地下室は狭く、照明は明るかった。蛍光灯が部屋の半分の長さまで並んでいるのを見てぼくは驚いた。誰かが片方の壁に棚をつくりつけたとき、その下についでに作業台を据えていた。さらに、ごく最近になって古いマットレスがコンクリートの床に敷かれ、その上にヴァンパイアが二体横たわっていた。二人は浮浪者のようにも見えた。昔ながらの浮浪者で、ぼろぼろの服を重ね着して、通りかかった者に陰の奥からうなり声をあげるような連中だ。ナイティンゲールといっしょに近づいていくにつれ、冷たい感覚がさらに増した。この二人は眠っているように見えるが、呼吸音はせず、人間が狭い空間内で長く寝ていたときのようなこもった空気もない。

ナイティンゲールはフレームに入った写真をぼくに渡した。明らかにリヴィングのマントルピースの上から略奪してきたものだ。彼は杖を右手に持ち替えた。

「きみにはふたつのことをしてもらいたい」彼がいった。「写真と同一人物であることを確認して、両者とも脈があるか調べてもらう必要がある。できるかな?」

「そのあいだ、あなたは何をするつもりなんですか?」

「きみを援護する。この連中が目を覚ましたときの用心として」

ぼくはそのことについて少し考えてみた。「この連中は目を覚ましかねないんですか?」

「以前にそういうこともあった」とナイティンゲール。

「どれくらいの頻度で?」

「ここに長くとどまっていれば、それだけ可能性は高まる」

ぼくはしゃがみこみ、慎重に手を伸ばして近いほうの人物のコートの襟をめくった。皮膚には触れないように気をつけた。中年男の顔で、不自然なほどなめらかな頬は青白く、唇に血の気はない。写真と男を比べてみて、顔だちは同じであるものの、写真の中で笑っている父親とはもはや本当の意味で似かよってなどいないことがわかった。ぼくはまわりこみ、ふたつめの死体を確認した。こちらは女性で、母親の顔と合致した。ありがたいことに、ナイティンゲールは子どもの写っていない写真を選んでいた。ぼくは手を伸ばして脈を確かめようとしかけ、ためらった。

「この死体に生物は何もついていない」ナイティンゲールがいった。「バクテリアでさえも」

ぼくは男の首筋に手を押しあてた。男の肌は肉体的に冷たく、脈はなかった。女性のほうも同じだ。ぼくは立ち上がり、背中を向けずにあとずさっていった。

「脈はまったくありません」

「上の階に戻ろう」とナイティンゲールがいった。「さあ、急ぐんだ」

階段を駆け上がりはしなかったが、気楽にのぼっていったとは表現できそうにない。そのあとからナイティンゲールが後ろ向きのままのぼってきた。いつでも使えるように杖を構えている。

「手榴弾を出すんだ」彼が指示した。

ぼくが肩掛けかばんから手榴弾を取り出すと、ナイティンゲールはひとつを受け取って、ぼくに使い方を示した。ぼくは少し手が震えていたし、引き抜いたピンは予想以上に固かった——手榴弾の安全機能なのだろう。ナイティンゲールは自分の手榴弾のピンを引き抜き、地下階段の下を身ぶりで示した。

「三つ数えてからだ」彼がいった。「そして、下の床までちゃんと達するように気をつけるんだぞ」

彼がカウントして、三のあとで二人して手榴弾を階段の下に投げ落とした。ぼくは愚かにもその場にぽかんと立ったまま、手榴弾が跳ねながら底に落ちていくのを見守っていた。ついにはナイティンゲールがぼくの腕をつかみ、引っぱって離れさせた。

ぼくらがまだ正面玄関まで戻りもしないうちに、足もとで二度爆発音がした。ぼくらが家を出て表の庭にまわるころには、地下室から白い煙がわき上がっていた。

「白燐弾《はくりん》だ」ナイティンゲールがいった。

家の中のどこかから、かすかな悲鳴が起こりはじめた。人間のものではないが、それに近い。

「聞こえましたか、今の？」ぼくはナイティンゲールに尋ねた。

「いや。そして、きみもだ」

音を聞きつけた近隣の住民が、自分たちの所有している不動産に何が起きつつあるのかとあわてて確認しに出てきた。が、ナイティンゲールは彼らに身分証を提示した。

「心配ご無用です。屋内に誰もいないことを確認しました」彼はいった。「われわれがそばを通りかかったのは幸運でした、じつに」

最初の消防車が三分以内に到着してそばに停まり、ぼくらはあわただしく家の前から追いたてられた。消防隊が火事現場でみつけるのは二種類の人間だけだ。被害者と邪魔者と。そのどちらにもなりたくなければ、おとなしく退がっていたほうがいい。

フランク・キャフリーが現場に到着し、ナイティンゲールとうなずきあってから大股で消防隊の指揮官からの報告を受けにいった。これからどうなるのか、ナイティンゲールに説明してもらうまでもなかった。火が消えたら、火災調査担当官としてフランクが現場を調べ、何かもっともな原因によって火の手が上がったと宣言し、それに反するような証拠はきれいに始末する。地下室の死体の残骸の処理についても同じく思慮ぶかい調整がなされることは間違いなく、すべては日中に起こったただの家屋火災として片づけられることになる。おそらくは電気系統の故障で、出火当時、誰も家にいなかったのはさいわいでした。あなたも火災探知機を設置しておきたいという気になりませんか？

そして、紳士淑女の皆さん、このようにしてわれわれは古きロンドンの街でヴァンパイアに対処しているわけです。


成功とはどんなふうに感じるものなのか、言葉であらわすのは難しい。どうにか最初の呪文を使えるようになる前から、ぼくは自分が成功に近づきつつあることにゆっくりと気づきはじめていた。寒い朝にエンジンをかけるときのように、頭の中で何かをつかみかけているのが感じとれた。練習をはじめて一時間たったところでいったん中断し、一度深呼吸したうえであらためて手を開いた。

するとそこに、ゴルフボール大の、朝日のようにまぶしい光の玉が生じていた。

そのときになってはじめて、練習時にはいつもそばのシンクに水をためておくようにとナイティンゲールがあれほど強調したわけがわかった。彼の光の玉とは違って、ぼくのは黄色くて熱を放射していた。大量の熱を。手のひらが焼けるのを感じてぼくは絶叫し、手をシンクに突っこんだ。玉はとび散って消えた。

「手を火傷《やけど》した、違うかな？」ナイティンゲールがいきなり声をかけた。彼が入ってくる音は聞こえもしなかった。

ぼくは水から手を出して確認してみた。手のひらにピンク色のしみが残っているが、それほどひどい傷には見えない。

「やりましたよ」

信じられない思いだった。ぼくは本物の魔法を使ったのだ。ナイティンゲールが何か舞台上のトリックを使ったのではなかった。

「もう一度やってみろ」と彼がいった。

今回はシンクの上にじかに手をかざし、頭の中で鍵を形づくり、そして手を開いた。

何も起こらなかった。

「痛みのことは考えるな」とナイティンゲール。「鍵をみつけるんだ。もう一度やってみろ」

ぼくは鍵を探し、エンジンがかかるのを感じると、手を開いてクラッチを解放した。

またしても手を焦がしたが、間違いなくさっきほど熱くはなかったし、ぼくの手は水にずっと近かった。それでも、手のひらを確認してみた——今度は確実に水ぶくれになりそうだった。

「もう一度だ」とナイティンゲールがいう。「熱を減らして、光はたもつんだ」

あまりにも簡単に指示どおりにできたことにぼくは驚いた。鍵、力、解放——もっと光を増して、熱は少なめに。今回は熱いというよりも温かな程度で、黄色い光は昔の四十ワット電球のようだ。

もう一度、とナイティンゲールにいわれる必要はなかった。

ぼくは手のひらを開き、完璧な光の玉をつくり出した。

「今度はそのまままたもつんだ」ナイティンゲールがいった。

それは手のひらの上で火かき棒を立ててバランスをとるようなものだった。理論のうえでは単純だが、実際にやってみると最高でも五秒しかつづかず、ぼくの美しい玉はシャボン玉のようにはじけた。

「よし」ナイティンゲールがいった。「ひとつ言葉を教えてやろう。この呪文を使うときはいつもこの言葉を口に出していってもらいたい。だが、呪文の効果を持続させることがとても重要だ」

「どうしてですか?」

「理由はすぐに説明する。」言葉というのは〝ルクス〟だ」

ぼくはもう一度呪文を使った。もっと長いあいだ持続できた――はっきりと簡単になっている。

「きみにはこの呪文をさらに練習してもらいたい」ナイティンゲールがいった。「この呪文だけを、少なくともあと一週間は。いろいろ実験してみたい気持ちにかられるだろう。もっと明るくしたり、ぐるぐる動かしてみたり……」

「動かすこともできるんですか?」

ナイティンゲールはため息をついた。「あと一週間はだめだ。言葉が呪文になり、呪文が言葉になるまで練習するんだ。ルクスとつぶやくだけで光がつくれるように」

「ルクス?　いったい何語なんですか?」

ナイティンゲールはぼくを驚いた表情で見た。

「ラテン語で〝光〟のことだ」彼はいった。「中等学校《セカンダリー・モダン・スクール》では、もうラテン語を習わないのか？」

「習いませんでした、うちの学校では」

「心配はいらない。それもわたしが教えてやろう」

まったく運がいいな、とぼくは心のうちでつぶやいた。

「なぜラテン語を使うんです？　なぜ英語や、またはあなた自身がつくった名称ではないんですか？」

「ルクス――たった今きみが唱えた呪文は、われわれが型と呼んでいるものだ。きみが学ぶことになる基本の型にはそれぞれ名前がある。ルクス、インペロ、スキンデレ――ほかにもいくつか。いったんそれらが身体に深く染みこむと、型を組み合わせて複雑な呪文をつくり出せる。言葉を組み合わせて文章をつくり出せるように」

「音符のように？」

ナイティンゲールはにんまりした。「まさしく音符のように」

「なら、なんで音符を使わないんですか？」

「なぜなら、ここの主要な図書室には、魔術の使用法を扱う書物が数千冊もあるが、それらはどれも標準のラテン語の型をもちいているからだ」

「推測するに、こうしたすべてがサー・アイザックによって発明されたんでしょうか？」

「元の型は『プリンピキア・アルテス・マギキス』に書かれている。長年のあいだに改良されてきたのだが」

「誰が改良したんですか？」

「あれこれいじくりまわさずにはいられない人々だ。きみのようにな、ピーター」

つまりニュートンは、十七世紀のよき知識階級が皆そうであったように、ラテン語で書きつづった。それが当時の科学や哲学における国際言語だったからだ。それと、ぼくがのちに知ることになったところでは、上流市場向けのポルノ文学においても。翻訳されたものもあるのだろうか、とぼくは思った。

「『アルテス・マギキス』にはない」ナイティンゲールがいった。

「大衆《ホイ・ポロイ》に魔術を学ばせたくない、そうなんですね？」

「まさしく」とナイティンゲール。

「いわなくてけっこうですよ。そういった書物では、型だけでなく、すべてがラテン語で書かれているんでしょう」

「ギリシャ語やアラビア語のものを除いてはな」

「すべての型を学ぶにはどれくらいかかるんでしょうか？」

「十年だ。きみが懸命に取り組むなら」

「だったら、すぐに取り組んだほうがよさそうですね」

「練習は二時間やったら中断するんだ。少なくとも、その後六時間は呪文を使うな」

「全然疲れてなんかいませんよ、ほら」ぼくはいった。「一日じゅうだってつづけられます」

「やりすぎると、影響が出る」

ぼくはその響きがまったく好きになれなかった。「影響というのはどんなものなんですか？」

「引きつけ、脳出血、動脈瘤《りゅう》……」

「どうすればやりすぎたとわかるんですか？」

「引きつけ、脳出血、動脈瘤を起こしたときにだ」

ぼくはブランドン・クーパータウンの縮んだカリフラワー状の脳を思い出した。そしてドクター・ウォリッドが〝これが魔法に冒された脳だ〟といったことも。

「安全のための貴重な助言をどうも」ぼくはいった。

「二時間だぞ」ナイティンゲールが戸口のところからいった。「そのあとは、書斎で落ち会って、ラテン語の授業をはじめよう」

ぼくは彼が出ていくまで待ってから、手のひらを開いてささやいた。「ルクス！」

今回は玉がやわらかな白い光をはなち、うららかな日射し以上の熱は生じもしなかった。なんてことだ、ぼくは魔術を使えるぞ、と心のうちでつぶやいていた。

6　馬車置き場《コーチ・ハウス》

日中、実験室にいるか魔術を学んでいるのでないとき、または外出していないときは、正面玄関のベルの音に応《こた》えるのはぼくの役目だった。ベルが鳴ることはめったになかったから、はじめてこの音を聞いたときにはそれがなんなのかわかるまでにまるまる一分はかかった。

応対に出てみると、訪ねてきたのはビヴァリー・ブルックだった。エレクトリック・ブルーのキルト・ジャケット姿で、フードを目深《まぶか》にかぶっている。

「ずいぶんと時間がかかるんだね」彼女はいった。「外は凍えるほど寒いのに」

中に入ってくれ、とすすめたものの、彼女はちらっと扉の奥を盗み見て、そうはできないといった。

「ママが、入っちゃいけないって。あたしたちにはよくないから、っていってた」

「よくない？」

「ほら、魔法のフォース・フィールドとかそんなのがあって」

それは納得がいく、とぼくは内心そう思った。確かにそれなら、ナイティンゲールがセキュリティについてなぜあれほど安心しきっているのかも説明がつく。

「なら、きみはどうしてここに？」

「ええと、マミー・リヴァーとダディー・リヴァーがとっても愛しあってるあいだは外に出てなさいって……」

「おもしろい冗談だ」

「ユ《U》ニヴァーシティ・カ《C》レッジ付属病院《H》で、あんたがチェックすべき妙なことが起きてるってママがいうから」

「妙なことってどんな？」

「ニュースになってるって」

「ここにはテレビがないんだ」ぼくはいった。

「フリービュー（イギリスで二〇〇二年から放送を開始した無料の地上デジタル放送）さえも？」

「どんな種類のテレビもない」

「ひどいもんだね」とビヴァリー。「それで、出かけるの、出かけないの？」

「主任警部がなんというか聞いてこよう」

図書室でメモをとっているナイティンゲールをみつけた。明日のラテン語の授業の調べものではないかとぼくは強く疑った。ビヴァリーのことを説明すると、彼は確認してこいといった。

ロビーに戻ってみると、ビヴァリーは扉の内側にほんのわずかだけ入る危険を冒していた。ただし、できるだけ入口にへばりつくようにして立っていたが。驚いたことにそのそばにはモリーが立っていて、秘密を交換しあうかのように顔を寄せあっていた。ぼくがやってくる音を聞きつけると、二人は怪しまずにいられないほどそそくさと離れた——ぼくは耳が赤くなるのを感じた。モリーは急ぎ足でぼくのわきを通り抜け、愚壮館《ザ・フォリー》の奥に姿を消した。

「ジャガーで行くの？」ぼくがコートを着ているあいだに、ビヴァリーが訊いた。

「なんだ、きみもいっしょに来るつもりかい？」

「そうするしかないでしょ。協力してやりなさいってママがいうんだから」

「協力するって、何を？」

「連絡してきたのはあたしたちの信者だから。あたしがいっしょについてかないと、彼女はあんたに何も話そうとしないよ」

「オーケイ。なら、出かけよう」

「ジャガーで？」

「ばかいうなよ。UCHは歩いて行ける距離だ」

「ちぇっ」ビヴァリーはもらした。「ジャガーに乗ってみたかったのに」

そのためにぼくらはジャガーに乗りこみ、おかげでユーストン・ロードで交通渋滞に巻きこまれ、駐車スペースをみつけるのにさらに二十分もかかるはめになった。ざっと見積もってみても、徒歩の倍は時間がかかっていた。

ユニヴァーシティ・カレッジ付属病院はトッテナム・コート・ロードとガウアー・ストリ

ートのあいだの二街区《ブロック》をまるまる占めている。ここは十九世紀に創立され、おもにユニヴァーシティ・カレッジ・ロンドン（ロンドン大学を形成するカレッジのひとつ）の医師養成のための付属病院として知られていた。それと、魔術師見習いの、ピーター・グラントとかいう男の生誕の地としても。一九八〇年代なかばのあのきわめて重要な日以降、施設の半分はぎらつく青い窓と白壁のタワー・ビルに改築され、ヴィクトリア朝時代のロンドンのただ中にブラジリアの一部が不時着したかのようにも見えた。

　ロビーは広くて清潔な空間で、たくさんの窓ガラスや白く塗った壁で覆われているが、重い足どりで動きまわる大勢の病人によってのみ静けさがそこなわれていた。ロンドンの警察官はここの救急救命室《A&E》でかなりの時間を過ごすことになる。負傷者にどこでナイフの傷を負ったのか尋ねたり、暴れる酔っぱらいに対処したり、または自分自身の傷口を縫いにやってくるからだ。これこそは警官のうちあまりに多くの者が看護士と結婚する理由のひとつだ――――それと、看護士というのは不合理なシフト勤務について理解があるという事実もあいまっている。

　ビヴァリーの信者というのもここの看護士で、青白い顔で細身の、髪を紫色に染めたオーストラリアなまりの女だった。彼女はぼくを疑わしげに見つめた。

「これは誰？」女がビヴァリーに尋ねた。

「友だち」とビヴァリーはいって、女の腕に手を置いた。「彼にはみんな話してかまわないから」

女は安心して、希望にあふれた笑みを浮かべた。彼女はうちの母親が通っていた最後から二番目の教会で見かけたペンテコステ派の十代の少女に似ていた。「何か実際に役立つことの一部になれるって、すばらしいことじゃない？」

ぼくは何か実際に役立つことの一部になれるのは確かにすばらしいと同意しておいたが、彼女が何を見たのか話してもらえればもっとイカシてる《グルーヴィ》ともいっておいた。実際に〝グルーヴィ〟という言葉を使ったのだが、彼女はたじろぎもせず、そのことは多くのレヴェルで気にかかった。

彼女によると、自転車でビジネス文書を配達していた男が路上で交通事故に遭って救急車で運びこまれたのだが、治療を受けているあいだに担当医の目に蹴りを入れたのだという。医師は大怪我を負ったというよりは驚いた程度らしく、自転車乗りの男は警備員がつかまえる前に救急救命室をとび出していった。

「なぜこのことをぼくらに？」

「笑い声よ」看護士はいった。「あたしが治療室に戻ろうとしたとき、あのかん高い笑い声が聞こえたの。ムクドリがけたたましく鳴くみたいな。そしたら、エリックが――ドクター・フラムライン、つまり、怪我した医師のことだけど――毒づくのが聞こえて、自転車乗りの男が部屋からとび出してきて、彼の顔にはどこかおかしなところがあった」

「おかしいとは、どんなふうに？」

「とにかくおかしかったの」彼女はそういって、警察の捜査において目撃者があれほど有益な部分をなす特質をまさしく示した。「あまりにもすばやく通り過ぎたもんだから、それほどちゃんと見たわけじゃないけど、とにかく……おかしかった」

彼女は事件の起きた治療室を見せてくれた。白とベージュ色の小部屋で、診療用のベッドとプライヴァシーをたもつためのカーテンが備わっている。ぼくが足を踏み入れるなり、ウェスティギウムが――ここでは単数形を使っていることに注意してもらいたい――顔に打ちつけてきた。暴力、笑い声、乾いた汗と革。死体安置所で横たわっていた哀れなウィリアム・スカーミッシュのときと同じで、ただやかましく吠える犬が欠けているだけだ。

二カ月前のぼくなら、治療室に入っていってぶるっと身を震わせ、少し首をひねったうえで、「確かに妙だな」といって、すぐに部屋を出ていったろう。

ビヴァリーが部屋に顔をのぞかせ、何かみつかったかと問いかけてきた。

「きみのケータイを貸してもらわないといけない」ぼくはいった。

「自分のは？」

「魔術の事故で壊れちゃったんでね。わけは訊かないでくれ」

ビヴァリーは口を尖らせつつも、驚くほどずんぐりしたエリクソンの携帯電話を渡してくれた。

「使うときはふたを開けないとだめだよ」彼女はいった。ケースのふちはゴムの充塡材で保護されていて、ボタンは大きく、透明なプラスチック・カバーで守られている。「防水仕様なの。わけは訊かないで」

「きみの信者に頼んで、ドクター・フラムラインの住所を調べてもらえないかな？」

ビヴァリーは肩をすくめた。「いいよ。それと、ひとつ覚えといて。話したぶんだけ、料金は払ってもらうから！」

ビヴァリーが信者の女に指示を伝えるほうに気をとられているあいだに、ぼくは彼女の携帯電話を手にしてボーモント・プレイスに出た。そこは人通りの少ない歩道つきの道路で、病院の新旧の建物のあいだを縫うようにしてつづいている。ぼくはナイティンゲールに電話をかけた。事件のこととウェスティギウムについて話すと、もう一歩踏みこんで自転車乗りを探すことに彼も同意した。

「ぼくとしては、医師を見張っておきたいですね」

「興味ぶかい」とナイティンゲール。「なぜかな？」

「スカーミッシュの殺害時のいきさつを念頭においてです。トビーがクーパータウンの鼻に噛みついた、あのときからはじまったわけですよね。ですけど、クーパータウンはのちにコヴェント・ガーデンでスカーミッシュと出くわすまで錯乱しなかった」

「偶然の出会いによって引き起こされたのだと思うかね？」

「まさにそこなんですよ。レスリーがいうには、殺人課の調べでもスカーミッシュがあの晩、コヴェント・ガーデンに出向く理由さえみつかっていないんです。彼は地下鉄でウェスト・エンドまで出かけて、クーパータウンに出会って頭を切り落とされた。なんの約束も、友人も――何ひとつ用事はなかったのに」

「両者とも何かに影響されていたと思うのかな？　外的なはたらきかけが二人を出会わせたと？」

「そんなことが可能なんですか？」

「どんなことだって可能だ」とナイティンゲール。「きみの犬が、主人とそれにいクーパータウンと同じように影響されていたとすれば、なぜあの犬がウェスティギアにあれほど敏感なのかも説明がつく」

今やトビーが〝ぼくの犬〟にされていることにぼくは気づいた。「つまり、可能なんですか？」

「ああ」ナイティンゲールはいったが、彼が懐疑的であるのはぼくにもわかった。

「今回は文書を配達する自転車乗りがトビーの役割で、医師がクーパータウンの役割だとしたら？」ぼくは尋ねた。「最低でも、自転車乗りがつかまるまで医師を監視しておいて損はないでしょうね」

「その点はきみの手に負えそうかな？」

「問題ありません」

「よし」ナイティンゲールがいって、自転車乗りの捜索の手配を引き受けようと申し出た。

ぼくが電話を切ったころ、ビヴァリー・ブルックがぶらりと病院から出てきた。彼女の揺れる腰《ヒップ》にぼくの目は引き寄せられた。ぼくがじっと見ていることに気づくと彼女はにんまりし、紙きれを一枚渡した――ドクター・フラムラインの住所だった。

「お次は、旦那《ガヴ》？」彼女が訊いた。

「どこできみを降ろせばいいかな？」

「だめ、だめ」ビヴァリーがすばやく否定する。「ママはあたしに、協力してやりなさいっていってたんだから」

「協力はしてもらったよ。もう家に帰ってよろしい」

「帰りたくない。いつだってママは、側近連中にぐるっと囲まれてるし。タイやエフラやフリート、それに老婦人たちのことはいうまでもなく。それがどんなふうか、あんたは知らないから」

実際のところ、ぼくはそれがどんなふうかはっきりとわかっていたが、ビヴァリーにそのことを明かすつもりはなかった。

「ねえ、いい子にしてるから」彼女はそういって、ぼくにくりっとした黒い目を向けた。「ケータイも貸したげるし」

彼女が唇を震わせはじめる前に、ぼくのほうから折れた。「だけど、ぼくのいうとおりにするんだぞ」

「合点《がってん》でさ、旦那《ガヴ》」彼女はそういって、敬礼した。

ヴィンテージもののジャガーで張りこみをするわけにはいかない。そこで、ビヴァリーはひどくがっかりしたが、いったん愚壮館《ザ・フォリー》に車で戻り、元パトカーに乗り換えた。愚壮館《ザ・フォリー》のガレージは建物の裏手にあり、馬車置き場を改装した建物の一階すべてを占めている。厩から元のドアが見てとれた。四頭立ての馬車を楽に入れられるくらい高くて横幅も広かったが、煉瓦でふさがれて、もっと控えめなスライド式のドアにつけ替えられていた。ジャガーと元パトカーは馬車四台を充分に収容できる広さをもてあましてぽつんとたたずんでいた。

正面の玄関口と違って、馬車置き場のほうはまったくビヴァリーにとって気にならないようだった。

「〝敵対的なフォース・フィールド〟はどうなったんだい？」

「ここにはないよ」彼女はいった。「ガレージのドアにちょっとした防御設備があるだけで」

ナイティンゲールは館を留守にしていたが、モリーがぼくらをロビーで出迎え、テスコの紙袋いっぱいに入ったサンドイッチを用意してくれていた。サンドイッチは油をはじく紙で包み、ひもで結んである。どんなものを具に挟んでいるのか尋ねはしなかったものの、チキン・ティッカ・マサラ（英国のインド料理店から広まったとされる、鶏肉をトマトとクリームのカレーソースで煮込んだもの）ではないかとぼくはにらんだ。馬車置き場に戻ると、かばんとサンドイッチを元パトカーのバックシートにほうりこみ、ビヴァリーがシートベルトを締めたのを確認して、研修医につきまといに出発した。

ドクター・フラムラインはニューハム特別区のロムフォード・ロードを少し入ったところにある、二階建てのヴィクトリア朝時代からのテラスハウスに住んでいた。すすんで入りこみたくなる地域よりもずっと東寄りだが、近隣の治安はそれほど悪くなかった。そこそこまっすぐに見張れそうな場所に駐車スペースをみつけると、ぼくは車を降りた——ビヴァリーが車から降りられないような地上のフォース・フィールドがないことはわかっていたから、口をつぐんでおくように厳しくいって聞かせたうえで彼女もいっしょについてくることを許可した。

ドアベルはひとつしかなく、小さな前庭は砂利道につづいていて、ゴミ入れや、からっぽの明るい赤色の植木鉢がふたつほど置いてある。ドクター・フラムラインがこの家をすっかり所有しているのか、または友人とシェアしているのだろうとぼくは考えていた。ベルを鳴らすと、元気のいい声が、今、出ますよ、と応えた。声の主はぽっちゃりした丸顔の女性で、見るからに人がよさそうだった。そうでなければ、自殺するほかにない。

ぼくは身分証を提示した。「こんにちは。警察のピーター・グラントと申します。こちらは同僚のビヴァリー・ブルック、彼女はサウス・ロンドンの川です」

一般市民にこんなことをいっても、うまく切り抜けられる。これを聞いた相手は〝警察〟という言葉を聞いた時点で脳が固まってしまうからだ。

実際は、少しやりすぎだったかもしれない。というのも、女性はビヴァリーに眉をひそめ、こう尋ねたからだ。「彼女は川だとおっしゃいましたの?」

これだから、任務中は絶対に無駄なひけらかしをすべきでない。

「署内での冗談でして」ぼくはいった。

「彼女は警察官にしては少しお若いようですけど」

「ええ、違います。学生の職業体験中なんです」

「もう一度身分証を見せていただけます？」女性は尋ねた。

ぼくはため息をつき、身分証を渡してやった。ビヴァリーが忍び笑いをもらした。

「お望みでしたら、上司の連絡先をお教えしますが」ぼくはいった。普通はこれでうまくいく。一般に、公共の市民は疑念をわざわざ電話で問い合わせるほど勤勉ではないからだ。

「病院で起きたことのためにいらっしゃったのかしら？」

「はい」ぼくは安堵した。「まさしくそのためにやってきたのです」

「でも、エリックは街に出かけてしまいましたのよ」彼女はいった。「ほんのわずかな差で行き違いだったわね。十五分前に出ていったばかりなの」

もちろん間違いなく、ぼくとビヴァリーが出発した地点から五百メートル以内のどこかに向かって出発したに違いない。「彼がどこに行ったのかご存じでしょうか？」

「なぜそんなことを知りたがるの？」

「彼にいきなり襲いかかった男について、いくつかわかったことがあるようでして。ほんの二、三点、詳細を確認してもらう必要があるのです。うまく運べば、今夜じゅうに逮捕できるかもしれません」

そう聞くと女性はぴんと背筋を伸ばし、ドクター・フラムラインが向かった美食居酒屋《ガストロパブ》の名前ばかりか、携帯電話の番号まで教えてくれた。いそいそと車に戻りだしたぼくのあとから、ビヴァリーはかるく駆けながらついてこないといけなかった。

「なんで急いでんの？」車に乗りこみながら、彼女が訊いた。

「そのパブのことは知ってる。ニール・ストリートとシェルトン・ストリートの角にある」ぼくはビヴァリーがシートベルトを締めるのを待ちもせずに車を出した。「あそこを渡ってすぐのところに、歩行者用の小さな広場がある。〈アーバン・アウトフィッターズ〉の手前だ」

「〈アーバン・アウトフィッターズ〉か、へえ」とビヴァリー。「それで〈ドクター・デニム〉のシャツの説明がつくよね」

「あれはうちの母親が買ってきたんだ」

「だからって、恥ずかしさが薄れるとでも思ってんの？」

ぼくは元パトカーを猛烈にとばした。または、少なくとも十年落ちのフォード・エスコートに可能なかぎり猛烈にとばして、いくつか赤信号をすっととばしもした。後方から怒った叫び声が聞こえた。

「ビジネス文書を配達する自転車乗りは、あそこらへんでよくたむろしてるんだ」ぼくはいった。「パブやカフェを探すのに便利だし、たいていのクライアントからも近いから」

フロントガラスに雨の滴《しずく》が跳ねはじめ、速度を少しゆるめないといけなくなった――みるみるうちに通りが濡れていく。ドクター・フラムラインが公共の交通機関でコヴェント・ガーデンにたどり着くまでにどれくらいかかるだろうか？　一時間未満ということはなさそうだ。そうはいっても彼は先行しているし、ここはロンドンで、地下鉄のほうが車より速いこともざらにある。

「ドクター・フラムラインのケータイに連絡してみてくれ」ぼくはビヴァリーにいった。彼女はぶつぶつこぼしつつも番号を押して聞き入り、そしていった。「留守電のメッセージだよ。たぶん、地下にいるんじゃない」

ぼくはレスリーの番号を伝えた。

「忘れないでよ。話したぶんだけ、料金は払ってもらうから」

「仕事っていうのはそういうもんだ」

ビヴァリーがぼくの耳に電話を押しつけてくれたから、両手はそのまま車の操作にあてることができた。レスリーが電話に応えると、背後からベルグレイヴィアの捜査本部のざわつきが聞こえた——本物の警察の仕事の。

「自分のケータイはどうしたの？」レスリーが訊いた。「朝からずっと、そっちに電話してたのに」

「魔術の訓練をしてて、壊れたんだ。それで思い出したよ。ぼくのぶんのエアウェイヴをひとつ借りてきてもらう必要がある」エアウェイヴというのは、警官たちがいつでも好きに歌って騒げる携帯用のデジタル無線送受信機のことだ。

「自分のとこの部署で手に入れられないの？」

「冗談だろ。ナイティンゲールがエアウェイヴの意味を呑みこめてるとは思えない。それをいうなら、無線さえも。実際、彼は電話についても少しあいまいかもしれない」

レスリーはニール・ストリートでぼくらと落ちあうことを了承した。

雨足が強まりはじめ、ぼくはなかば歩道になったアールハム・ストリートを徐行して進み、通りの角に車を停めた。ここからなら、パブや文書を配達する自転車乗りのたまり場をうまく見張ることができる。ビヴァリーを車内に残して一人ですばやく通りを渡り、店内をざっと確認してみた。パブは閑散《かんさん》としていた。ドクター・フラムラインはまだやってきていない。

車に戻ったときには髪がぐっしょり濡れていたが、張りこみの道具を入れた袋にはタオルが入っていたから、それを使って水分のほとんどはぬぐい取った。どういうわけか、ビヴァリーはこれをひどくおもしろがった。

「あたしにもやらせて」

タオルを渡してやると、ビヴァリーは身を乗り出して、ぼくの頭をこすって拭きとりはじめた。片方の乳房が肩に押しつけられたため、ぼくは彼女の腰に腕をまわしたくなる衝動を抑えないといけなかった。彼女はぼくの頭皮に指を突き立てた。

「一度も櫛《くし》で梳《と》かしたことってないの？」

「気にしてるひまなんてないよ。毎年春に、短く刈り上げるだけだ」

彼女はぼくの頭に手のひらをすべらせて撫で、首筋にかるくあてた。彼女の息を耳のすぐそばで感じられた。

「お父さんからは、ほんとになんにも受け継いでないんじゃない？」ビヴァリーは自分のシートにすわりなおし、タオルは後部シートにほうった。「お母さんはがっかりしたに違いないよね。きっと、あんたがくるんとカールした巻き毛にでもなると思ってたろうから」

「もっとひどくなってた可能性だってある」ぼくはいった。「ぼくが女の子だったかも」

ビヴァリーは無意識に自分の髪に手をやった。彼女の髪はストレート・パーマをかけてまっすぐに伸ばし、真ん中で分けて翼のように肩まで垂らしている。

「あんたはその半分もわかってない。だから、あたしを外にほうり出すこともできないよ」

彼女は雨の降りしきる通りのほうに顎をしゃくった。

「きみがそれほどまでに女神をよそおってるなら……」

「オリシャだよ」とビヴァリー。「あたしたちはオリシャ。精霊じゃなくて、土地の守り神でもなくて……オリシャ」

「……天候について、何かしてみたらどうなんだい？」ぼくは最後までいった。

「まず第一に」彼女はゆっくりと、誇張した口調でいった。「天候にちゃちゃを入れるもんじゃない。そして第二に、ここはロンドンの北側で、あたしの姉さんたちの領地だから」

ぼくは十七世紀のロンドンの川を記した地図をみつけていた。「フリートとタイバーンかな？」

「あんたが今日の残りを綱からぶら下がって過ごしたいんなら、あの人をタイバーンと呼び捨てにしてもいいけど、姉さんと顔を合わすことがもしあれば、レディ・タイって呼ぶように気をつけたほうがいいよ。彼女に会いたいとは思わないだろうけど。彼女のほうでもあんたに会いたいとは絶対に思わないだろうけど」

「つまり、きみは姉さんたちとうまくいってないのかい？」

「フリートはまずまずってとこ。おせっかい焼きだけど。タイはとにかく高慢ちきだから。メイフェアに住んでて、上流の人たちのパーティにばっかり顔を出してるし。彼女は〝重要な連中〟を知ってる」

「ママのお気に入り、かな？」

「政治家とのもめごとを解決してくれるから、というだけのためにね。あっちはウェストミンスター宮殿のテラスで議員たちとお茶を飲んだりしてる。こっちはナイティンゲールの使いの坊やと車の中ですわってるのに」

「ぼくの記憶が正しいなら、家に帰りたくないっていったのはきみのほうだろ」

レスリーの車がぼくらの後ろに停まるのが目にとまった。彼女はライトを点滅させてから車を降りてきた。ぼくはすばやく身体を後ろにそらして、彼女のために助手席側の後部ドアを開けてやった。雨が顔に激しく打ちつけて跳ね、レスリーは実質的に後部シートにとびこんできた。

「もうじき洪水になりそう」彼女はそういいながら、ぼくの使ったタオルをつかんで、濡れた顔や髪をぬぐった。ビヴァリーのほうにぐいっと頭を振り向けて示す。「これは誰？」

「ビヴァリー、こちらはレスリー・メイ巡査」ぼくはレスリーに向きなおった。「こちらがビヴァリー・ブルック、川の精霊にして、ロンドン地区自由参加式の長時間おしゃべり大会の五年連続優勝者だ」ビヴァリーがぼくの腕にパンチした。レスリーは奨励するようにビヴアリーに笑みを向けた。「彼女の母親はテムズ川なんだ、ほら」

「へえ、ほんと」とレスリー。「なら、父親は誰？」

「こんがらかってる」とビヴァリーがいった。「ママがいうには、あたしがキングストン・ヴェイルの幹線道そばの小川《ブルック》に浮かんで流れてくるところをみつけたんだって」

「かごに入れられて？」とレスリー。

「ううん、ただ水面に浮かんでたんだって」

「彼女はミディ＝クロリアンから自然発生的につくられたんだ」（ミディ＝クロリアンは映画《スター・ウォーズ》においてフォースの力に影響を与えるとされる、知性をもった微小生命体）ぼくはいった。どちらの女性もぽかんとした顔をぼくに向けた。

「いや、なんでもない」

「目的の男はもうやってきたの？」レスリーが訊いた。

「ぼくらがここに着いてから、まだ誰もやってきてない」

「彼の人相はわかってるの？」

ドクター・フラムラインがどんな人相をしているのか、ほんのかすかな手がかりもないことにぼくは気がついた。彼のあとを追いかけるその前に、彼の自宅で話を聞くつもりでいたのだった。

「特徴はわかってる」ぼくはいった。

レスリーは憐れむような表情をぼくに向け、Ａ４のコピー紙を取り出した。ドクター・フラムラインの運転免許証からコピーした顔写真だ。

「この人はまずまずの警官になれるはずよ」彼女はビヴァリーに向けていった。「細かいことに気をくばってさえいればね」

彼女はぼくに、ノキアとウォーキートーキーのずんぐりした掛け合わせの変種のようなものを手渡した——エアウェイヴの送受信機だ。ぼくはジャケットの内ポケットにそれを突っこんだ。送受信機は携帯電話よりも少し重たくて、身体が傾きかけた。

「あの男じゃない？」ビヴァリーが声をあげた。

雨の向こうに目をこらすと、コヴェント・ガーデンのほうからニール・ストリートを近づいてくる二人連れが見えた。男の顔は、左目のまわりのあざと、頰の傷に線路状に貼りつけた絆創膏《ばんそうこう》の筋を除けば写真と一致していた。毒々しいオレンジ色のレインコートを着た連れのずんぐりした女と自分との上に傘を差しかけている。二人は笑顔で、しあわせそうだった。

ぼくらが黙って見守る前で、二人はガストロパブにたどり着き、傘の水滴を振り払うのに少し足を止めたうえで店に入っていった。

「なぜわたしたちがここにいるのか、もう一度おさらいさせてもらえる？」とレスリーが訊いた。

「自転車乗りの男はもうみつかったかい？」

「ううん、まだ。それと、うちのボスはあなたのとこのボスに使いの坊やみたいに用をいいつけられるのを気に入ってるとも思えない」

「〝使いの坊や〟クラブにようこそ、といってやるといい」

「自分でいえばいいでしょ」

「あのさ、そのサンドイッチの中身ってなんなの？」とビヴァリーが訊いた。

ぼくがテスコの袋を開けて、中の包みを開いてみると、堅焼きのホワイトブレッドにローストビーフとマスタード・ピクルスをたっぷり挟んだサンドイッチがホースラディッシュのツマを添えて入っていた——とてもうまそうだが、以前にランチの中身が仔牛の脳みそのフライだったことがあったから、モリーのサンドイッチには用心するようになっていた。レスリーはさっそくとびつき、怖れることなくぱくついて、ウナギのゼリーもごちそうだと考えたらしいが、ビヴァリーのほうはためらっていた。

「あたしがこれを食べても、何かの義務を期待してないよね？」

「心配しなくていい」ぼくはいった。「袋ににおい消しも入ってるから」

「まじめにいってるんだよ」とビヴァリー。「一九九七年に、ある家具を取り戻そうとしてうちのフラットにやってきた間抜けな男がいたっけ。紅茶一杯とビスケット一枚の歓待のあとで、その男がフラットを出ていくことは二度となかった。あたしはベイリフおじさんって呼んでるけど。彼はうちで小間使いとして働いてて、いろんな物を修理したり、掃除したりしてくれてる。うちのママは絶対に彼を手ばなさないと思う」ビヴァリーはぼくの胸を指で突いた。「だから、あんたがこのサンドイッチで何をするつもりなのか、意図を確かめておきたいの」

「わが意図は公正なものだと保証するよ」ぼくはそういったが、頭の中の一部では、ママ・

テムズのフラットで自分があやうくあのカスタードクリーム・ビスケットを食べかけたことについて考えていた。

「あんたの力にかけて誓って」とビヴァリー。

「ぼくにはなんの力もない」

「もっともな指摘だね。なら、あんたのママの命にかけて誓って」

「いやだ」ぼくはいった。

「あっそう。じゃ、あたしは自分で食べ物をみつけてくる」「子どもじみてる」

ビヴァリーは車を降りて、ドアは開けっぱなしのまま足音荒く離れていった。彼女は急に怒りだす前に、雨が小やみになるのを待っていたことにぼくは気づいた。

「本当なの？」レスリーが訊いた。

「どの部分が？」

「呪文、食べ物、義務、魔術師――小間使い」レスリーはいった。「神にかけて、ピーター、それって最低に見積もっても、不法監禁でしょ」

「ある程度までは事実だ。どこまでかはぼくにもわからない。魔術師になるのは、何が本物で何がそうでないか見分けることなんだと思う」

「彼女のママは本当にテムズ川の女神なの？」

「本人はそう考えてる。ぼくも彼女に会ってみて、そうなんじゃないかと思いはじめてる。彼女は本物の力を持ってて、だから彼女の娘も本物として扱うつもりだ、そうじゃないとはっきりするまでは」

レスリーはシートごしに身を乗り出して、ぼくの目をまっすぐに見つめた。

「あなたは魔法を使えるの?」彼女が小声で尋ねた。

「呪文をひとつ使える」

「やって見せて」

「無理だよ。今ここでやったら、エアウェイヴやカー・ステレオがだめになるし、エンジンの点火装置までだめになる可能性がある。そのせいでぼくのケータイも壊れたんだ――練習してるとき、ポケットにあれを入れたままにしてたんでね」

レスリーはわずかに首をかしげ、冷ややかな視線で見据えた。

ぼくが抗議しようとしかけたとき、ビヴァリーがぼくの側のウィンドウを叩いた――ぼくはウィンドウをおろした。

「雨がやんだことをあんたに知らせておくべきかと思って」彼女はいった。「それと、自転車乗りの男が通りを歩いてやってくることも」

ぼくとレスリーはあわてて車を降りた。このことは、ぼくらが本当にどれほど基本的な捜査の経験を欠いているかを示していて、ひと目につかずにさりげない会話をしているように見せかけるはずだったことを、今になって思い出した。弁解のためにいっておけば、ぼくらはこの二年間、制服警官として過ごしてきたわけで、制服を着た巡査の役割はまさしく目立つことにある。

ビヴァリーはずいぶんと目がいいに違いない。というのも、自転車乗りはニール・ストリートとシャフツベリー・アヴェニューがぶつかるあたりから、ゆっくりと、慎重な足どりで近づいてくるところだったからだ。男は自転車を押していて、それ自体が怪しい行動だった。後輪がゆがんでいるのが見てとれた。ぼくは強い不安を感じたが、ぼく自身のものなのか、それとも外の何かからの影響なのかはっきりと指摘はできなかった。

近くのどこかで犬が吠えはじめた。後ろのほうで、だっこしてもらいたがってぐずる子どもを母親が叱っていた。どこかで雨水が排水溝に流れこむ音が聞こえ、ぼくは自分が耳をすましていることに気づいた――何に対してなのかはよくわからなかった。やがて、それが聞こえてきた。はるか遠くからただよってくるような、か細い、息を詰まらせたような、かん高い笑い声が。

自転車乗りの男はかなり普通に見えた。苦しそうなくらい身体にぴったりした黄色と黒のライクラ素材のジャージーに身を包み、メッセンジャー・バッグの肩ひもには無線機が固定され、青と白の自転車用ヘルメットをかぶっている。顔だちは細く、尖った鼻の下の口は薄い線だが、その目は不安になるくらいうつろだった。男の歩き方がどうも気に入らなかった。後輪がゆがんでいるためにフォークがこすれ、男の頭はちょうど車輪が一回転するごとに不自然に揺れている。この男をこれ以上近づけるのはよくないとぼくは判断した。

「くそったれめ!」背後で叫び声があがり、ガタガタとぶつかる音がした。

振り返ってみても何も見あたらず、そのうちにレスリーが〈アーバン・アウトフィッターズ〉の両開きのガラス・ドアのほうを示した。男が一人、内側からドアに激しく叩きつけられている。男はいったんぐいっと引っぱられてぼくらの視界から消え、もう一度ドアに叩きつけられた――勢いのあまり蝶番《ちょうつがい》がひとつはずれ、大きく開いたドアの隙間から男は外に逃げ出すことができた。旅行者か留学生のようで、大陸ふうのきちんとした身なりをしている――乱れたブロンドの髪は、長すぎるというほどではなく見苦しくない側にとどまり、スイス航空の無料配布の青いかばんをなおも片方の肩から提げたままだ。彼は当惑したように首を振り、襲撃者がドアを叩きつけて彼のほうに大股で近づいてくると、びくっとたじろいだ。

近づいてきたのは背の低い小太りの男で、茶色の髪は薄くなりかけ、ワイヤーフレームの丸眼鏡をかけている。白シャツのポケットには店長のタグをクリップでとめていた。汗でてらてら光る顔は怒りで真っ赤だった。

「もうくそったれなくらいうんざりだ」男が叫んだ。「丁重に対応しようとしてきたが、きさまはおれを、くそったれな奴隷みたいに扱わずにいられないんだからな」

「ちょっと」レスリーが叫んだ。「警察です」彼女は左手に身分証を掲げて二人のほうに近づいていき、右手は伸縮可能な警棒の握りに添えていた。「何か問題でも？」

「この人がいきなり殴りかかってきたんです」若者がいった。はっきりとなまりがある。ドイツ人のように思えた。

激怒していた店長はためらい、レスリーを振り返った。眼鏡の奥で目をしばたたかせている。

「彼がケータイで話していたんです」店長はいった。荒々しさはすっかり抜け落ちてしまったようだった。「レジの前で。誰からもかかってきたようすはなく——料金を支払いながら、自分から電話して。わたしとしては、おたがいに実りある、礼儀にかなったやりとりを期待していたんです。それが、このくそったれはわたしを無視して、電話をかけはじめやがって」

レスリーが二人の男のあいだに割って入り、店長をそっと後ろに押しのけた。

「中に入って、くわしく話を聞かせてもらいましょう」彼女の仕事ぶりを見ているのは本当に気持ちのいいものだ。

「なぜですか？」店長がいった。「何がそれほど重要で、ちょっと待つこともできないんですか？」

ビヴァリーがぼくの腕をごつんと叩いた。「ピーター、あっち」

ぼくが振り返ると、ドクター・フラムラインが自分の背丈の半分以上ある棒を振りまわしながら通りを駆けていくのが見えた。その後ろからデートの相手もガストロパブから出てきて、困惑しつつ恋人の名を大声で呼んでいた。ぼくは全力で駆けだし、女性をすぐに追い越したが、めざす相手にドクター・フラムラインがたどり着くよりも先に追いつくことなどできるはずもなかった。

自転車乗りは腕を上げて身を守ろうともせず、ドクター・フラムラインが振りおろした棒が肩にまともにぶつかった。男の右腕は骨が折れたようにぶらりと垂れ下がり、手を離したために自転車が横に倒れかけるのが見えた。

「もっと打ち据えてやったほうが」とドクターが怒鳴り、またしても棒を振り上げた。「おまえのためだ」

ぼくは低く体当たりして、肩で彼の腰のすぐ上の部分をまともにとらえた。彼はそのまま横向きに倒れてぼくが倒れこむ衝撃をやわらげてくれ、その反対にはならずにすんだ。自転車が通りにぶつかるのが聞こえ、つづいて棒が歩道の上をころがっていった。ぼくはドクター・フラムラインの身体を押さえつけようとしたが、彼は驚くほど力が強く、ぼくの胸に強烈な肘打ちをくらわしたため、ぼくは息がつけずにあえぐはめになった。ぼくは相手の足を取ろうとして顔に膝蹴りをくらい、毒づいた。

「警察だ」ぼくは叫んだ。「抵抗をやめろ」

驚いたことに、彼はそのとおり従った。

「協力に感謝します」ぼくはいった、礼儀正しさのためだけに。ぼくは立ち上がろうとしたが、誰かが強烈な一撃をぼくに見舞ったため、殴られたとわかるより先に顔から歩道に叩きつけられていた。通りでの喧嘩のときは、どんなに怪我を負っていようと歩道と友人になってはいけない。そこでぼくはころがって、また立ちなおろうとした。そのあいだに自転車乗りが特大の棒を地面から拾い上げ、ドクター・フラムラインに振りおろした。ドクターはとっさに離れようとしたが、棒は彼の上腕に命中した。彼は足をすべらせて倒れ、痛みにあえいだ。

強烈な感情の波がぼくを襲った。気持ちの高ぶり、興奮、そしてかすかな暴力への誘《いざな》いといったものが、サッカーの試合で地元チームにゴールのチャンスがめぐってきたときの観衆のようにわき起こった。

それが起こったとき、ぼくはディシムロの効果をこの目で見てとった。自転車乗りの顎が急にふくれ上がったようで、骨や歯がはっきりと折れる音がして、鋭く尖って突き出された。唇はうなり声をあげるようにめくれ上がり、鼻は引き伸ばされてついには長すぎるほどになった。現実の顔ではなかった。三日月顔の男の風刺画《カリカチュア》のようで、現実に存在する人間の顔ではありえない。口が開くと、ぐちゃぐちゃになった顎の赤い残骸が見てとれた。

「これでも食らえ！」男はかん高く叫び、棒を振り上げた。

レスリーの警棒が男の後頭部をとらえた。男はよろけ、レスリーがもう一度殴ると、喉がゴボゴボ鳴るようなため息をついて、ぼくの目の前でばたんと顔から倒れこんだ。ぼくは這い寄って、男を仰向けに返したものの手遅れだった。男の顔は濡れた紙粘土《パピエ・マシエ》のようにぐにゃりと崩れ、鼻や顎のまわりの皮膚がはがれ、そして大きな薄片がめくれて額からだらりと垂れた。ぼくは何かしようと自分をせかしたが、応急手当の訓練は顔の皮膚がヒトデのようにべろんと剝《む》けた人間のためにはなんの役にも立たなかった。

ぼくはひらひらした皮膚の下に指を差しこみ、温かでねっとりした感触にたじろぎながらも顔の上に戻そうとしてみた。少なくとも出血を止めるように努力すべきだとぼんやり考えていた。

「離せ」ドクター・フラムラインが怒鳴った。振り返ってみると、すでにレスリーが彼に手錠をかけていた。「離せ」彼はくり返した。「手助けしてやれる」

レスリーはためらった。

「レスリー」ぼくがうながすと、彼女はドクターの手錠をはずしはじめた。

だが、どちらにしても手遅れだった。自転車乗りの身体が急に硬直し、背中を弓なりにそらした。首筋から血がわきあふれ、皮膚の裂け目とぼくの指の隙間からこぼれ落ちた。

ドクター・フラムラインが駆けつけて、自転車乗りの首筋に指をあてた。指の位置を替えて脈を探したが、彼の表情から、何もみつからないのはぼくにも見てとれた。ついに彼は首を振り、ぼくに手を離すようにと告げた。自転車乗りの顔がまたしてもめくれ上がった。

誰かが悲鳴をあげるのが聞こえ、ぼくはそれが自分でないことを確かめないといけなかった。ぼくの声ということもありえた。確かにぼくは悲鳴をあげたかった。だが、そのときその場でぼくは思い出した。この現場にいる警官はレスリーとぼくだけで、一般市民は警官が悲鳴をあげはじめるのを気に入りはしないだろう。それは人々の落ちつきを取り戻すために警官が陣頭に立っていないという印象に結びつく。ぼくは立ち上がってみて、やじうまの群れが集まっていることにはじめて気がついた。

「皆さん」ぼくは声を張り上げていった。「これは警察の仕事です。皆さんは後ろに退がっていてください」

群衆はいわれるままに退がった――血まみれの人間が相手なら、このような効果がある。

救援が到着するまでぼくらは現場をそのままの状態でたもっていたが、やじうまの三分の二は自分の携帯電話を取り出して、ぼくやレスリー、そして腕の折れた自転車乗りの死体の動画や静止画像を撮っていた。ようやく救急車が到着して救急隊員が哀れな男にシートを掛ける前に、映像はすでにインターネット上に流れていた。ビヴァリーが群衆の後ろのほうでぶらぶらとどまっているのを目にとめ、彼女のほうでもそれに気づくと、ぼくと目を合わせて小さく手を振り、そして背を向けて去っていった。

ぼくとレスリーは店の日よけの下に場所をみつけ、法医学班のテントや綿棒、着替えの上下つなぎを待った。

「こんなふうにつづけていられないよね」レスリーがいった。「着る服がなくなっちゃう」

ぼくらは笑った――ある程度までは心から。二度目の経験だからといって簡単になるわけではない。今では単に、翌朝目を覚ました自分が眠りについたときと同じ人間のままだとわかっているだけだった。

殺人課の部長刑事《DS》が到着して現場の指揮をとった。彼女はずんぐりした、怒った顔つきの中年女性で、茶色の髪はつやがなく、ロットワイラー犬と闘うのを趣味にしていそうに見えた。これこそは庁内で名高いミリアム・ステファノポウラス部長刑事、シーウォル主任警部の右腕にして恐るべきレズビアンだ。彼女を揶揄《やゆ》した唯一のジョークはこうだ。〝ステファノポウラス部長刑事をジョークにしてからかった最後の警官の身に何があったか知ってるか？〟〝いや、何があったんだ？〟〝誰も知らないんだ〟

ぼくは唯一のジョークといっただけで、すぐれたジョークとはいっていない。

けれども彼女はレスリーに甘いところがあるらしく、今回のぼくらはずっとすみやかに必要な手つづきをすますことができた。が、終わるとすぐに、なんの表示もない車に乗せられて、ベルグレイヴィアまで連れていかれた。ナイティンゲールとシーウォルがこれといって特徴のない会議室でぼくらから報告を聞き、誰もメモは取らず、しかし少なくともぼくらは紅茶を出してもらえた。

シーウォルはレスリーをにらみつけた。彼は喜んでいなかった。レスリーはぼくをにらみつけた。彼女はシーウォルが喜んでいないことを喜んでいなかった。ナイティンゲールはどこかに気がそれている以外はなんの表情も浮かべていなかった。彼はぼくが騒動の直前に感じた感覚印象について報告したときにだけ興味を持ったようだった。報告がすむと、ぼくらはウェストミンスター死体安置所にぞろぞろと押しかけ、驚いたことにシーウォルとステファノポウラスは両者とも検死に立ち会った。ぼくとレスリーは彼らに気づかれないことを願いつつ後方に立っていた。

自転車乗りの男は、今や恐ろしくも見慣れたとおり、顔の皮膚をべろんと広げた状態でテーブルに寝かされていた。ドクター・ウォリッドの診断によると、不明の人物または複数の人物がどうやってか被害者の顔を魔法で変え、そして無作為に見も知らぬ人々を攻撃させたというのだった。ステファノポウラス部長刑事は魔法という言葉を聞いてシーウォルに鋭い視線を向けたが、彼女のボスは小さくかぶりを振った。そのしぐさは〝あとで話すが、ここではだめだ〟と告げていた。

「彼の名はデレク・シャンプウェル」とドクター・ウォリッドが告げた。「年齢、二十三。国籍、オーストラリア。ロンドンに三年在住、犯罪歴なし。頭髪の分析により、過去二年間に断続的なマリファナ使用の痕跡あり」

「どうして彼が選ばれたのかわかったのか？」とシーウォルが訊いた。

「いや」とナイティンゲール。「もっとも、どの事件も怒りの感情とともにはじまっているようだが。クーパータウンはある人物のペットに嚙みつかれ、シャンプウェルは自転車で走行中に車にはねられた」

シーウォルはちらっとステファノポウラスに目をやった。「ストランドで当て逃げされてます、監視カメラの死角でした」

「死角だと？」シーウォルが訊いた。「ストランドに？」

「千分の一の可能性です」とステファノポウラス。

「メイ」とシーウォルが振り返りもせずに吼《ほ》えた。「これらの事件は関連してると思うか？」

「グラントとわたしがシネマで目撃した事件と、それにシャンプウェルの死の直前に起きた事件も含めて、加害者が本人に似つかわしくない激しい攻撃性を示した例を十五件確認していませんレスリーはいった。「いずれも犯罪歴はなく、、過去に精神疾患を患《わずら》ってもいません、そしてすべてケンブリッジ・サーカスから半マイル以内で起きています」

「そのうちのどれだけが、実際に」

――シーウォルはいったんいいよどんだ――「取りつかれてたんだ？」

「顔がはがれ落ちた者だけだ」とナイティンゲールがいった。

「一応はっきりさせておくが」とシーウォル。「警視総監はこの件を伏せておきたがってる。ゆえに、重要度の低い事件ではメイ巡査がグラント巡査と連絡を取りあうことになるが、重要なものは、なんであれあんたがおれに直接話す。この点に何か問題はあるか、トーマス？」

「何もないね、アレグザンダー」ナイティンゲールがいった。「すべては申しぶんなく思慮深い配慮であるようだ」

「彼の両親は明日、飛行機でやってくる」ドクター・ウォリッドがいった。「彼の顔を元どおりに縫いなおしてもかまわんかね？」

シーウォルは死体にちらっと目をやり、「くそったれめ」ともらした。

愚壮館《ザ・フォリー》に車で戻るあいだじゅうナイティンゲールは黙りこくっていたが、階段のたもとでぼくを振り返り、ひと晩ぐっすり眠るといいといってくれた。あなたはどうするんですか、とぼくが尋ねると、図書室で少し調べることがある、といった――何が殺人を犯しているのか絞りこむ手だてを探すために。何か手伝えることはありますか、とぼくは尋ねた。

「いっそう訓練に励むことだ」彼はいった。「より早く学ぶんだ」

階段をのぼる途中で、ぼくはすべるように降りてくるモリーと出くわした。彼女は立ちどまり、問いかけるような顔を向けた。

「どうしてぼくにわかるはずがある？」ぼくはいった。「きみのほうが彼をよく知ってるだろ」

自分がサッカーを観たいからといって、ブロードバンド接続が、しかも、できればケーブルテレビが必要だとボスに面と向かっていったりはしない。そうする代わりに、毎回レスリー・メイに頼らずともHOLMESにじかにアクセスできるように、インターネットが必要だといえばいい。サッカー中継、オン・デマンドの映画やマルチプレイヤー参加型のテレビゲームなどは、どれも余分な、思ってもみなかった幸運なおまけでしかない。

「物質的に愚壮館《ザ・フォリー》にケーブルを引きこむことになるのかな？」実験室での練習中にこの要望をぶつけてみたとき、ナイティンゲールが訊いた。

「だからケーブルっていうんですよ」

「左手で」とナイティンゲールにいわれ、ぼくはいわれるままに左手でワーライトをつくり出した。

「光を維持するんだ」ナイティンゲールが命じた。「物質的に何も建物に引きこむことはできん」

ぼくはワーライトを維持しながら話ができるところまで上達していた。もっとも、そうしながらなんでもないように見せかけるのはひと苦労だったが。「どうしてなんです？」

「防御の仕掛けがいくつも建物に張りめぐらされているからだ。最後に設置されたのは、新しい電話線が引かれた一九四一年だった。外との物質的な新たなつながりのあるものを導入したら、弱点をつくることになる」

ぼくはなんでもないようによそおうのはやめて、ワーライトをたもつことに集中した。ナイティンゲールが、やめていいといったときにはほっとした。

「よし、次の型に移行する準備ができかけているようだな」

ぼくはワーライトを消し、ほっと息をついた。ナイティンゲールはそばのベンチのほうにぶらっと歩いていった。ぼくが壊れた携帯電話を分解して、顕微鏡を用意しておいたところに。この顕微鏡は、マホガニーの木箱に入れられて倉庫代わりの戸棚にしまわれていたのをぼくがみつけてきたのだった。

彼は真鍮と黒いエナメルの管に触れた。「これが何か知っているかな？」

「オリジナルのチャールズ・ペリー・ナンバー5顕微鏡です」ぼくはいった。「インターネットで調べてみました。一九三二年製です」

ナイティンゲールはうなずき、屈みこんでぼくの携帯電話の内部を観察した。

「魔術がこれをもたらしたと考えているのかな？」彼は訊いた。

「魔術のせいだということはわかっています。どうやって、またはどうしてなのかがわからないだけで」

ナイティンゲールは居心地が悪そうにもぞもぞと身体を動かした。「ピーター、知的探求心を持った徒弟はきみがはじめてというわけでもない。が、わたしとしては、こういうことがきみのやるべき務めのさまたげになるのを望んでいない」

「はい、自由時間に限定しておきます」

「きみは馬車置き場について提案しかけていたな」ナイティンゲールがいきなりいった。

「はあ?」

「ケーブルとやらをつなぐために。強固な防御の網は馬の落ちつきを乱すものだ。それゆえ、馬車置き場は迂回している。きみのいうこのケーブル接続は、きっとひどく有益なものになるだろう」

「はい」

「あらゆる種類の娯楽のためにも」とナイティンゲールはつけ足した。

「ええ」

「さて」ナイティンゲールがいった。「次の型に移ろう――〝インペロ〟だ」

もともと、馬車置き場には下男やらなんやらを寝泊まりさせるためにはじめから二階の部分がつくられていて、一九二〇年代に壁の仕切りが打ち抜かれたのか、または元の正門を煉瓦でふさいだときにガレージの上に新たな天井を組んで階をつけ足したのか、ぼくにはどちらとも判断がつかなかった。あるときに誰かが、どちらかといえば美しい錬鉄の螺旋《らせん》階段を中庭側の壁にボルトで据え付けていた。はじめてそこをのぼってみたとき、南側の傾斜した屋根のゆうに三分の一がガラス張りになっていることに驚かされた。外側のガラスは汚れていて、なかにはひびの入っているものもあったが、それでも充分に日射しを取りこんでいたから、ほこりよけのシーツで覆った雑多な形のものが室内に見てとれた。愚壮館《ザ・フォリー》のほかの場所とは違って、ここのシーツはほこりが厚く積もっていた――モリーがここを一度でも掃除したことがあるとは思えない。

シーツの下にみつかった寝椅子《シェーズ・ロング》やチャイニーズ・スクリーン、不似合いなサイドテーブル、そして陶製の果物皿の集まりが手がかりとして充分でないとしても、ほかにもイーゼルや、長らく使っていないために固まってしまったリス毛の絵筆が箱いっぱいに詰めこまれていた。南側の壁にきれいに並んでいる空《から》のビール瓶から判断して、誰かがここをアトリエとして使っていたらしい。おそらくはぼくと同じように弟子が――それとも、ひどくアルコールの問題を抱えた魔術師の居室だろうか。

壁ぎわに茶色の紙とひもで注意ぶかく包んでしまわれていたのは油絵の具で描かれたカンヴァスだった。静物画がいくつかと、いささか素人《しろうと》くさい若い女性の肖像画があった。雑な描き方ではあっても、女性がきまり悪そうにしているのは明瞭だった。その次の絵はずっと玄人《くろうと》っぽかった――エドワード朝時代の紳士が、ついさっきほこりよけのシーツの下でみつけたのと同じ籐《とう》細工の椅子にゆったりともたれてすわっている。男は銀の持ち手がついた杖を手にしていて、一瞬、ナイティンゲールかと思った。が、この男のほうが歳をとっているし、目は濃いブルーだ。ナイティンゲールの父親、だろうか？

次の絵は、おそらく同じ絵描きの手になるものだろう、裸婦像で、被写体にあまりに驚いたため、ぼくは陽の光の射しこむところまで運んでいって見なおしてみたほどだった。間違いではなかった。モリーだった。青白い裸体で寝椅子に横たわり、カンヴァスの中から悩ましげな目で見つめ、そばのテーブルに置かれたサクランボの器に片手を伸ばしている。少なくとも、それがサクランボであることをぼくは願った。絵は印象派ふうのスタイルで、筆のタッチは大胆なため、そこまでの判断はつけがたかった。はっきりと小さくて、モリーの唇と同じ赤色だ。

ぼくは絵を慎重に紙で包みなおし、みつけた場所に戻した。壁の湿ったような箇所や、乾燥して内部が朽ちたところ、木の梁《はり》がもろくなって危険な場所はないかと室内をざっと調べてまわった。中庭側の隅には荷揚げ用の落とし戸が閉じたまま床に残っていて、その上には滑車で巻き上げるための梁があるのをみつけた。おそらくは馬車馬のための干し草置き場にでも使われていたのだろう。

落とし戸がまだしっかりしているか確かめようと身を乗り出したとき、上階の窓のひとつからモリーの青白い顔がのぞいているのが見えた。誰かが彼女に制服をすっかり脱ぐように説得できたことと、彼女の容姿がこの七十年間少しも変わっていないことのどちらがより奇妙に思えるのか、ぼくにはわからなかった。モリーはどうやらぼくに気づかなかったらしく、すぐに顔を引っこめた。ぼくは振り返り、あらためて室内を見わたした。

これならうまくいきそうだ。

今にいたるまで、うちの母親の親族のほとんどは、多かれ少なかれオフィスの清掃をして暮らしてきた。アフリカ系移民のある世代にとって、オフィスの清掃は男性の割礼《かつれい》やアーセナルを応援することと同じように文化の一部になっていた。うちの母親もしばらくやっていたことがあって、ベビーシッター代を節約するために、ぼくをよく仕事場に連れていったものだ。アフリカ系の母親が息子を仕事場に連れていくとき、息子もいっしょに働くように期待している。そのためぼくは、ほうきや窓拭きぞうきんの扱い方をすみやかに学んでいた。

そこで次の日、練習が終わったあとで、ぼくはマリーゴールドのゴム手袋一組とティトおじさんから借りてきたニュマティック社製の掃除機を抱えて馬車置き場に戻った。ひとついわせてもらえば、千ワットの吸引力は部屋を掃除するうえで大きな違いになる。心配すべきは、この世の時空の織り地に裂け目をつくってしまわないかということだけだ。ぼくはネット上で窓ふきの業者をみつけ、口論の絶えないルーマニア人二人組が天窓をきれいに磨くあいだに、荷揚げ用の梁に滑車を設置して、テレビと冷蔵庫が運びこまれる時間にうまく間にあわせた。

ケーブルを引くのに一週間待たないといけなかったから、ぼくはその間《かん》を利用して練習の遅れを取り戻し、ファーザー・テムズの居場所をしぼりこむ作業にも取りかかった。

「彼をみつけるのはきみにとっていい訓練になるだろう」とナイティンゲールはいっていた。

「テムズ・ヴァレーの民間伝承を知るうえで、かっこうの基礎知識になる」

ヒントをくださいと頼むと、ファーザー・テムズは伝統的にペリパテティックな精霊であることを覚えておくように、と彼はいった。〝ペリパテティック〟とは、グーグルによると、〝歩き、または旅してまわること、遍歴《へんれき》すること〟を意味していて、それゆえ居場所をつきとめるのにあまりたいした助けにはならなかった。そうはいっても、これのおかげでテムズ・ヴァレーの民間伝承についてのぼくの知識が増大したことは認めないといけない。そのほとんどはたがいに矛盾するものだったが、今度パブでトリヴィア・クイズ大会に参加するときには間違いなく役に立つだろう。

二十一世紀への再突入を祝って、ぼくはピザを何枚か注文して、うちの〝銅版画《エッチング》〟を見にこないかとレスリーをそれとなく誘うことにした。この階の共用バスルームの大半を占めている、かぎ爪の脚つきの磁器製バスタブに長いこと浸《つ》かりながら、これがはじめてではないながら、いつかきっとシャワーも導入しようと心に誓った。ぼくはめかし屋というわけではないが、ときには身なりをきちんとしたいこともある。もっとも、たいていの警官と同じで、ぼくもど派手な服を着るようなことはなく、首が絞まりかねないものは絶対に巻かないことをルールにしているのだが。レスリーがボトル入りのビールを好むことを知っていたから、ベックスを何本か仕入れておいて、あとは腰を落ちつけてスポーツ・チャンネルを観ながら、彼女がやってくるのを待った。

ぼくがこの馬車置き場に導入したさらなる現代的な革新《イノヴェーション》のなかには、ガレージわきのドアにインターフォンをつけることも含まれていたから、レスリーがやってきたときにぼくがすべきはインターフォンに出て招き入れることだけだった。

ぼくはドアを開け、螺旋階段の上で彼女を出迎えた——彼女には連《つ》れがいた。

「ビヴァリーも連れてきたわよ」レスリーはいった。

「そのようだね」

ぼくは二人にビールをすすめた。

「あたしがここで飲んだり食べたりするものに、なんの義務も生じないことをはじめにはっきりさせてもらいたいんだけど」ビヴァリーがいった。「それと、今回はあたしを一人でほったらかしにしておくのもなし」

「いいとも。食べて、飲んでも、なんの義務も生じない。ボーイ・スカウトの名誉に誓って」

「あんたの力に誓ってよ」

「ぼくの力に誓って」

ビヴァリーはビールをつかみ、ソファーにどっかり腰をおろすと、リモコンをみつけてチャンネル・サーフィンをはじめた。

「オン・デマンドの映画を観てもいい？」彼女は訊いた。

この発言のために、どの映画を観るかをめぐって三者の議論になり、ぼくが最初に敗退して、最終的にレスリーが単にリモコンをつかんで無料の映画チャンネルに替える作戦によって勝利をおさめた。

どのピザにもペパローニがトッピングされていないことにビヴァリーが不平をもらしたそのとき、ドアがほんのわずかに開いて、青白い顔が部屋をのぞきこんだ。モリーだった。彼女はぼくたちをじっと見つめ、ぼくたちも見つめ返した。

「いっしょにどうだい？」ぼくは訊いた。

モリーは無言のまますするりと部屋に入りこむと、すべるようにソファーに近づいて、ビヴァリーの隣に腰かけた。今まで、これほど彼女のそばに近づいたことはなかったことにぼくは気づいた。彼女の肌はひどく青白く、ビヴァリーと同じで完璧な肌つやだ。モリーはビールのすすめを断ったが、ピザをひと切れ、おずおずと受け取った。食べるときには顔をそむけ、口もとを手で覆って隠した。

「いつになったらファーザー・テムズの件を片づけるつもり？」とビヴァリーが訊いた。

「ママはいらいらしはじめてるし、リッチモンドの保安部隊も落ちつきをなくしてるよ」

「リッチモンドの保安部隊とはね」とレスリーがいって、鼻を鳴らした。

「はじめに彼の居場所を探しあてないといけない」ぼくはいった。

「そんなのがどれくらい難しいっていうわけ？」とビヴァリー。「彼は川のほとりにいるはずでしょ。ボートを借りて川をさかのぼって、着いたらそこで停まればいいだけじゃない」

「そこに着いたって、どうやったらわかるんだい？」

「あたしならわかるけど」

「だったら、きみもいっしょに来てくれないか？」

「絶対に無理」とビヴァリーはいった。「あんたがどうやったって、あたしはテディントン・ロックよりも先には行かないから。潮流の境目には厳格なんだから、あたしって人は」

いきなりモリーの顔がくるりとドアを振り返り、その直後、誰かがノックをした。ビヴァリーがぼくを見たが、ぼくは肩をすくめるしかなかった——ほかに誰も訪問者の予定はない。ぼくはリモコンでテレビの音量を下げ、ノックに応えるために立ち上がった。

ナイティンゲール主任警部だった。ブルーのポロシャツにブレザーを羽織っている。ぼくの知るかぎり、カジュアルにもっとも近い服装であるのが見てとれた。ぼくはしばらくぽかんと彼を見つめていたが、あわてて部屋に案内した。

「この場所をきみがどう改造したのか、ちょっと見てみたくなってね」彼がいった。

モリーはナイティンゲールが部屋に入りこむなり跳ぶように立ち上がり、レスリーは彼が上官であるがゆえに立ち、ビヴァリーはウェスティギアへの礼儀か、またはすばやい逃走を見越して腰を上げていた。ぼくはビヴァリーを彼に紹介した。ナイティンゲールは、彼女が十歳のころにちらっと顔を合わせただけだった。

「ビールはいかがですか、サー？」ぼくは尋ねた。

「ありがとう。ここではトーマスと呼んでもらえないか」

そんなことはできるはずもなかった。ぼくはビールの瓶を手渡し、寝椅子をすすめた。彼は注意ぶかく、片端に背筋を伸ばして腰をおろした。ぼくが反対の端にすわり、ビヴァリーはソファーの真ん中にどさりとすわりこみ、レスリーは敬礼時のようにかすかにしゃちこばってすわり、かわいそうなモリーは何度か頭を下げたうえで隅の肘掛けにちょこんとすわった。彼女は決然と視線をおろしたままだった。

「じつに大きなテレヴィジョンだな」ナイティンゲールがいった。

「プラズマテレビなんです」

ナイティンゲールがわかったようにうなずくと、彼の目の届かないところでビヴァリーが、あきれたといったように目をぐるりと上に向けた。

「音声に何か問題でもあるのかな？」彼が訊いた。

「いいえ、消音《ミュート》にしてあるんです」ぼくはリモコンをみつけ、〈ビート・ザ・レスト〉を十秒間聞いたうえでヴォリュームを下げなおした。

「じつに鮮明だな」ナイティンゲールがいった。「自前のシネマがあるようなものだ」

ぼくらはしばらく黙ってすわっていた。誰もが、間違いなく、劇場クオリティのサラウンド・サウンドを堪能していた。

ピザをひと切れどうかとナイティンゲールにすすめてみたが、もう食べたあとだといって辞退した。彼がビヴァリーに母親のようすを尋ねると、元気だよ、とだけ答えがあった。彼はビールを飲み終えると立ち上がった。

「本当にもう行かないといけないんだ」彼はいった。「ビールをありがとう」

ぼくら全員が立ち上がり、ぼくはドアのところまで彼を送っていった。ナイティンゲールが部屋を去ると、レスリーがほっと息をついてソファーにどすんとすわりこむのが聞こえた。モリーが唐突に、さわさわと衣服をそよがせてすぐそばを通り過ぎたために、ぼくはあやうく悲鳴をあげかけた。彼女はするりとドアを抜けて出ていった。

「なんだか、ぎこちなかったね」とビヴァリーがいった。

「まさか、彼女とナイティンゲールは……？」とレスリーが訊いた。

「おえっ」とビヴァリー。「それって、完全に見当違いだよ」

「きみと彼女は友だちなのかと思ってたけど？」ぼくは訊いた。

「うん、だけど、彼女は夜の生き物みたいなもんだし。それに、彼は歳をとってる」

「そこまでの歳じゃないでしょ」とレスリー。

「ううん、歳とってるよ」

ビヴァリーはそういったが、ぼくがその晩、どれだけさぐりを入れてみても、彼女はそれ以上何もいおうとしなかった。

7 人形劇《パペット》の祭り《フェア》

それはぼくがジャケットのポケットから携帯電話を取り出すのを忘れて練習をはじめたことから起こった。ワーライトをつくり出したときに炎が少し強すぎることに気づいてはいたが、確実にこの呪文を使えるようになってまだ二日しかたっていなかったから、これに重要な意味があるとは思わなかった。あとになって、レスリーに電話しようとしたときに、携帯電話が壊れていることがわかった。外側のケースを開けてみると、ヴァンパイアの家で目にしたのと同じ砂粒がこぼれ落ちた。

ぼくは携帯電話を実験室に持ちこんで、苦労してなんとかマイクロプロセッサーを取り出した。プロセッサーがはずれたとき、さっきと同じ細かな砂粒がプラスチックのケースから流れ落ちた。金色のピンはしっかり留まっていたし、接触子《コンタクト》もはずれてはいなかったが、チップに使われているケイ素の小片が砕けていた。

実験室の戸棚は、サンダルウッドのにおいと、もっとも驚くべきアンティークな道具であふれていて、そこにはあのチャールズ・ペリーの顕微鏡も並んでいる。すべて正確にきちんと収納されていたから、弟子が片づけに関与していないことはぼくにもわかった。顕微鏡でのぞいてみて、粉の大半はケイ素で、不純物が少し混じっていることがわかった。ゲルマニウムか砒化《ひか》ガリウムではないかと推測できた。無線周波数《RF》の変換をつかさどるチップは目で見るかぎり壊れていないようだが、表面全体に微細なへこみがいくつもできていた。

　この模様はミスター・クーパータウンの脳を思い起こさせた。これこそは魔術に冒された携帯電話だ、とぼくはつぶやいた。魔術を使うときに携帯電話を持ち歩くことができないのは明白だったし、またはコンピューターやｉＰｏｄや、ほかにもぼくが生まれて以降に開発された有用な科学技術のほとんどのそばには立つことができない。ナイティンゲールが一九六七年もののジャガーに乗っているのも無理はなかった。

　ここで問題となるのはこうだ——魔術はどれくらい近いと影響があるのだろうか？　その謎を解明するための実験方法を何か考え出そうとしていたとき、ナイティンゲールが次なる型のことでぼくの気をそらした。

　ぼくらは実験室のベンチに向きあってすわり、二人のあいだにナイティンゲールがあるものを置いた。小さなリンゴだった。

「インペロ」と彼が唱えると、リンゴは空中に浮かび上がった。リンゴは空中に浮かんだまま、ゆっくりと回転していた。そのあいだじゅう、ぼくはワイヤーや釣り竿やほかに考えつくどんなものであっても仕掛けがないかと確認してみた。指でつついてもみたが、リンゴは何かしっかりしたものに固定されているかのような感触があった。

「もう充分に観察できたかな？」

ぼくがうなずくと、ナイティンゲールはかごいっぱいのリンゴを取り出した——籐《とう》細工のかごで、持ち手がついていてチェックのナプキンが敷かれているほかはなんの変哲もない。彼がぼくの前にふたつめのリンゴを置くと、次のステップをそれ以上説明される必要はなかった。彼がリンゴを浮き上がらせると、ぼくはそのフォルマに耳をすまし、ぼく自身のリンゴに精神を集中させて、「インペロ」と唱えた。

何も起こらなかったが、さほど驚きもしなかった。

「そのうち、簡単にできるようになる」ナイティンゲールがいった。「単に、少しずつ簡単になるだけのことだ」

ぼくはかごに目をやった。「なぜそんなにたくさんリンゴを？」

「破裂する傾向があるんでね」ナイティンゲールがいった。

翌朝、ぼくは外に出て、防護用ゴーグルを三つと丈夫《ヘビー・デューティ》な実験用のエプロンを買ってきた。果物が破裂するというナイティンゲールの言葉は冗談ではなく、ぼくはリンゴ・ジュースのにおいが身体に染みついたまま昨日の午後を過ごし、夕べは服にとび散った種を取り除いて過ごすはめになった。なぜもっと耐久性のある、ボール・ベアリングのようなもので訓練しないんですか、と尋ねてみたが、魔術においてははじめから精密なコントロールをマスターする必要があるのだ、といわれた。

「若者はいつだって乱暴な力を使いたがるものだ」とナイティンゲールはいった。「ライフルの撃ち方を学ぶのと同じだな。本質的に危険なものゆえ、安全、正確さ、迅速性――この順番で教えこまれる」

最初の練習ではリンゴをたくさん使うことになった。空中に持ち上げることはできるが、遅かれ早かれ――グシャッとつぶれてしまう。この練習には少しのあいだ楽しめる局面があって、そのあとは退屈になった。一週間もすると、十回中九回はリンゴを破裂させずに空中に浮かべておけるようになった。だからといって、ぼくが魔術師として満足したわけではない。

気になっていたのは、この力がどこからやってくるのだろうかという点だった。ぼくは以前から電気学が得意だったわけでもなく、ワーライトをつくるのにどれくらいの熱量が必要になるのかもわからなかった。だが、小さなリンゴ一個を地球の重力に逆らって空中に浮揚させることは――これこそは本質的に一ニュートンの単位の標準的な定義であって、理論上は毎秒一ジュールのエネルギーを使うはずだ。熱力学の法則はこういった点においてひどく厳密で、何もないところから力を得ることは絶対にできない。それはつまり、これだけの仕事量はどこからかやってきたわけだ――けれど、どこからだろう？　ぼくの脳から？

「つまりは超感覚的知覚《ESP》みたいなもんね」とレスリーが、定期的に馬車置き場を訪問しにきたときにいった。公式には、事件についてぼくと連携するためにやってくるのだが、実際はワイドスクリーンのテレビのためであり、テイクアウトしてきた食事を食べたり、いまだ解決していない性的緊張のためだった。そうして、ニール・ストリートでの騒動とほぼ同じ時刻に起こった未確定の事件がいくつかあるのを別にすれば、ぼくらの注意を惹くようなことは何ひとつ起きていなかった。

「よくあるような見世物で、物を自由に動かして見せる男みたいに」彼女はいった。

「ぼくとしては、心で念じて物を自由に動かしてるようには感じてない。というよりは、頭の中で形をつくると、それがほかの何かに影響して、向こう側で別のことが起こるようなもんなんだ。テルミンっていうのが何か知ってるかい？」

「妙ちきりんなSFに出てくる、輪っかがあって音の出る楽器、でしょ？」

「だいたいそんなとこかな。重要なのは、あれが物質的に触れることなく音の出せるこの世で唯一の楽器だという点だ。手で何かの形をつくると、音が出る。手の形はまったくあいまいなもので、特定の手の形と音程やトーンを結びつけることを学んだうえでないと曲の演奏はできない」

「ナイティンゲールはなんていってるの？」

「そういうことに気をとられるのをやめれば、リンゴのかけらを身体じゅうにつけたまま過ごす時間が減るかもしれないぞ、だってさ」


三月の終わりになると時計は一時間進められ、英国夏時間《サマータイム》がはじまりを告げる。その朝いつもより遅く起きてみると、愚壮館《ザ・フォリー》が奇妙にがらんとしているのを感じた。朝食室の椅子はどれもまだテーブルの下に突っこまれたままで、ビュッフェ・カウンターも用意されていない。二階のバルコニーに並んだ、詰め物のやわらかすぎる肘掛け椅子にナイティンゲールが深々と腰をおろして、前日の《テレグラフ》紙を読んでいるのをみつけた。

「今日は時刻の変わる日だ」彼はいった。「年に二度、モリーは休暇をとる」

「どこかに出かけたんですかね？」

ナイティンゲールは屋根裏部屋のほうを指で示した。「自室にこもっているんだと思うが」

「これからドライヴですか？」ぼくは尋ねた。ナイティンゲールはクリーム色のアラン編みのセーターの上にスポーツ・ジャケットを重ねている。そばの補助テーブルに、ドライヴ用のグローヴとジャガーの鍵の束が載っていた。

「場合によるな」彼はいった。「テムズ川の老人《オールド・マン》が今日、どこにいると思うかね？」

「トリューズベリー・ミードですね」ぼくはいった。「春分点が近づくと、彼はあそこに到着します。春分は先週でした。そして万愚節《オール・フールズ・デイ》までそこにとどまります」

「その理由は？」

「あそこがテムズ川の水源だからです。春のあいだ、ほかにどこにいくはずがあるでしょう？」

ナイティンゲールは笑みを浮かべた。「モーターウェイ4号線を少しはずれたところに、長距離トラックのドライヴァー相手のこぢんまりした簡易食堂を知ってる——あそこで朝食にしよう」

場所《ところ》はトリューズベリー・ミード、午後の早い時刻、淡青《パウダー・ブルー》色の大空のもと。

英国陸地測量図によると、ロンドンから直線距離で西に百三十キロの位置にあるここそがテムズ川の水源だ。少し北に行けば、鉄器時代の丘陵砦《とりで》やローマ軍の野営地だった遺跡がある。その詳細な全貌は、チャンネル4の《タイム・チーム》で特集される日を待つとしよう。一見したところ地面の湿った野原があって、この場所について記した石碑と、とりわけ雨の多い冬のあとにはちょっとした水たまりを目にする機会もありそうだ。一般の集落のためにつくられている生活道をたどっていくうちに、集落を過ぎると道はいつしか砂利道に変わる。川の道筋は濃く茂った木々によって示され、その向こうにテムズ川の水源がある。

その向こうの野が〝川の老人〟の春の宮廷だった。目にするより先に音が聞こえてきた。ディーゼル発電機の低いとどろき、鋼鉄の部材がぶつかりあう音、重低音で打ちつける音楽、スピーカーの吠える声、女の子たちの歓声、梢《こずえ》の向こうにちらっとのぞくネオン、そして角をまわった先に広がっている移動遊園地の興奮。急にぼくは、幼いころ銀行法定休日《バンク・ホリディ》のときに遊びにいった記憶を思い出した。片方の小さな手は父親の手を握り、もう一方には大切なポンド貨幣を何枚か握りしめていた。この感覚は長いあいだつづいたわけではなく、すぐに消えてしまった。

ぼくらは道端にジャガーを乗り捨てて、残りの道のりは徒歩でたどった。木の並びの向こうに大きな観覧車のてっぺんと、人をロープの端に結んで空中にほうり出すあの娯楽のための施設が見てとれる。ぼくにはああいうものの楽しさがあまりよくわからなかったが。小道は現代的なコンクリートの暗渠《あんきょ》と交差していた。暗渠のふたにはつい最近になって重たいトラックが通ったタイヤの跡が刻まれていた。そして一瞬、ぼくらは木陰《こかげ》に入りこんだ。

日射しのもとに戻るなり、停めてあったキャンプ・カーの最初の列が見えはじめた。そのほとんどは屋根がふくらんだ旧式の形のもので、ちっぽけなドアや窓がついている。最新の車もいくつかあって、フロントの部分はなだらかに傾斜して、側面にはスポーティなストライプ模様が入っている。さらには、キャラーのキャンプ用ガス・ボンベ、デッキチェアー、テントの支え綱、うたたねしているロットワイラー犬といったものが並ぶその向こうに、馬《ば》蹄《てい》形の屋根をしたジプシーの木製の幌《ほろ》馬車さえも目に入った——観光客のため以外にはもう使われてさえいないとばかり思っていたような代物だ。キャンプ・カーは雑然と停めてあるようにも見えたが、そこに一定のパターンがあることにぼくはふいに気づいた。知覚の隅にちらついてなかなか離れない、深層の構造のようなものが。ここにははっきりとした境界線が引かれていて、キャンプ・カーの群れの戸口からそれを見張っている大柄な男については見誤りようもなかった。

男はふさふさの黒い髪をグリースで固めて額に一筋ねじって垂らし、もみあげは長く伸ばしている。この髪型が最後に流行ったのは、うちの父親が一九五〇年代後半にテッド・ヒースと常時セッションしていたころだ。そしてこの男は、はっきりと違法な十二口径のショットガンをそばのキャンプ・カーに立てかけていた。

「やあ、邪魔するよ」とナイティンゲールが声をかけ、そのまま通り抜けた。

男がうなずいてよこす。「やあ」

「いい天気だ」とナイティンゲール。

「まずまずだな」男がアイルランドかウェールズのなまりでいった。どちらとも判断はつけがたいが、間違いなくケルト系だ。ぼくはうなじに鳥肌が立った。ロンドンの警官は、少なくとも輸送用ヴァンに満載した暴動鎮圧用の装備なしには、旅してまわる集団のキャンプ地に侵入したりしない——さもないと、軽率と非難されてもしかたがない。

居住用のキャンプ・カーが移動遊園地の敷地を半円状に囲んでいた。その中では遊園地の世界に暮らす大きな獣たちが吠え、カランカランと音をたて、ジェイムズ・ブラウンの《アイ・フィール・グッド》が鳴り響いている。英国の移動遊園地が興行師《ショーマン》の手で運営されていることは警官なら誰でも知っている。彼らはいくつかの家族が親密にからみあった集まりで、それ自体が氏族のようなものを形成していて、いうなれば彼らだけで別の民族集団を構成しているに等しい。彼らの家名は発電用トラックに描かれていたり、板囲いの上部に染め抜かれていた。少なくとも六つの遊具に六つの異なる名前を数えることができたし、ぼくらが遊園地の敷地を歩いて抜けていくあいだに、さらに六つは見てとれた。トリューズベリー・ミードの春の祭りのために、各家からそれぞれ一台は遊具を持ち寄っているようだった。

やせっぽちの幼い女の子たちが駆けながら通り過ぎ、笑い声となびく赤毛をあとにただよわせていった。もっと年上の女の子たちは、白いホットパンツにビキニのトップ、そしてハイヒールのブーツ姿で気どったように歩き、マックス・ファクターを塗りたくったまつ毛やタバコの煙ごしに年上の少年たちを品定めしている。少年たちは落ちつかなさを隠そうとして、わざとらしい無頓着《むとんちゃく》さをよそおって仲間同士で手荒にふざけあったり、遊具を押している。彼らの母親たちは、十年以上も前の映画スターが雑に描かれた壁絵や、幟《のぼり》や衛生安全基準の警告ステッカーで壁を飾った売店で働いている。子どもたちは誰も遊具や綿菓子に金を払ってはいないようで、おそらくこれこそは子どもたちがこれほど楽しげな理由だろう。

遊園地の中心部はさらに半円を形づくっていて、その中心には西部劇映画で見られるような雑に刈りこんでつくった木の囲い柵があった。その中心こそが、広大なテムズ川の水源だ。ぼくにはそれが、アヒルの浮かぶ小さな池のようにも見えた。そして柵のそばに立っているのが、〝川の老人〟その人だった。

トリューズベリー・ミードにはかつてファーザー・テムズの彫像があった。今はもっと確実な川筋のあるレックレイドの湿地帯に移されている。彫像はウィリアム・ブレイクふうのひげを生やした筋骨隆々の老人で、台座の上で寝そべって肩にシャベルを担《かつ》ぎ、足もとには木箱や包みが積み上がっている——工業と商業の象徴だ。大英帝国が多少の情報操作をしたときには、ぼくだってそれくらいはわかる。だから、ファーザー・テムズが彫像そっくりだとは本気で予想していなかったものの、それでも柵のそばにいる老人よりはもっと威厳のある男を期待していた。

老人は背が低く、やせ衰えた顔はくちばしのような鼻と太い眉が支配していた。ずいぶんと歳とって見え、少なくとも七十代のようだが、しぐさには引きしまった活力があって、灰色の目は明るく輝いている。時代遅れのくすんだ黒っぽいダブルのジャケットを着ていたが、ボタンははずしたままで、赤い天鵞絨《ビロード》のベストと真鍮の懐中時計をのぞかせている。折りたたんだポケットチーフは春のラッパズイセンのように鮮やかな黄色だ。よれよれのホンブルグ帽が頭を覆っていて、その下からまばらな白髪の筋がこぼれ、唇にタバコをくわえている。柵にもたれて立ち、片方の足を一番低い柵にのせ、口端をよじるようにして仲間と話していた。話相手も驚くほど矍鑠《かくしゃく》とした老人で、これまた柵にもたれ、池のほうを手で示したり、深々とタバコの煙を吸いこんでいた。

近づいてくるぼくらに老人は視線を向け、ナイティンゲールを見て眉をひそめたあとで、注意をぼくに移した。ぼくは彼の人間としての魅力に引き寄せられるのを感じた。それが約束してくれるビールと九柱戯《スキトルズ》の安楽な生活、馬糞のにおい、そして月明かりのもとでパブから家まで歩いて、暖かな炉辺や単純な女房たちのもとに戻る暮らし。ママ・テムズのときにもこういうのは一度経験していたし、近づいていきながら心の中で準備していたのはさいわいだった。そうでなかったら、まっすぐ彼の前に駆け寄って、財布の中身をすっかり差し出していたろう。彼はぼくにウィンクして、注意をすっかりナイティンゲールに戻した。

彼のほうから先に呼びかけた。漂泊《ひょうはく》の民が使うシェルタ語かウェールズ語、またはぼくにわかるかぎり、ローマ軍侵攻前の真正のゲール語でさえあったかもしれない。ナイティンゲールが同じ言語で応じた。いつかぼくもこれを学ばないといけないのだろうか。そばにいた仲間たちが足を引きずるようにして柵のそばに場所をあけてくれた――わずか一人ぶんの幅であることにぼくは気づいた。ナイティンゲールはファーザー・テムズに合流して、握手を交わした。ナイティンゲールの上背《うわぜい》や仕立てのいいジャケットからすれば、彼のほうが領主で、領民と交流しにやってきたようにも見えたろうが、ファーザー・テムズの接し方に服従のしるしは少しもあらわれていなかった。

ファーザー・テムズがほとんど一人でしゃべり、指で輪を描いたり、さっと動かして言葉を強調した。ナイティンゲールは柵にもたれて意図的に背丈の違いを最小限にとどめ、うなずき、くっくっと笑い声をもらした。どれも正しいタイミングであったことは、ぼくにもわかった。

二人の会話がはっきり聞きとれるようにもっと前ににじり寄ろうかと考えかけたが、柵のそばにいた若者のうち一人と目が合った。彼はファーザー・テムズよりも背が高く、がっしりしていたが、同じように引き締まった長い腕やほっそりとした顔の持ち主だった。

「こんな会話を聞きつづけて、きみは退屈したくないだろう」男が声をかけてきた。「二人のあいさつが終わるまでに、たっぷり三十分はかかる」彼は胼胝《たこ》のできた大きな手を差し出して、ぼくと握手を交わした。「オクスリーだ」

「ピーター・グラント」とぼくも応じる。

「ぜひ妻に会ってくれ」彼のほうからいった。

妻というのは丸顔のかわいらしい女で、はっとするほど黒い目をしていた。彼女は一九六

○年代製の質素なキャンプ・カーの戸口でぼくらを出迎えた。車は遊園地の左側に小さな場所を占めていた。
「こちらが妻のイシスだ」オクスリーがいって、彼女に向かってはこういった。「こちらがピーター、新しい徒弟だ」

彼女がぼくの手を握った。肌は温かで、ビヴァリーやモリーのときに気づいたのと同じ非現実的なまでの完璧さがあった。

「お会いできてうれしいわ」彼女はいった。まぎれもなくジェイン・オースティンふうのアクセントだ。

リノリウムの、表面にひびがはいったカード・テーブルのまわりに置かれた、折りたたみ椅子にぼくらは腰をおろした。テーブルにはフルート・グラスのほっそりした花瓶に一輪のラッパズイセンが活《い》けてある。

「紅茶でもいかが?」イシスが尋ね、ぼくがためらっていると、こうつづけた。「わたし、アンナ・マリア・デ・バーグ・コピンジャー・イシスは、わが夫の命にかけて厳粛に誓います」これを聞いて、オクスリーがくっくっと笑った。「そして未来のオックスフォード大のボート・チームの繁栄にかけても、あなたがこの家で何か口にしたからといって、なんの義務を負いもしないことを」彼女はそう誓って、少女のようににっこりとぼくに笑いかけた。

「ありがとう」ぼくはいった。「それじゃ、紅茶を」

「おれたちがどうやってめぐり遭ったのか、きみがいぶかしんでるのが見てとれるぞ」オクスリーがいった。

ぼくには彼が話したがっているのが見てとれた。「彼女が川に落ちたんだろうね、きっと」

「その推測は間違いだ、きみ」オクスリーはいった。「その当時、おれは観劇に入れこんでてな、よくめかしこんではウェストミンスターまで夜の愉《たの》しみに出かけたもんだ。当時はかなりのめかし屋でね、たくさんの憧憬《しょうけい》のまなざしを惹きつけてた、とおれとしてはそう思いたい」

「この人は平気で家畜市場を横切っていったのよ、その当時」イシスがそういいながら、紅茶を運んで戻ってきた。カップとティーポットは現代ふうの磁器で、とてもきれいなデザインだった。カップのふちにはスタイリッシュなプラチナの筋がはいっている。まったくふちが欠けていないことにぼくは気づいた。自分はVIP待遇を受けているのだろうかといぶかしんだ。なぜなのだろうか、とも。

「わがイシスに最初に目をとめたのは、ドゥルリー・レーンの旧シアター・ロイヤルでだった。新しく建てなおしたやつで、その少しあとでまた焼け落ちたんだが。おれは伊達男《だて》たちといっしょにいて、彼女は親友のアンとボックス席にすわってた。おれはすっかりひと目惚れしちまったんだが、ああ、なんたることか、彼女にはすでに別の男《イロ》がいた」紅茶を注ぐあいだ、彼はしばし黙りこんだ。「もっとも、そいつはひどい絶望に見舞われることになった、とだけいっておこう」

「口を慎みなさい」とイシスがいう。「このお若いかたは、そんなことを聞きたがっていなくてよ」

　ぼくはティーカップを手に取った。とても薄い色の淹れ方で、アール・グレイの芳香がした。カップを唇に近づけたままためらっていたが、どこかで相手を信用しはじめるしかない。そこでぼくは、決然とひと口飲んだ。実際にとてもおいしい紅茶だった。

「だが、おれは川と似たようなもんだ」とオクスリーがいった。「流れてるかもしれんが、いつだってそこに存在してる」

「日照りつづきのときを除いてはね」イシスがそういって、ぼくにバッテンバーグ・ケーキをひと切れすすめた。

「おれはいつだって表面の下に潜んでる」オクスリーはいった。「あのころでさえもだ。彼女の友人がストロベリー・ヒルにとてもすてきな屋敷を持ってたんだ。きれいな場所で、その当時はチューダー朝時代を模した準独立式《セミ》の住宅であふれてるなんてことはなかった。当時のようすを目にしたことがあれば、きみもあそこが城みたいなつくりだったことがわかるだろう。そしてわがイシスは、一番高い塔に幽閉されてたお姫様ってわけだ」

「お友だちの家で長い週末を過ごしていたのよ、実際は」とイシスが補足する。

「おれにとっての好機は、城で盛大な仮面舞踏会が開かれたときにやってきた」とオクスリーがつづけた。「とっておきの服を着こんで、顔は白鳥の仮面で巧みに隠し、通用口から忍びこむと、やがて着飾った人々の中にまぎれこんだ」

なした。ぼくはすでに紅茶の件で問題に直面したわけだと考え、ケーキを食べても大差はないとみ
なした。ケーキは店で買ったもので、とてもおいしかった。

「じつに大きな舞踏会だったな」とオクスリー。「貴族も紳士淑女もみんなジョセフィーヌ・ガウンやぴったりした膝丈のズボンや、天鵞絨《ビロード》のウェストコートを着こんでて、誰一人例外なく、仮面の裏に隠れて安全に、いたずらな考えを心に抱いてた。なかでももっともいたずらだったのがわがイシスだ。というのも、よりによって彼女はエジプトの女王の仮面をつけてたんだからな」

「だってわたしはイシスなんだもの」彼女がいった。「あなたもよくご存じのとおり」

「そこでおれは、曲が終わるたびごとに大胆に前に出て、彼女にダンスを申しこんだんだ」

「生意気なあつかましい態度だったわね」

「きみを多くの男どものぶざまな足さばきから救ってやったんだぞ」

彼女は夫の頬を撫でた。「その点は否定できないわね」

「仮面舞踏会についてひとつ思い出してもらわないといけないのは、その晩の終わりに仮面をとらないといけないことだ」オクスリーはいった。「少なくとも、礼儀正しい仲間のあいだではな。だが、おれはこう考えはじめた……」

「いつだって憂慮すべき展開よね」とイシス。

「……なぜ仮面舞踏会を終わりにしないといけないんだ？　そして、息子が父親にならうように、おれは行動を考えにならわせて、わが愛《いと》しいイシスの手を取ると、彼女を肩に抱え上

げ、野を渡ってチャーツィーに向かったというわけさ」

「オクスリー」とイシスがいう。「このかわいそうな坊やは法の守り手なのよ。わたしを誘拐したなんていっちゃだめじゃない。彼は道義上の誓いに縛られて、あなたを逮捕しなくちゃいけなくなるでしょ」彼女はぼくのほうを見た。「完全に自発的なものだったのよ、わたしが保証します。わたしは二度結婚して、母親にもなった。わたしはいつだって自分の信念を持った女なの」

「彼女が経験豊富な女だと証明されたことは確かだ」彼はそういって、ぼくが当惑したことに、ウィンクしてよこした。

「この人がかつて聖職についていたとは、とても思えないでしょうね」イシスがいった。

「おれはひどい修道僧だった。だが、そいつは別の人生だ」彼はテーブルをかるくぽんと叩いた。「さてと、食い物を腹におさめて、飲み物も流しこんで、うんざりするくらいきみを退屈させた今、少しビジネスの話でもどうだい？　あっちのおっかさん《ビッグ・レディ》は何を望んでるんだ？」

「この件に関して、ぼくがあくまで仲介役だということはわかっておいてもらいたい」ぼくはいった。ぼくらは実際にヘンドンの警察学校でもめごとの解決の仕方について講義を受けたことがあって、そのコツはつねに自分が中立の立場であることを強調し、両サイドどちらにもひそかに彼らの側についているのだと思いこませることにある。実際に交替で紛争者の役割をつとめあって練習したこともあった――これはぼくがレスリーよりもうまくこなせたごくわずかな実習のひとつだ。「ママ・テムズは、あなたがたがテディントン・ロックより下流に侵入してくるつもりなんじゃないかと感じてる」

「どこまでもひとつの川だ」オクスリーはいった。「そして彼こそが〝川の老人〟だ」

「ママ・テムズがいうには、彼は一八五八年に潮流のさかのぼってくる部分を放棄したそうだ」ぼくはいった。より正確にいえば、〝大悪臭〟のときに――この言葉がカッコつきであることに注意してもらいたい。つまり、テムズ川に流れこむ汚水があまりに増えたため、ロンドンはすさまじい悪臭に包まれ、議会はオックスフォードに機能の移転を考えたほどだった。

「あの夏、逃げ出せるやつは誰一人としてロンドンにとどまりはしなかった」オクスリーがいった。「人間にも獣にも適してなかった」

「彼は二度と戻ってこなかったそうだ」ぼくはいった。「本当かな？」

「本当だ。それに、実際のところをいえば、〝老人〟は一度もあの街を好きだったことなんてない。彼の息子たちを失って以降は」

「その息子というのは？」

「おお、きみも知ってるだろう。かつてはタイやフリートやエフラが存在してた。どれも泥や汚物の洪水でまみれるうちに、彼らの嘆きは終わりを迎えたんだよ、あの狡猾なくそ野郎のバザルゲット、ロンドンに下水網をつくったあいつによってな。おれも会ったことがある、ほら、じつに貫禄のある男だった。ウィリアム・グラッドストーンからこのかた、一番みごとな頬ひげをしてたよ。おれはやつのケツを蹴とばして、兄弟を殺された借りを返してやった」

「彼が川を殺したと考えているのかい？」

「いや。だが、やつは連中の仕事を請け負った。おれたちは川をビッグ・レディの娘たちにくれてやらなくちゃいけなかった。あの連中のほうが、うちの兄弟たちよりもきっと丈夫だったに違いないからな」

「彼が街を欲しがっていないなら、なぜ今になって下流に？」

「おれたちのなかには、今なお明るい光を渇望してる者もいるんでね」オクスリーはそういって、妻ににっこりと笑いかけた。

「また劇場に通えるようになったら、すばらしいでしょうね」と彼女がいった。

オクスリーがぼくのカップに注ぎ足した。どこか背後のほうで、スピーカーからダミ声が「このパーティをはじめようぜ《レッツ・ゲット・ディス・パーティ・スターティッド》」と叫んでいた。ジェイムズ・ブラウンは、今なお〝いい気分《フィーリン・ナイス》〟にさせてくれるし、〝甘くてピリッと《シュガー・アンド・スパイス》〟している。

「それで、あなたはママ・テムズの娘たちとその権利を争う気でいると？」

「連中がおれたちの手に負えないとでも思ってるのか？」オクスリーが問いただす。

「そこまでしてあなたがたが欲しがってるとは思わない。それに、きっと調整は可能だと思う」

「ときどき馬車で遠出する、とか？」オクスリーが訊いた。「パスポートは必要かい？」

人がどんなに世の中をわかっていると考えているにしても、たいていの者はむやみに戦いたがらないものだ。とりわけ、相手の力量が互角の場合は。暴動はちっぽけな個人を八つ裂きにするし、銃を持った高邁《こうまい》な理由のある男は喜んで多くの女子どもまで殺害するだろう。が、対等な喧嘩の危険を冒すとなると――話はそれほど簡単ではない。だからこそ、べろべろに酔った若者が「止めるなよ」と騒いでいるときも、内心では彼を好いてくれている友人たちの誰かが止めてくれるのを必死に願っている。争いの現場に警察が到着すると、いつだって全員がひどく喜ぶものだ。われわれは好きか嫌いかに関係なく、争いの当事者を止めないといけないからだ。

オクスリーは酔っぱらった若者というわけではないが、誰かに止めてもらうことを彼が同じくらい熱望しているのはぼくにも見てとれた。または、彼の父親だろうか？

「あなたの親父《おやじ》さん」ぼくはいった。「彼は本当のところ何が望みなのかな？」

「どの父親も望むとおりのことを」オクスリーはいった。「子どもたちから敬意を持たれることを」

すべての父親が敬意にふさわしいわけではない、とぼくはあやうくもらしかけたが、どうにか口をつぐんでおいた。それに、誰もがぼくのような父親を持っているわけではない。

「双方が少し頭を冷やしてみたほうがよさそうだ」ぼくはいった。「全員が少し落ちついて、そのあいだに主任警部とぼくが何かうまい解決策を考え出すことにしよう」

オクスリーはティーカップのふちの向こうからぼくを見た。「今は春だ。リッチモンドの上流には、ほかにも気をそらすことがたくさんある」

「仔羊を生む季節だ」ぼくはいった。「それに、ほかにもいろいろと」

「きみはおれの予想してたのとは違うな」

「どんなのを予想してたのかな？」

「ナイティンゲールはもっと自分に似てるやつを選ぶのかと予想してた」

「上流階級の？」

「堅実な人を」イシスが、夫より先んじていった。「労働者みたいな」

「一方のきみは」とオクスリーがいった。「狡猾な男だ」

「わたしたちがこれまで見慣れてきた魔術師たちにより近いわね」とイシス。

「それって褒《ほ》め言葉なのかな？」ぼくは尋ねた。

オクスリーとイシスが声をあげて笑った。

「さてな」オクスリーはいった。「だが、その答えを興味ぶかく見守るとしよう」


移動遊園地を離れるのは奇妙に名残惜《なごりお》しかった。スイミング・プールから上がるときのように、足が重たく感じられた。ジャガーのところまで戻って、遊園地の音が薄れかけたころになって、ようやく本当に抜け出せたように感じた。

「あの感覚はなんですか？」ぼくは車に乗りこみながらナイティンゲールに尋ねた。

「〝セデュケレ〟だ。強制力、または、スコットランド人の呼び方では、〝魅惑《グラマー》〟だな。バーソロミューによれば、超自然の生き物の多くは自己防衛のひとつとしてそれを発散している」

「ぼくはいつそれを学べるんですか?」

「およそ十年以内にだ。きみがもう少しペースを上げたなら」

サイアンセスターの街を抜けてM4号線へと戻るあいだに、ぼくはオクスリーとの出会いについてナイティンゲールに話していった。

「彼は〝老人〟の相談役《コンシリエーレ》、ですよね?」ぼくは尋ねた。

「彼の〝コンシリアリウス〟、助言者という意味なら、そのとおりだ。おそらくはあのキャンプ地で二番目に重要な人物だろう」

「彼がぼくに話しかけてくるとあなたはわかっていた、違いますか?」

ナイティンゲールは一時停止して車の流れを確認したうえで、幹線道に入りこんだ。

「有利な点を押し進めるのが彼の仕事だ。きみはバッテンバーグ・ケーキを食べた、違うかな?」

「断るべきだったんですか?」

「いや。きみがわたしの庇護《ひご》下にあるあいだは、きみを罠にはめようとはするまい。だが、ああいった連中を相手にするときは、常識を当然のものと思いこまないことだ。〝老人〟が急に下流に侵攻してくるのは意味がとおらない。きみは今や両者に会ってみたわけだ——どう思う?」

「両者とも、正真正銘の力を持っていますね」ぼくはいった。「ですが、感触は違う。彼女のは間違いなく海から発しています、港とかそういったものから。彼のほうは、どれも大地や天候や地下の宝物のありかを教えてくれる小妖精《レプラコーン》や水晶といったものから発してます、ぼくにわかるかぎりでいえば」

「それこそは、なぜテディントン・ロックが境界であるかの説明になる」

テディントンはテムズ川の潮流が内陸に入りこむ一番深い地点だ。そこから下流が潮路《タイドウェイ》と呼ばれる。そしてあそこまではロンドン港管理部が直接管理している区域でもある——これが偶然の一致とは思えなかった。

「ぼくの考えてるとおりなんでしょうか？」

「そうだと思う」ナイティンゲールはいった。「海水と真水の混じりあう川にはつねに境界線があったのかもしれない。おそらくはそのゆえに、ファーザー・テムズはあれほど簡単にロンドン市街を放棄できたのだろう」

「ロンドンの街に関係するものを〝老人〟は本当に何も望んでいない、とオクスリーがほのめかしてました。単に敬意が欲しいだけだと」

「おそらくは、何か儀式でもしてやれば満足するんだろう。忠誠の誓いのようなものを」

「なんですか、それは？」

「封建時代の誓いだ。家臣は領主に忠誠や奉公を誓約し、領主は家臣に保護を約束する。中世の社会はそのようにして構成されていたんだ」

「誰かに忠誠や奉公を誓うように、とママ・テムズに強制しようとしたら、それこそ中世に逆戻りですよ。ましてや、相手がファーザー・テムズとなれば」

「本当にそうだろうか？」ナイティンゲールが疑問を投げかけた。「純粋に象徴的なものになるだろう」

「象徴的なものは、事態をもっと悪くするだけですよ。彼女は面子《メンツ》をつぶされたと受け取るでしょう。彼女は自分をこの世で最大の都の女主人とみなしていて、誰にであっても頭を下げて屈服する気はありません。とりわけ、キャンプ・カーで旅してまわってる田舎者には」

「二人を結婚させられないのは残念だな」ナイティンゲールがいった。

ぼくらはこの考えに声をあげて笑い、そしてスウィンドンの市街を迂回していった。

M4号線に入ると、ぼくはナイティンゲールに、〝老人〟と何を話したんですかと尋ねた。

「あの会話でのわたしの貢献はわずかなものでしかない、最大に見積もってみても」ナイティンゲールはいった。「大部分は技術的なことについてだった。地下水の過剰揚水《ようすい》、帯水層の周期的遅延サイクル、そして灌漑《かんがい》の流域係数、といったような。そうしたすべては、夏になって川にどれくらいの水が流れこむかに影響するのだろう」

「もしもぼくが二百年さかのぼって同じ会話をすることになったら、〝老人〟はどんなふうに話したんでしょうね？」

「どんな花が咲いていたか、どんな冬だったか――春の朝、どんな鳥が飛んでいったか」

「その当時と同じ〝老人〟なんでしょうか？」

「わからん。一九一四年には同じ〝老人〟だった。それだけははっきりといえる」

「どうしてあなたにわかるんですか?」

ナイティンゲールはためらい、そしていった。「わたしは見かけほど若いわけではないんだ」

いきなりぼくの電話が鳴った。ぼくとしては本当に無視したいところだったが、曲は《ザッツ・ノット・マイ・ネーム》、つまりレスリーからだった。ぼくが電話に出ると、レスリーはぼくらがいったい今どこにいるのか知りたがった。ちょうどレディングを通過するところだと教えてやった。

「また起こったの」彼女はいった。

「どれくらいひどいんだい?」

「マジでひどい」と彼女。

ぼくは車のルーフに回転灯《スピナー》を載せ、ナイティンゲールはアクセルを踏みこみ、沈む夕陽を背後に浴びながら、時速百九十キロ以上でロンドンに戻りだした。

チャリング・クロス・ロードには消防車が三台停まって道をふさぎ、両方向にパーラメント・スクウェアとユーストン・ロードまで渋滞していた。セント・マーティンズ・コートに到着したぼくらは、煙のにおいと緊急無線の話し声や怒鳴り声に包まれた。テープを張りめぐらした規制線のところでレスリーがぼくらを待っていて、上下つなぎのスーツを渡してくれた。着替えるあいだに、〈J・シーキー〉のレストランの正面が半分くらい焼け落ちていて、法医学班の現場保存用のテントが路地に三張り設営されているのが見えた。死体が三体あるということだ、少なくとも。

「店内にはどれくらい客が残っていたのかな?」とナイティンゲールが尋ねた。

「一人も」とレスリーが答える。「全員が裏の非常用扉から逃げ出しました――軽傷のみです」

「少なくとも、その点には感謝すべきだな。これがわれわれの事件だという確信はあるのかね?」

レスリーはこくりとうなずき、ぼくらを最初のテントに案内した。中に入ると、ぼくらよりも先にドクター・ウォリッドが到着していて、死体のそばにしゃがみこんでいた。犠牲者はひと目ではっきりわかるハーレ・クリシュナ信者のサフラン色のローブを着ている。死体は倒れた状態のまま仰向けに寝ころがっていて、足はまっすぐに伸び、両腕を横に広げている。まるで人を信頼して高いところから後ろ向きで落ちる練習の真っ最中であるかのようだった――ただし、彼を受け止めてくれそうな者は誰もいなかったが。男の顔はクーパータウンや文書を配達する自転車乗りと同じように血まみれの台なしになっていた。

これでさっきの質問の答えになった。

「これが最悪の部分じゃないの」彼女はいって、ぼくらをふたつめのテントにうながした。

今度のテントには死体がふたつあった。一人は黒いフロック・コートを着た肌の色の濃い男で、髪の毛は血で固まって逆立《さかだ》っている。頭を強烈に殴られたために傷口がぱっくり開き、脳の一部が剝き出しにのぞいている。もうひとつの死体は、これまたクリシュナ信者だった。不特定の〝よきサマリア人〟が救命処置をおこなうための体勢に動かして彼を助けようとしていたが、頭部がぱっくり割れた状態ではその試みもむなしかった。

ぼくは耳の奥で血の流れる音が激しく打ちつけ、息が苦しいことに気づいた。血が、おそらくはほかの者を殴ったときの返り血かと推測されるが、信者のローブに跳ねとんで、オレンジ色の布地に血の色の絞《しぼ》り染め模様が浮かんでいた。法医学班のテントの中は息苦しく、ぼくは上下つなぎの中でびっしょり汗をかきはじめていた。ナイティンゲールが何か質問したが、ぼくはレスリーの答えをあまり聞いてもいなかった。テントの外にとび出すと、げぇっと一度えずき、胃液を必死に呑みこみながら、よろよろと規制線のところまで戻っていった。自分でも驚いたことに、なんとかバッテンバーグ・ケーキを吐かずにすんだ。

上下つなぎのひんやりするビニール生地の袖で口をぬぐい、ぼくは壁に寄りかかった。目の前の壁にはノエル・カワード・シアターのポスターが貼ってあり、《ダウン・ウィズ・キッカーズ!》という笑劇《ファルス》を上演中だった。

犠牲者二人の顔がなかばはがれ落ちているという事実からして、〝憑依《ひょうい》〟は同時に二人に起こったことになる。テントはもうひとつ残っていた。これまで以上にどれくらいひどいのだろうか、とぼくは自問していた。

ばかげた質問だった。

第三のテントの死体はあぐらをかいていたが、膝の上に手のひらを上に向けて置くヨーガ行者のようなすわり方ではなく、子どものようにすわりこんでいた。ローブには血が染みて、肩や上腕を赤いリボン状のねばついたものが覆っている。頭部は完全になくなっていて、首にギザギザの切断面が残っていた。ちぎれた筋肉繊維の真ん中に白いものが埋まっている——脊髄《せきずい》だろう。

テントの中でシーウォルが待っていた。レスリーがぼくらを案内してくると、彼がうめいた。「誰かがおちょくってやがる」

「さらに過激になってますね」とぼくはもらした。

ナイティンゲールはちらっとぼくに鋭い視線を向けたが、何もいいはしなかった。

「けど、何が過激になってるの？」レスリーが訊いた。「それに、どうしてあなたたちはこれを止められないの？」

「なぜなら、メイ巡査」とナイティンゲールが冷ややかにいった。「われわれにも、これがどういうことかわかっていないからだ」

目撃者、容疑者、そして警察の捜査の助けになる人々はたっぷりといた。ぼくらは二人ずつ組んで、可能なかぎり迅速に聞き取りをこなしていった。ぼくはシーウォルと組み、ナイティンゲールがレスリーと組んだ。こうすれば、部屋の中の少なくとも一人は、顔に打ちつけてくるウェスティギアに気づくことができる。物質的な証拠品や監視カメラ記録の調べはステファノポウラス部長刑事が受けもった。

シーウォルが仕事をこなすのをそばで見ることができるのはちょっとした特権だった。容疑者に対するときの彼は、ほかの警官を相手にするときほど威圧的ではなかった。彼の尋問テクニックは穏やかなものだった——変に親しくはせず、つねに礼儀正しい物腰で、けっして声を荒げたりしない。ぼくは頭の中でメモをとっていった。

こうしてぼくらが構成しなおした事件の概要は、これまで目にしてきた事件と気の滅入るほど似かよっていて、ただしスケールがいっそう大きくなっていた。この日は穏やかな春の日曜の午後だったから、セント・マーティンズ・コートはそれなりに混雑していた。事件現場の〈ザ・クローズ〉そのものは歩行者用の路地で、三つの異なる楽屋口に面している。〈ブラウンズ〉の裏口と、名高き〈J・シーキー・オイスター・バー〉にも。劇場関係者は上演の合間に、そういった店にコーヒーやタバコの休憩を求めにやってくる。〈J・シーキー〉は観劇者にとっての目印《ランドマーク》だった。ウェスト・エンドのもっとも有名な劇場街から歩いてすぐの距離のところに夜遅くまで食事のできる店があれば、そうなるのも驚くにはあたらない。〈J・シーキー〉ではドアマンの制服にシルクハットと黒のフロック・コートを採用していて、この午後に問題が起きたのもそこからだった。

二時四十五分、ぼくがオクスリーやイシスとすわって紅茶を飲んでいたのと同じころ、クリシュナ意識国際協会のメンバー六人がチャリング・クロス・ロード側から〈ザ・クローズ〉に入ってきた。これは〝献身《バクティ》の実践者たち〟、つまりクリシュナ神の熱烈な信者にとって一般的なルートで、彼らはいつもレスター・スクウェアからコヴェント・ガーデンまで列をなして横断していく。その日、彼らを率いていたのがマイケル・スミスだった。

彼の身元はのちに証拠の指紋から確認がとれた。改心した元コカインおよびアルコール依存症患者、そして車泥棒、強姦容疑者であって、九ヵ月前にこの運動に加わって以降は潔白な生活を送っていた。ISKCON——と呼ばれることをクリシュナ意識国際協会は好む——では、自分たちの活動に注意を引き寄せることと、通りがかりの者からの激しい敵意をかき立てることとのあいだに明確な線引きがあることを意識していた。この行進の目的は、公共の面前で踊って詠唱することで勧誘の見こみのある者の注意を惹くことにあり、対立する怒りを引き起こすことではなかった。そのために、特定の場所での〝滞留時間《ドウエル》〟は慎重に判断して、トラブルをできるだけ避けるようにしないといけない。どうすれば信者がごたごたを起こさずにすむか的確に判断する点で、マイケル・スミスはきわめて能力にすぐれていることが証明され、そのために今日の午後も彼がサフラン色の行列を率いていたのだった。

だからこそ、ランディドノの元ライフガードにして幸運な生存者となったウィラード・ジョーンズによると、彼らが〈J・シーキー〉の外で立ちどまって、「ちょいと騒ぎが聞きたいな」とマイケル・スミスがいいだしたときに誰もが驚いたのだそうだ。それでも、騒ぎを起こして衆目の注意を惹くことこそは彼らが通りを練り歩く目的だったから、彼らは騒ぎを起こしはじめた。

「調和のとれた騒ぎだ」とウィラード・ジョーンズは表現した。「物質主義と偽善の蔓延《まんえん》したこの時代にあって、ほかのどんなスピリチュアルな悟りも、大いなるマントラ《マ ハ》の詠唱ほど効果的じゃない。それはまるで、母親を呼ぶ子どもの純真な叫び声のように……」彼はこんなふうにしばらく語りつづけた。

それと調和していなかったのは牛の首につけるカウベルの音色だった。ウィラード・ジョーンズにはそれが本物のカウベルだとわかった。というのも、彼の父親や兄たちはウェールズの丘陵地で暮らす、本物の、経営のたちゆかなくなった農夫だったからだ。「あれが調和のために設計されたんじゃないってわかるよ」

「カウベルの音を一度でも聞いたことがあれば」とジョーンズはいった。

およそ二時五十分に、マイケル・スミスが身体のどこかから巨大なカウベルを取り出し、腕を横に大きく振って鳴らしはじめた。この日、制服姿のドアマンを務めていたのは、アンカラを経由して現在はトッテナム在住のグルカン・テミズだった。典型的なロンドン暮らしの人間らしく、グルカンは不特定の思慮を欠いた行為に対して高い忍耐の閾値《しきい》を有していた。つまるところ、自分が大都市に住んでいるのなら、そこが大都市であることに不平をもらしてみても仕方がない。だが、その忍耐心にさえ限界というものはあり、この限界点のことを〝おちょくる〟と呼んでもいい。レストランの外で巨大なカウベルを鳴らして顧客の邪魔をするのは、確実におちょくる行為に該当する。そのため、グルカンは近づいていってマイケル・スミスを諫《いさ》めた。すると、スミスはベルでくり返し彼の頭や肩を殴りつけた。ドクター・ウォリッドによると、四度目の打撃が致命傷になったらしい。グルカン・テミズが地面に倒れると、ほかの信徒が二人、ニュージーランドのウェリントン出身のヘンリー・マクイルヴォイと、ヘメル・ハムステッドのウィリアム・キャトリントンが駆け寄って、被害者を蹴りはじめた。これは予想されるほどの損傷を与えはしなかった。両信徒とも、やわらかなビニール製のサンダルを履いていたからだ。

そのときになって、〈J・シーキー〉の店内のバーで発火物が爆発した。店内の客は演劇関係者と観光客が入り混じっていたが、秩序だって、それでいてすみやかに建物から避難した。裏の非常口からとび出した者はセシル・コートからちりぢりに逃げのびた。正面の出口から出た者は、グルカン・テミズ、ヘンリー・マクイルヴォイ、そしてウィリアム・キャトリントンの死体のわきを駆け抜けていくことになった。三名はすでに死亡していた。大半の者はそこに死体や血があふれていたことを記憶していたが、細かいことは誰もがあいまいだった。ウィラード・ジョーンズただ一人が、マイケル・スミスに何があったのかはっきりと目撃していた。

「彼はただすわりこんだんだよ」ジョーンズはいった。「そのとたんに、頭が破裂したんだ」

人の頭を破裂させるにはいくつかありふれた手段が存在する。高速のライフル弾もそのひとつで、そのため殺人課は、捜査からそれらの可能性を排除するためしばらく手間どることになった。その間《かん》に、〈J・シーキー〉の店内で爆発を起こした原因をぼくはみつけた。運がよかったのだ。というのも、そのころまでにテロ対策チームと英国軍情報部《MI》第5課が事件を嗅ぎつけはじめていたからだ。そうなることを誰も望んではいなかった。

その答えは、ぼくがなかばこっそりおこなってきた、電話が壊れた原因を確かめるための実験から得られたのだった。これ以上自分のノートパソコンや携帯電話を実験用モルモットとして使うつもりはなかったから、コンピューターズ・フォー・アフリカ、すなわち廃棄されたコンピューターを修理して海外に寄付している団体にすばやく駆けこんで、マイクロチップやマザーボードをかばんにいっぱい手に入れてきた。きっと古いアタリSTからでも取り出したものだろう。

マスキング・テープでベンチの上に二十センチ間隔にしるしをつけ、そこにチップをひとつずつ置いてから、慎重に手を構えてワーライトの呪文を唱えた。科学実験をするときに重要な点は、変数を一度にひとつずつ変えてみることだが、ぼくはワーライトを毎回均一の強さでつくり出せるよう充分にうまくコントロールできるようになったと感じていた。そうして、まる一日かけて光の玉をつくりつづけ、チップの損傷具合を顕微鏡で確認していった。しかし、すべては無駄に終わり、ナイティンゲールをいらだたせただけだった。そんなことのために無駄にする時間があるなら、ラテン語の対格と奪格の前置詞の違いを説明できるはずだ、と。

そうして彼は〝付加呪文《アディエクティウム》〟をぼくにはじめて教えることでぼくの気をそらした。これは一種のフォルマで、別のフォルマの様相を変えられるものだ。この付加呪文は〝イアクトゥス〟と呼ばれ、これをインペロと組み合わせて使えば、理論上は、リンゴを空中に浮かべたまま部屋じゅうをぐるりと飛びまわらせることもできるはずだった。二週間にわたってリンゴを爆発させてきたすえに、ぼくは安定してリンゴを実験室の端から端までかなりの精度で飛ばせるところまで上達した。次なる段階は、ぼくに向かって飛んできた物体を空中で捕らえることだとナイティンゲールは告げた。そうなると、ぼくはまたしてもリンゴを破裂させる段階に逆戻りすることになり、そしてこれが時計の針の一時間進んだ日におけるぼくの状態で、ぼくらがファーザー・テムズを表敬訪問した日でもあった。

取調室でシーウォルが穏やかにウィラード・ジョーンズの証言から事実を引き出すのを見守っているあいだに、ぼくは大いなる躍進を果たしたのだった。魔術というのは、こうして明らかになったわけだが、ときにはひどく自明なことを指摘できるかどうかの問題だという点で、科学と似かよっている。物体は重力下において質量に関わりなく同じ比率で加速する、とガリレオが見抜いたのと同じように、ぼくも自分の携帯電話と実験に使ったさまざまなマイクロチップとの違いは、携帯電話が壊れたときにはバッテリーに接続されていた点だということに気がついたのだった。

集めてきた中古のマイクロチップすべてをいちいちバッテリーに接続するのではあまりにもとりとめがなく、しかも時間がかかる。が、幸運なことに五ポンド未満でノーブランドの計算機を十個は手に入れることもできる――どこに行けばそれが手に入るのかわかってさえいれば。あとは単にその計算機を並べて、ワーライトを正確に五秒間かざし、顕微鏡のレンズの下に突っこんでみればいい。

　かざした手の真下に置かれたものはマイクロチップがすっかり焼け焦げ、二メートルのしるしのところまでは徐々に損傷が少なくなっていった。ぼくの身体が老廃物として力を発散し、それが電子部品を破壊しているのか——それともぼくが計算機から力を吸い取って、それが破壊をもたらしているのだろうか？　そして、破壊はなぜおもにマイクロチップにだけ起こって、ほかの部品には起こらないのだろうか？　ここで重要なのは、疑問が解決されてはいないにしても、今や携帯電話を持ち歩きながらでも魔術を使えると示していることだ——はじめにバッテリーをはずしてさえおけば。

「けど、こうしたすべては何を意味してるの？」レスリーが訊いてきた。

　ぼくはベックスのビールをごくりと飲み、テレビのほうにボトルを振って示した。「火災がどうやって起こったのか、その原因がわかったことを意味してるんだ」

　翌朝、レスリーが火災の最初の報告をメールで伝えてきた。それを確認したあとで、ぼくは〈J・シーキー・オイスター・バー〉で使われているのと同じ型のレジスターを届けてもらえる業務用小売店をみつけ出した。〝愚壮館《ザ・フォリー》を訪問する客はめったにいないがゆえに、馬車置き場からの移動のことは考慮に入れない〟というナイティンゲールの設けた規則のために、ぼくはこのいまいましい代物を通用口から実験室まで一人で運びこまないといけなかった。モリーはぼくがよろよろと通り過ぎるのを黙って見守り、口もとを手で覆って笑みを隠した。この件に関して、レスリーは訪問者にあてはまらないものと考え、実演を見にこないかと電話で誘ってみたものの、今はシーウォルのお使い仕事で忙しいからと断られた。準備がすべて整《ととの》うと、ナイティンゲールに実験室まで来てもらうようにとモリーに頼んだ。

実験室のガス管からできるだけ離れた片隅を片づけ、レジスターを金属製の台車に据え、コンセントにつないだ。ナイティンゲールがやってくると、実験用の白衣と防護用ゴーグルを渡し、レジスターから六メートルのしるしがある地点に立ってもらうよう頼んだ。そうして、それ以上ほかに何かする前に、まずは自分の携帯電話のバッテリーを抜き取った。

「それで、正確にいってこの目的は？」ナイティンゲールが訊いた。

「もう少しぼくにつきあってくだされば、すべてはっきりしますよ」

「きみがそういうのなら、ピーター」彼はいって、腕組みをした。「ヘルメットもかぶっておくべきではないかな？」

「たぶん必要ないでしょう。ぼくが三、二、一とカウントしますから、ゼロの合図とともに、安全かつ一定した力で最強の魔術を何か使ってください」

「最強の？」とナイティンゲール。「本当にいいのかね？」

「ええ。準備はいいですか？」

「そっちの準備ができたなら、いつでもかまわんよ」

ぼくはカウントしていき、ゼロの合図とともにナイティンゲールが実験室を吹きとばした——少なくとも、そのように感じられた。ワーライトの呪文が恐ろしいまでに失敗したときのように、ナイティンゲールの伸ばした手のひらから燃える火の玉が出現した。熱波がぼくに押し寄せ、髪の毛がちりちりに焦げるにおいがした。あやうくベンチの向こう側にとびこもうとしかけたとき、この熱が実体のあるものではないことに気づいた。そうであるはずがない。さもなければ、ナイティンゲールはとっくに火だるまになっていたろう。どういうわけか、熱は彼の手の上の玉の中にすべて押しこめられている——ぼくが感じたのは巨大なスケールのウェスティギアだった。

ナイティンゲールはぼくを見て、落ちつきはらった顔で片方の眉をぴくりとつり上げた。

「どれくらいのあいだ、これをたもっていたらいいのかな？」

「さあ……どれくらい長くたもっていられるんですか？」

ナイティンゲールは笑い声をあげた。視界の隅でちらっと動くものをとらえて振り向くとモリーが戸口に立っていて、目は炎を映して爛々《らんらん》と輝き、ナイティンゲールをじっと見つめていた。

ぼくが顔を戻したそのとき、レジスターが爆発した。てっぺんのふたがすっかり吹きとび、焼け焦げたプラスチック片が噴き上がり、黒い煙がわき上がって、天井をつたって勢いよく広がっていった。モリーはかん高い喜びの声をあげ、ぼくは消火器を手に駆け寄って、火が消えるまでレジスターに二酸化炭素を噴きつけた。ナイティンゲールは炎の玉を消し去り、実験室に備わっていたとはぼくが気づきもしなかった換気扇のスイッチをすべて入れた。

「なぜ爆発したんだろうか？」彼が訊いた。

「中の部品が急激に破壊されたために、揮発性のガスが生じたんです、水素か何かが。ぼくは化学の成績でC評価しか取れませんでしたからね、ほら。ガスがケース内の空気と混じりあって電気的な火花が起こり、そしてボンッ。あなたに答えてもらわないといけない質問は、呪文を使うことで物質から魔術の力を吸いとるのか、それとも魔術の力を物の中にもぐりこませることになるんでしょうか?」

答えはもちろん、両方だ。

「通常なら、基礎のフォルマをすっかり習得できるまで、理論を学ぶ必要はない」ナイティンゲールの理解するところによると、魔術というのは生命から生じるのだそうだ。魔術師は自身の魔術の力を、または魔術によってためておいた力を引き出すことができる。これは興味ぶかいことのように聞こえるが、キャッシュ・レジスターを爆発させることと直接の関係はない。しかしながら、生命はみずからの身体を守ろうとするもので、構造が複雑になればなるだけ、つくり出される魔術も大きくなるが、引き出すのはそれだけ難しくなる。

「別の人間から魔術を引き出すのはとうてい不可能だ」ナイティンゲールはいった。「または、その点についていえば、犬からであっても」

「ヴァンパイアたち。あの連中は、あそこの家のすべてから生命を吸いとっていた、違いますか?」

「明らかにヴァンパイアはそうやって寄生しているが、どうしてそれが可能なのかまではわかっていない。それに、きみの友だちのビヴァリー・ブルックのような連中が周囲の環境からどうやって力を吸いとっているのかも不明だ」

「あのヴァンパイアの家、あそこでマイクロチップの影響についてはじめて気づいたんです」

「機械が人間のようになればなるほど、それに応じて機械もそれ自身の魔術の力をつくりはじめるのだろう。だが、これがわれわれになんの助けになるのかよくわからんな」

ぼくは疑似科学にたじろがないようにして、今はそれ以上深入りすべきときではないと判断した。

「第一に」ぼくはいった。「魔法を機能させているものがなんであれ、それは莫大な量の力を吸いこんでいて、第二に、それがぼくらに見るべき別のものを与えてくれているんです」

ぼくらが実際に何かをみつけたというわけではない。その間に、シーウォルの殺人課はピカデリー・サーカスそばのパブで起こった、とりたてて意味のないナイフによる傷害事件に割り当てられていた。ぼくもその周辺を嗅ぎまわってみたが、ウェスティギアは皆無《かいむ》で、愚かな、しかし理解のできる動機があるだけだった。

「彼氏をだましたの」とレスリーが、ある晩、DVDを鑑賞しにやってきたときに説明してくれた。はじめにその男が女の子と出会って、女の子がもう一人の男と寝た。最初の男がもう一人の男を刺して、逃走したのだそうだ。「犯人はウォルサムストーに隠れてるとにらんでる」彼女はいった。それだけでも充分な罰になる、と多くの者がいうだろう。

〈J・シーキー〉の店先で起こった殺人事件はマイケル・スミスがすべての責めを負うこと

になった。彼は違法に所持していた小火器で三人の頭部を撃ち、同じ銃を使って自殺したとされた。マスコミはもっと興味をもっていたかもしれない――とある連続ドラマのスターが、同じくらい有名なサッカー選手と、しかもメイフェアのクラブのトイレで男漁《あさ》りしていたのを暴露されなかったなら。マスコミがこぞって騒ぎたてたおかげで、本来のどんなニュースも二週間にわたってかき消されることになった。レスリーがいうには、偶然の一致にしてはあまりにも都合がよすぎたそうだ。

つづく四月を、ぼくはフォルマの訓練やラテン語の勉強、そしてマイクロチップを吹きとばすための新たな手法を実験して過ごした。毎日午後になるとトビーを連れて、コヴェント・ガーデンやケンブリッジ・サーカスの周辺を散歩しに出た。ぼくらのどちらかがにおいを嗅ぎつけられないかという狙いがあったが、何も感じとれはしなかった。ビヴァリー・ブルックにも何度か電話してみたが、ぼくがファーザー・テムズについて何か対策をとるまでは、ぼくといっさい関わりあってはいけないと母親に禁じられたのだそうだ。

五月は典型的な銀行法定休日《バンク・ホリディ》らしく幕を開けた。雨降りが二日、小糠《こぬか》雨が三日、そしてようやく次の日曜に、明るく晴れた夜明けが訪れた。こんな日は、若者の心を、ロマンスやアイスクリーム、そしてパンチ・アンド・ジュディの人形劇へと向かわせる。

この日はコヴェント・ガーデンの五月の祭り《メイ・フェア》の日だった。記録に残るかぎり最初のパンチ・アンド・ジュディの人形劇がおこなわれた日を祝う催《もよお》しで、ブラス・バンドのパレード、〝俳優の教会《アクターズ・チャーチ》〟での人形による特別なミサ、そして教会の敷地内に詰めこめるかぎりたくさんのパンチ・アンド・ジュディの人形劇が上演される。チャリング・クロス署の見習い巡査だったときは、この日はいつも観衆の整理のために駆り出されたものだ。そのため、ぼくはレスリーに電話して、今度は民間人の視点でフェアを見てみたくはないかと誘ってみた。ぼくらはテスコ・メトロでアイスクリームとコーラを買って、観光客をあちこちよけて歩くうちに、ようやく教会の玄関口《ポルティコ》までたどり着いた。哀れなウィリアム・スカーミッシュが首を切り落とされた場所から五十センチと離れていないところに、〝人形師《プロフェッサー》〟の仕切り小屋《ブース》がひとつ設営されていた。

「あれから四カ月か」とぼくは声に出していった。

「退屈はしなかったわね」とレスリー。

「きみはラテン語を勉強しないといけなかったわけじゃないからね」

子どもが並んですわれるようにマットが敷かれ、一方のわれわれ大人はその後ろに立つことになった。道化のまだら模様の服を着た男が前に進み出て、観衆を盛り上げる前口上をはじめる。過去数世紀にわたって、数多くのヴァージョンのパンチ・アンド・ジュディの人形劇が演じられてきました、と彼は説明した。しかし今日は、われわれの教養と楽しみのために、名高きプロフェッサー、こちらのフィリップ・ポインターが、一八二七年にジョヴァンニ・ピッチーニからジョン・ペイン・コリアに伝えられた『パンチとジュディの悲劇的な喜劇、または喜劇的な悲劇』を演じてお目にかけましょう、と。

物語は、ミスター・パンチが犬のトビーに鼻を嚙みつかれる場面からはじまった。

8 《ジャカノリー》版《ヴァージョン》

犬のトビーがパンチに嚙みつき、怒ったパンチはトビーの飼い主のミスター・スカラムーシュを殴り殺す。そうしてパンチは家に戻り、赤ん坊を窓から投げ捨て、妻のジュディを殴り殺す。パンチは馬から落ちて、医者の目を殴る。医者はパンチに棒で打ちかかるが、パンチは逆にその棒をつかんで医者を殴り殺す。パンチは金持ちの屋敷の外で羊の鈴を鳴らし、金持ちの屋敷の召使いがたしなめると、召使いを殴り殺す。この時点で、ぼくのアイスクリームは溶けて、靴の上にぽたぽたこぼれ落ちていた。

一八二七年にジョヴァンニ・ピッチーニからジョン・ペイン・コリアに伝えられた『パンチとジュディの悲劇的な喜劇、または喜劇的な悲劇』。いったん何を探しているのかわかりさえすれば、残りを理解するのはあまり難しくない。人形劇のショーが終わったあとでレスリーとぼくが身分証を見せると、人形師《プロフェッサー》はすすんでシナリオをプリントアウトしたものを渡してくれた。ぼくらはそれを手土産《てみやげ》にニュー・ロウとギャリック・ストリートの角にある〈ラウンドハウス〉という店に入り、ダブルのウォッカ二杯をお供《とも》に読みだした。

「これが偶然なわけがない」ぼくはつぶやいた。

「そう思う?」とレスリー。「どこかの何かが現実の人間を使って、このばかげた人形劇を演じてるみたいね」

「きみのとこのボスは、こういうのが気に入らないだろうな」

「ええと、わたしからは報告するつもりもないから。あなたのとこのボスから、うちのボスに説明させればいいじゃない。ミスター・パンチのくそったれな幽霊が、彼の縄張りで人々を次々に打ちのめしてるって」

「幽霊のしわざだと思うのかい?」

「どうしてわたしにわかるっていうの? そのためにこそ、あなたたち魔法捜査担当の警官がいるんだから」


愚壮館《ザ・フォリー》には図書室が三つある。ひとつは、その当時のぼくは存在すら知らなかった。ふたつめは魔術に関する図書室で、呪文やフォルマ、錬金術にじかに言及した文献がそろっていて、すべてラテン語で書かれているからぼくにはさっぱりだった。そして三つめが一般的な図書室で、二階の読書室の隣にある。作業の分担ははじめからはっきりしていた。ナイティンゲールが魔術関連の図書室を確認し、ぼくが標準英語《クイーンズ・イングリッシュ》の文献にあたる。

一般的な文献のある図書室には、アマゾン流域に森を再生できそうなほど大量のマホガニー材を使った書架が列をなしていた。片側の壁には本棚が天井まで延びている。一番上の棚にはぴかぴかの真鍮《しんちゅう》のレールがついていて、横にスライドするはしごを使ってのぼることができる。美しいクルミ材のキャビネットの並びにはインデックス・カードが収められていて、これこそはこの図書室が備えている検索エンジンにもっとも近い代替物だ。引き出しを開けると古びた厚紙とカビくさいにおいが、もわっとわき上がった。さすがのモリーもここを定期的に開けて中まで掃除してはいないのだと考えて、ぼくは妙に安心した。

　カードはテーマごとに分類され、大本《マスター》のインデックスは書名で分類されている。〝パンチ・アンド・ジュディ〟という項目から探しはじめてみたが、みつからなかった。もうひとつ探してみるべき単語をナイティンゲールが教えてくれていた。〝死からよみがえりし者《レヴナント》〟だ。インデックス・カードの項目を何度か誤って行き来したすえに、ドクター・ジョン・ポリドリの『生と死に関する瞑想』にたどり着いた。本の扉には、刊行が一八一九年となっている。同じページにはラテン語のエレガントな飾りのついた手書き文字で書きこみがされていた。〈**Vincit qui se vincit**〉、一八二一年八月と。どんな意味なんだろうか、とぼくはいぶかしんだ。

（Vincit qui se vincit. は〝おのれに打ち勝つ者は二度勝利する者なり〟の意）

　ポリドリによると、レヴナントとはまつろわぬ霊のことで、死から舞い戻って生者に害をなす存在だという。現実に起こったことであれ、勝手に思いこんだだけであれ、たいていはその人物が存命中に苦しんだ無礼や不当な扱いへの復讐のために。

「確かに、ぼくらの探している犯人のプロファイルに合致しますね」昼食のときにぼくはナイティンゲールにいった。ビーフ・ウェリントン（牛ヒレ肉をフォアグラで覆い、その上からパイ皮で包んでオーヴンで焼いた英国料理）と、茹《ゆ》でたジャガイモにパースニップのソテーだった。「こうしてちょっとした苦痛が狂気に発展する——レスリーのいう、大きな波には小さなさざ波があるという考えとも合致します」

「それが彼らに影響していたと思うのかね？」

「電界効果だと思いますね、放熱や電球のはなつ光のような」ぼくはいった。「電界内にさざ波があって、否定的な感情といっしょに彼らの脳内で増幅され、解きはなたれる」

「その場合、もっと多くの人々に影響するはずじゃないかな？　映画館の入場口には少なくともほかに十人はいたはずだ、きみやメイ巡査も含めて。それなのに、母親だけが影響を受けた」

「すでに存在していた怒りを増幅する、という可能性はどうですか？　または、触媒として働くとか？　科学的に証明するのは簡単なことではありませんが」

ナイティンゲールが笑みを浮かべた。

「どうしたんですか？」

「きみを見ていると、かつてわたしが知っていたある魔術師を思い出す。デイヴィッド・メレンビーというんだが。彼も同じ強迫観念にとりつかれていた」

「その人はどうなったんですか？　何かメモでも残してませんか？」

「戦争で死んだようだ。彼がやりたがっていた実験の半分も試す機会はなかった。彼は土地《ゲニィ》・の守護精霊《ロコルム》がいかにして力を得ているのかについて、きっときみにも訴えかけるような仮説を立てていた」

「どんな仮説なんですか？」

「きみが次のフォルマを習得したなら、話してやることにしよう」彼はいった。「例のシナリオとミスター・パンチの行動にはいくつか食い違いがあることにわたしも気づいた。かわ《プリ》いい《ティ》ポリーについて考えているんだが」

『悲劇的な喜劇』に描かれているとおり、妻と子どもを殺したあとでミスター・パンチは妻殺しの利点を楽しい小唄にして歌い、それがすむと、プリティ・ポリーにしきりに求婚しはじめるのだった。ポリーは劇中の登場人物で、われらが快活な連続殺人犯《シリアル・キラー》が彼女にキスしはじめても、〝ちっとも嫌じゃないわ〟としかいわない。

「向こうがこのシナリオに従っているのかどうか、まだはっきりとはわかりません」

「そのとおり」ナイティンゲールがいう。「ピッチーニは口承の伝説を物語ったわけで、そういったものはあまり信用できない」

おそらく、信用できないピッチーニによれば、次なる犠牲者はミスター・パンチの顔に向けて咳きこんだ盲目の物乞《ものご》いになるはずで、その無礼なふるまいのため人形劇の舞台からほうり出されることになる。シナリオには、この物乞いがそのあとも生き延びたのかどうかまで書かれてはいなかった。

「われらがレヴナントたるプルチネッラ殿（イタリアの伝統的な風刺劇に登場する道化の名）が型どおりに従うなら、次なる標的は盲《R》人のため《N》の王立国《I》民協会《B》のティニーになりそうですね」

「〝ティニー〟とは？」

「金を集めるためにブリキ《ティン》缶を差し出す連中のことですよ」ぼくはそういって、手を震わせるまねをした。「通りゆく人々はその中に小銭を入れるわけです」

「物乞いをする盲目の男か。レヴナントの正体が誰で、どこに埋葬されたのかがわかれば役に立つんだが」

「相手の正体がわかったら、われわれとしては彼の問題を片づけて、安らかに眠らせてやればいいわけですね」

「または、彼の骨を掘り起こして細かく砕き、岩塩と混ぜて、海に撒いて捨てる」

「それでうまくいくんですか？」

「ヴィクター・バーソロミューはそういっている」ナイティンゲールは肩をすくめた。「彼は幽霊やレヴナントへの対処の仕方を本に書き残している——文字どおり」

「われわれはあまりにも明白な情報源を見過ごしてるのかもしれません」

「ほう？」

「ニコラス・ウォールペニーですよ」ぼくはいった。「攻撃はどれも〝俳優の教会《アクターズ・チャーチ》〟のそばで起こっています。つまりそれは、われわれが追っているレヴナントがそのそばに存在していることを意味してるように思えますね。ニコラスがその人物を知っているかもしれません——もしかしたら、親しく交わって《ハング・アウト》るのかも」

「幽霊がきみの想像してるように〝ぶらついて《ハンギング》〟いるかどうかはわからんな」ナイティンゲールはそういうと、モリーが見ていないのをちらっと確認したうえで、まだ半分ほど残っている皿をテーブルの下にすべりこませた。トビーのしっぽがぼくの足を叩き、がつがつとごちそうの相伴《しょうばん》にあずかった。

「もっと大きな犬が必要ですね」ぼくはいった。「または、分量を減らしてもらうか」

「今夜、彼がきみに話しかけてくるか確かめてみよう。だが、われらがニコラスは生きていた時分から信頼できる目撃者でなかったことは覚えておくといい――彼の死亡後に誠実さが向上したとは考えにくい」

「彼がどんなふうにして死んだのか、ご存じなんですか？」

「酒の飲み過ぎだ」ナイティンゲールはいった。「とても愉快に」


トビーはぼくらの正式な幽霊《ゴースト》ハンティング犬であり、そして彼は散歩のときに危険なくらい周囲をうろつきはじめたため、ぼくがいっしょに連れ歩くことにした。ラッセル・スクウエアと愚壮館《ザ・フォリー》からコヴェント・ガーデンまでは、ぶらっと歩いて三十分ほどの距離だ。〈フォービドゥン・プラネット〉（映画《禁断の惑星》から名をとったSF専門書店）を越えたところでシャフツベリー・アヴェニューを渡ると、まっすぐニール・ストリートをくだっていけばいい。そこはあの自転車乗りが死ぬことになった場所だ。とはいえ、誰かが死んだ場所を避けて通るようにしていたら、アベリストウィス（ウェールズにある海辺の避暑地）にでも引っ越さないといけなくなるだろう。

午後も遅い時間であるためにそれほど暖かなわけではなかったが、それでもガストロパブの外には飲み客があふれていた。ロンドンでは屋外のカフェ文化というアイデアがかなり最近になって普及しはじめたが、今ではほんのわずかな寒さも入りこまないしっかりした造りになっていた――とりわけ、屋内での喫煙が禁じられて以降は。

トビーはまさしくドクター・フラムラインが自転車乗りを襲ったあたりで脚を止めたが、車止めの杭におしっこでマーキングしただけだった。

そろそろ店の閉まる時間だというのに、コヴェント・ガーデンには人があふれていた。観劇後の群衆がロイヤル・オペラ・ハウスからどっと吐き出され、何か食べて休憩できる場所を探しまわる一方で、修学旅行でヨーロッパじゅうからやってきた学生の群れが、昔ながらの権利を行使して、歩道を端から端までふさいでいた。

屋根つきのマーケット内にあるカフェやレストラン、パブが閉まると、広場《ピアッツァ》はすみやかにからっぽになり、じきに人はほとんどいなくなって、ぼくがちょっとしたゴースト・チェイシングを敢行《かんこう》できるようになった。

幽霊の真の姿については、その道の権威のあいだでも意見の相違があった。ポリドリの主張によると、幽霊とは死体から分離した魂で、その場所にしがみついている。幽霊は自分自身の魂をエネルギー源としていて、この魂が魔術によって補充されることがないかぎり、いずれは薄れて消えてしまう、と彼は理論づけた。一八六〇年に出版された植物学者リチャード・スプルースの『ヨークシャーにおける魔術的幻想の永続性』では、大半はポリドリに同意しているが、ちょうどコケが岩がちな生息域から滋養分を濾《こ》しとるのと似たやり方で、幽霊も彼らの周囲から魔術の力を取りこんでいるのかもしれないとつけ加えている。ピーター・ブロックは、一九三〇年代の著作において、音源がレコード盤に記録されるのと同じように、幽霊というのは周囲の魔術的な織り地に刻まれた記録でしかないと理論づけた。ぼく個人としては、幽霊は死んだ人間の個性の粗雑なコピーのようなもので、魔術の基盤《マトリクス》のようなものの中で劣化した状態で伝達されているのだととらえている。そこでは〝情報〟の束《パケット》がひとつの魔術的結節点《ノード》から次のノードへと送られていくわけだ。

ニコラスとの邂逅はどちらのときも〝俳優の教会《アクターズ・チャーチ》〟の玄関口《ポルティコ》ではじまったために、ぼくはそこから捜査をはじめることにした。

警官は世界をほかの人々と同じようには見ていない。警官かどうかはその人物が部屋を見まわすやり方から簡単にいい当てられる。冷たい、疑わしげな凝視から、何を探せばいいかわかっている者にはすぐに見分けがつく。奇妙なことに、人はそういった習慣をひどくすみやかに身につけるものだ。ぼくがまだ見習いの警官として働きだして一カ月しかたっていないころ、両親のフラットに戻ったぼくは、たとえ父親が麻薬中毒者だとすでにわかっていなかったとしても、玄関のドアを入った瞬間にその事実を目にとめていたろう。うちの母親が極度の掃除好きだということは知っておいてもらわないといけない――うちのリヴィングのカーペットからでも、じかに食べられるくらいだ――が、それでもしるしはすべてそこにある。何を探せばいいのかわかってさえいれば。

ウェスティギアもそれと同じようなものになっていた。教会の玄関口の壁をなしている石灰岩のブロック石に手をあてると、鋭い感覚、冷たくてぼんやりした存在感、鼻孔に感じとれたサンダルウッドかもしれないにおいはいつもと同じだった――今はただ、警官が通りから情報を読みとるように、それが意味するものをうすうすわかっているというだけのことだ。それにぼくは、この感覚がもっと強まるものと予想していた。この前、石に触れてみたときのことを思い起こそうとしてみた。印象は同じだろうか？

　ぼくは誰も見ていないことを確認した。

「ニコラス」と壁に向かって呼びかける。「そこにいるのかい？」

　ぼくは手のひらに何かを、振動のようなものを感じた。遠くから地下鉄がやってくるときのようだった。トビーがクーンと鳴いて、あわてて後ろにさがり、敷石にかぎ爪をすべらせた。ぼく自身もあとずさるよりも先に、ニコラスの青白く透けた顔が目の前にあらわれた。

「助けて」彼がもらした。

「どうしたんだ？」とぼくが尋ねる。

「あいつが、あたしをむさぼってるんでさ」

　そういうなり、ニコラスの顔は壁に呑みこまれて消えた。

　一瞬、ぼくは後頭部を奇妙に引かれるような衝撃を受け、背後に身をのけぞらせた。トビーが一度吠え、くるりと背を向けるなり、ラッセル・スクウェアの方向にとび出していった。ぼくは背中から床に激しくぶつかって倒れ、あまりの痛みに、しばらく寝ころがったまま自分がひどく愚かなように感じていたが、やがて立ち上がった。慎重に教会の壁に近づいていって、もう一度おそるおそる石に手のひらをつけてみた。

　冷たくてざらざらしていたが、それ以外は何も感じなかった。まるであのヴァンパイアの家でのときと同じように、ウェスティギアが石から吸いとられてしまったかのようだった。ぼくは手を引き離してあとずさった。広場は暗く、しんとしていた。ぼくは背を向けるなり大股で夜の中へと戻りだし、歩きまわりながらトビーを探した。

トビーは愚壮館《ザ・フォリー》まで駆け戻っていた。彼がモリーの膝の上で身をまるくしているのをみつけた。彼女は犬をやさしく撫でてやりながら、ぼくにきつい視線を向けた。

「トビーは危険に立ち向かうはずだったんだ」ぼくは弁解した。「その場にとどまっていれば、役に立てたはずなんだ」

捜査中の事件があるからといって、練習を免除されるわけではなかった。ぼくはナイティンゲールに、火の玉を飛ばす呪文を見せてくれとせがんだ。驚くべきことでもないが、それはルクスと、それをあちこち動かすイアクトゥスを組み合わせた変形だった。ようやくぼくが手を焦がさずに最初の部分をこなせるとナイティンゲールが納得すると、ぼくらは練習のために地下の射撃訓練場へと降りていった。

そのときまで、ここに射撃訓練場があると知っていたわけではない。裏の階段を降りきって右に行く代わりに左に折れ、ずっと石炭置き場だとばかり思っていた、補強された両開きの扉をくぐると、長さが五十メートルほどもある部屋に入りこむことになる。片方の端には砂袋が積み上がって壁をなし、反対側には金属製のロッカーが並んでいた。ヴィンテージもののの鉄のヘルメットが釘《ペグ》にずらりと掛けてあって、その下にはカーキ色のガスマスクの収納ケースが並んでいる。壁にはポスターが一枚貼ってあった。血のように赤い背景に白い文字でこう書かれている。「冷静に戦い続けよ」（Keep Calm And Carry On. は第二次世界大戦中にイギリス政府が国民の士気を高める目的で作成した宣伝ポスターの文句）と。いいアドヴァイスだとぼくは思った。標的側には人型の段ボールが積み上がり、年季がはいってギザギザになっていたものの、石炭入れをひっくり返したような形をしたヘルメットと銃剣からドイツ兵だと判別がついた。ナイティンゲールに指示されたとおりそれらの人型をずらりと砂袋に立てかけ、射撃用のラインに駆け戻った。練習をはじめる前に、新品の携帯電話をポケットに入れていないことを確認した。

「注意して見ているんだぞ」ナイティンゲールがそういって勢いよく手を振って伸ばすと、閃光がはしって、シーツを裂くような音とともに、一番左の標的が炎に包まれてバラバラになった。

興奮した拍手の音を聞きつけて振り返ると、モリーが喜んでかん高い声をあげ、サーカスを見物する小さな女の子のようにつま先立ってのぞきこんでいるのが見えた。

「ラテン語を発しませんでしたね」ぼくは指摘した。

「これは黙ったままで練習するんだ、最初からな。この呪文は武器だ。これの目的はただひとつ、相手を殺傷することにある。これを習得したら、きみはほかの武装警官と同じ義務を負う。それゆえ、現行の小火器使用時のガイドラインに親しんでおくようすすめておこう」

モリーがあくびをもらし、やけに大きく開く口を手でふさいで隠した。ナイティンゲールは彼女に平然とした視線を向けた。「彼は人間の世界で生きていかないといけないんだ」

モリーは、どっちでもかまわないけど、というように肩をすくめた。

ナイティンゲールがもう一度、四分の一のスピードで実演して見せ、ぼくもそれにならおうとしてみた。火の玉は以前から練習してきたが、そこにイアクトゥスを組み合わせるとなると、リンゴのときとは違ってすべりやすく、手がかりがまるでないかのようだった。さっき目にしたとおり大げさなしぐさで腕を振ると、ぼくの火の玉はゆるやかに射撃場の長さをただよっていって、標的に小さな穴を開け、玉そのものは背後の砂袋にめりこんだ。

「玉を解放しないといけない、ピーター。でないと、炎は消えないぞ」

ぼくが火の玉を解放すると、標的の裏側でくぐもったボンッという音がした。天井に向かって煙の細い条《すじ》が巻き上がっていく。背後でモリーが忍び笑いをもらした。

ぼくらは一時間ほど練習をつづけ、終わりのころには火の玉を、花粉の分け前をみつけたマルハナバチのように目のくらむほどの猛スピードで飛ばすことができるようになり、つかのまの心地よい眺めを楽しんだ。

午前の紅茶の休憩をとりながら、ぼくはニコラスを救出するというアイデアを切り出した──〝何か〟が彼を〝むさぼった〟あとで、救出すべき何かが残っていると仮定しての話だが。

「ポリドリは幽霊を召喚する呪文について言及してます」ぼくはいった。「それを使えばうまくいくでしょうか？」

「呪文というよりは、儀式だな」

ぼくらを圧倒するほどの量の食事をモリーが出さないようにする試みとして、ぼくらはキッチンでお茶を飲むことにした。朝食室でいつも六つのテーブルを準備する必要がなければ、二人ぶんの量を出されるだけですむのではないかという狙いだった。その試みはうまくいったが、それでもたっぷり二人ぶんはあった。

「どう違うんですか？」

「きみはそうした質問ばかり尋ねてくるな。まだあと一年ぐらいは考えるべきでないようなことを」

「基本的なことだけお願いします――《ジャカノリー》版《ヴァージョン》（英国のBBCで六〇年代から放送されてきた、物語を子どもに優しく語り聞かせるテレビ番組）で」

「呪文というのは、ある影響を獲得するためにつづける一連のフォルマのことで、儀式というのは、この言葉本来の使われ方そのままだ。順序どおりにフォルマを用意して、その手順を進めやすくするために特定の道具をもちいた儀式をおこなう。そういうのは十八世紀初頭からおこなわれてきた古い呪文であることが多い」

「その儀式の部分は重要なんですか？」

「正直いって、わたしにもよくわからん。そういう呪文はあまり頻繁に使われるわけでもない。そうでなければ、一九〇〇年代までに改良されていたろう」

「どうやるのか見せてもらえますか？」ぼくは頼んだ。ぼくがティーケーキにバターを塗るのを目ざとく見つけたトビーが、注意ぶかく待つようにおすわりの体勢をとった。ぼくはケーキを少しちぎって、トビーにくれてやった。

「ほかにも問題がある」とナイティンゲールがいった。「儀式を成立させるには、当然ながら動物の生《い》け贄《にえ》が必要になる」

「ええと、トビーは元気でまるまると太ってるように見えますね」

「現代の社会はそういった行為に眉をひそめがちなものだ、とりわけ現代の教会は。偶然にも、われわれはその敷地内で儀式を実行しないといけない」

「生け贄はなんのためなんですか？」

「バーソロミューによれば、死の瞬間には動物に本来備わっている魔術の力を幽霊に〝食べ〟させることが可能になり、物質界に連れ戻す助けになる」

「つまり、動物の命を魔術的な燃料として使うというわけですか？」

「そのとおり」

「人間を生け贄にすることもできるんですか？」ぼくは尋ねた。「人の魔術をそういうふうに使うことも？」

「できるとも。だが、そこには陥穽《かんせい》がある」

「陥穽とは？」

「そのときは地の果てまでも追いかけられて、即座に処刑される」

追いかけて処刑する役目のために、誰が呼ばれるのかは訊かずにおくことにした。

トビーが吠えて、もっとソーセージを要求した。

「魔術のみなもとが必要なだけなら」ぼくはいった。「可能な代替物を用意できると思いますよ」

バーソロミューによると、幽霊の墓がある場所に近ければ近いほど効果が高いらしく、そのためぼくは数時間かけて教区記録を調べ、一方のナイティンゲールは、ぼくらが墓場荒らしの逮捕に関心を寄せているといって教区牧師を説得した。そこはとてもふう変わりな教会で、じつに巨大な四角い石造りのがらんとした建物は、イニゴー・ジョーンズの設計によるものだった。東側の玄関口、ぼくがはじめてニコラス・ウォールペニーに出会った場所は、偽物《フェイク》の飾りだ——実際の入口は教会の西の端にあって、境内に通じている。境内は庭園につくり変えられていた。アクセスはベドフォード・ストリート側の高い錬鉄の両開き門からになる。ナイティンゲールはうまく教区牧師に話をつけて鍵を貸してもらっていた。

「あなたがたが張りこみをするおつもりなら」と教区牧師はいった。「今夜はわたしもここにとどまるべきではありませんか、念のために？」

「われわれとしては、連中があなたをつけ狙っているのではないかと心配しているのです」ナイティンゲールがいった。「連中には、あたりに邪魔者はいないと考えさせておいて、われわれが現場をおさえられるようにしたいのです」

「わたしは身の危険があるんでしょうか？」教区牧師は尋ねた。

ナイティンゲールは相手の目をじっと見つめていった。「今夜、教会内にとどまった場合にはそうなります」

煉瓦壁の裏側や、広場のほかの部分と同じ時代に建てられたテラスハウスの鎧戸が閉まった窓によって、教会内の庭は三方を囲まれている。車の喧噪から遮断され、この庭は教会の本物の玄関口に見守られつつ穏やかな緑の空間をかたちづくっていた。桜の木は五月の日射しを浴びて淡いピンク色の花を咲かせ、道に沿って並んでいる。ここはナイティンゲールがいったとおり、まさしくロンドンでもっとも美しい場所のひとつだった。真夜中にまた戻ってきて、死者を呼び起こす儀式にとりかからないといけないのはじつに残念だった。

教区の埋葬記録は不完全なもので、ぼくが調べられたかぎりでは、ウォールペニーの墓のおおまかな位置は北側の庭の真ん中あたりだった。ニコラスはナイティンゲールがそばにいるときに姿をあらわすのを嫌っていたから、彼にはベドフォード・ストリートの門のそばに立っていてもらうことになった。叫べばすぐに助けを求められる距離のところに。

真夜中をちょうどまわったころにぼくが入っていくと、まだときおり鳥がさえずっていた。晴れた晩だったが、霞《かすみ》ごしに星は見てとれない。門を閉めるときに触れた鉄柵は冷たかった。ぼくは墓地をめざした。ヘッドバンドつきのキャンプ用トーチをつけていた。その光のもとで、標準支給の警察手帳に書きこんでおいたアンチョコを読みなおす。

このやわらかなスポンジ状のふわふわした芝生に五芒星《ペンタグラム》を描くには掘削機《バックホー》でもないと不可能だし、どのみちこれほどきれいな芝生をめちゃくちゃに破壊するつもりなどなかった。代わりに麻布の袋の片隅に穴をあけてお菓子のクリームをしぼる袋のように使い、細かく砕いた木炭の粉で星と円を描いていった。くっきりと太く線を描く。霊を召喚するときにペンタグラムを壊してしまうことの危険性について、ポリドリはかなりはっきりと言及していたからだ。自分の魂を引き出されて、悲鳴をあげながら地獄に落ちていくというのはほんの序章にすぎない。

ペンタグラムの主要な角に計算機を置いていった。この代用品がうまくはたらかないときの用心に、トビーをいっしょに連れてこようと考えていたものの、愚壮館《ザ・フォリー》を離れるときになって肝心な犬はどこにもみつからなかった。近所のキャンプ用品店で手に入れたスティック状のケミカル・ライトの束を取り出して折り、アンチョコがロウソクを置くようにと要求しているとおりの場所に置いた。施術師は——この場合、ぼくのことだが——自身の精髄《エッセンス》を少し分け与えることになっている。これは十八世紀後半の魔術的な言いまわしで、ペンタグラムのまわりの円に〝いくらか魔術を注ぎこむ〟ことを意味している。この目的のためだけにつくられた特定のフォルマもあるのだが、ぼくは習得する時間がなかった——その代わりとして、円の中心に単にワーライトをつくり出してはどうかとナイティンゲールが知恵を貸してくれた。

ぼくは深呼吸をして、ワーライトをつくり出すと、ペンタグラムの中心に浮かべた。光を調節し、手帳に書いておいた呪文を読み上げていく。原本は手書きで四ページにもわたっていたが、ナイティンゲールの助けを借りてかなり削ることができた。

「ニコラス・ウォールペニー」ぼくは呼びかけた。「わが呼び声を聞き、わが贈り物を受け取るがいい。死から起き上がり、声を交わそうぞ」

するど、唐突に彼がその場にあらわれた。いつものとおり、姿は揺らいで見える。

「最初に目にしたときから、あんたが特別だってことはわかってましたよ」彼はいった。

「あんたの大将《ガヴァナー》はそばにおらんでしょうな?」

「向こうにいるよ」ぼくはいった。「門の向こうに」

「あの人をあそこから動かさないように」ニコラスはいった。「人殺しの紳士について、あたしのいったとおりだったでしょう?」

「あれはプルチネッラの霊のしわざだった、そうわれわれは考えてる」

「誰ですって? ミスター・パンチのことですかい? あんたは飲み過ぎたようですな。酒飲みどものところにでも行くがいい」

「昨日の晩、きみは助けを求めてたね」

「あたしが?」とニコラス。「だとしたら、あたしは吹かし屋《ブロウアー》のどうしようもないクズってことになりますぜ。今まで誰にも、このニコラス・ウォールペニーが仲間《ダチ》を刑事《デカ》に売り渡したなんていわせたことはありゃしません。懲らしめ人《パニッシャー》から訪問でも受けないかぎりはね」彼はぼくに意味ありげな視線を向けた。〝ブロウアー〟というのはロンドンの古いスラングで情報屋のことを意味し、〝パニッシャー〟というのは同じくスラングで人を痛めつけるために雇われた連中をさす——推《お》しはかるに、情報を〝もらし《ブロウ》〟たために。

「そりゃよかった」ぼくはいった。「どんな具合かな……死んでるっていうのは?」

「結構なもんです」ニコラスはいった。「文句はいえませんや。昔よりは、確実に混みあってませんしね。ここは〝俳優の教会《アクターズ・チャーチ》〟でもありますから、夕べの楽しみにゃ事《こと》欠きませんし。この前あたしらのさらなる教化のために、ときどき芸人を招待したりもしてるんですから。この前は、かの有名なヘンリー・パイクも来ました――Yのはいったほうの Pyke ですがね――ほら、彼はじつに特別な人です。長い鼻のおかげでご婦人がたに大人気でしてね」

ぼくはニコラスの顔つきがどうも気にかかった。張りつめた表情で、不安げで、滝のように汗をかいていてもおかしくなかった、もしまだ汗をかける身体があれば。ぼくは退散しようかとも考えたが、情報屋というのは、生きているにしても死んでいるにしても、必要なときに利用するために存在しているのだという厳然とした事実がある。

「その……ヘンリー・パイクとやら、彼は長期公演《ロング・ラン》の予定なのかな？」

「彼は劇場ごと買いとった、といってもいいでしょうな」とニコラス。

「そりゃよかった。ぼくもショーを目にする機会はあるかな？」

「さて、巡査さん、あたしがあんたなら、くそったれに金を払うことにそんなに熱心になりゃしませんがね。ミスター・パイクは奇妙なほど共演者に厳しいときがありましてね。それに、彼はあんたにも役割を用意してあるといっておきましょう」

「だとしても、会ってみるのは悪くな……」ぼくはそういいかけたが、いきなりニコラスの姿が消えた。

ペンタグラムの中はからっぽで、ぼくのワーライトだけが真ん中で燃えていた。ぼくがそれを消そうとする間もなく、何かがぼくの頭をつかんで身体ごとペンタグラムの中に引きずりこもうとした。ぼくはパニックを起こし、必死に引っぱって身体をよじり、のがれようとした。ペンタグラムの中に足を踏み入れないようにとナイティンゲールが強調していたし、そのわけを確かめてみようというつもりはさらさらなかった。ぼくはぐいっと頭を引き戻したが、踵《かかと》で芝生を削りとりながら前に引きずられていくのを感じた——ペンタグラムのほうへと。

そのとき、それを目にした。ぼくのワーライトの下、ペンタグラムの中心に、洞窟の入口のような黒い影が地面をえぐってぽっかりと開いていた。芝の根や、ミミズが必死にわきの土にもぐりこもうとするのが見えた。表土とロンドン粘土層が闇にとび散って消えていく。

ほとんどふちまで引きずられかけたとき、ぼくを引っぱっているこの何かはぼく自身の呪文にはたらきかけているのだということに気づいた。ワーライトを消そうとしたがうまくいかず、今や陰気な黄色にぎらついていた。肩をあまりに後方に引き戻したせいで、ぼくの身体は実質的に水平に寝ころがるような体勢になり、それでも踵は地面にうねを刻みながら前に引きずられていった。

ナイティンゲールが叫ぶ声が聞こえ、振り返ってみると、彼が全速力で駆けてくるのが見えた。間にあわないのではないかという恐ろしい思いがよぎった。ぼくは必死にもうひとつだけ試してみた。忘却のかなたへと引きずられかけている状況で精神を集中させるのは簡単なことではなかったが、無理にも深呼吸を一度して、正しいフォルマをかたちづくった。

いきなり、ワーライトが炎のように赤々と燃えだした。ぼくは頭の中で形をつくり、魔術に注ぎこまれるように願ったが、うまくいったのかどうかはっきりとはわからなかった。ぼくの踵はペンタグラムのふちまで土を掘り返して接近していた。ぼくはあふれんばかりの興奮を感じた。暴力への渇望と、海のように広大な恥辱と復讐への欲望を。

ぼくは火の玉を五十センチ落として解放した。

がっかりするくらいかすかに、ドスンという音がした。重たい辞書を落としたときのような音だった。そうして足もとの地面が盛り上がり、ぼくは背後にはじき飛ばされた。後方の桜の枝にぶつかり、土のかたまりがトンネルを抜け出る貨物列車のように勢いよく噴き上がるのがちらっと見えた。そうしてぼくは木からころげ落ちて、地面に強く打ちつけられた。

桜の花びらや土のかたまりがなおもぼくらのまわりで降りそそぐなか、ナイティンゲールがぼくの襟首をつかんで引きずってさらにペンタグラムから離れた。大きな土のかたまりがぼくの頭に落ちてきて砕け、襟首から服の中にまで入りこんだ。

そうして、静寂が広がった。遠くの車の音や、近くで防犯ブザーが鳴り出した音だけが響いた。ぼくらは息を整えるあいだ、三十秒ほどそのままじっとしていた。ほかに何かまずいことが起こったときの用心のために。

「あのですね」ぼくはいった。「名前がわかりました」

「きみの頭がまだちゃんとついているだけでも、くそったれに運がよかったんだぞ」ナイティンゲールがいった。「名前とは？」

「ヘンリー・パイクです」

「聞いたことがないな」

予想のつくとおり、ヘッドバンドのトーチは壊れてしまっていたから、ナイティンゲールが危険を冒してワーライトをつくった。地面に穴が開いたところは、今や差し渡し三メートルほどのすり鉢状の浅いくぼみになっていた。庭は台なしで、ずたずたになった芝と砕けた土とが挽きつぶされて混じりあっていた。ぼくの足もとに、何か丸くて汚れた白っぽいものがころがっていた。頭蓋骨だった。ぼくはそれを拾い上げた。

「きみなのか、ニコラス？」

「それをおろすんだ、ピーター」とナイティンゲール。「それがどこにあったのか、知れたもんじゃない」彼はぼくらが台なしにした庭をざっと見まわした。「教区牧師はこれを喜びはしまいな」

ぼくは頭蓋骨をおろし、そのとき、別の何かが地面に埋もれているのに気づいた。踊る骸骨を描いた白鑞《しろめ》のバッジだった。ニコラス・ウォールペニーが襟に〝つけて〟いたものだ。彼はこれといっしょに埋葬されたに違いない。

「ぼくらは墓荒らしを追っていると説明したんですよね」

バッジを拾い上げると、ほんのかすかにタバコの煙と、ビールと馬のにおいがわき起こった。

「おそらくな」とナイティンゲール。「だが、彼がその説明を受け入れるとは思いがたい」

「ガスがもれた、とか？」

「教会の真下にガスの本管は通っていない。かえって疑いはじめるかもしれないぞ」

「ガスもれの話は不発弾を掘り出すための口実だといっておけば、大丈夫でしょう」

「不発弾《UXB》？」とナイティンゲール。「なぜ問題をいっそう複雑にするんだ？」

「なぜなら、そうすれば掘削機を持ちこんで周囲をもっとかきまわせるからですよ。このヘンリー・パイクとやらの骨を掘り起こして、墓の土もろとも粉々に砕くことができないかやってみましょう」

「きみは狡猾な頭脳の持ち主だな、ピーター」

「お褒《ほ》めにあずかり光栄です。ぼくにできるかぎり最善を尽くしていますんで」

狡猾な頭脳のほかに、ぼくは背中にディナー・プレート大のあざをこしらえ、胸や足にもいくつかくっきりと模様が残っていた。救急救命室《A&E》で診てもらった医者には、立木と喧嘩しまして、といっておいた。医者は不審そうな顔をして、ニューロフェン以上に強い痛み止めは処方してくれなかった。

こうして、ぼくたちはひとつの名前を得た――ヘンリー・パイク。ニコラスは、パイクが〝俳優の教会《アクターズ・チャーチ》〟に埋葬されてはいないとほのめかしていたが、念のために記録を確認してみた。ナイティンゲールはサウスポートの総合登記所に電話で問いあわせ、ぼくは〝ジーンプール〟や〝ファミリートレイス〟やその他のオンラインの系図学サイトをあたってパイク姓について探しまわった。どちらも成果はあまりかんばしいものでなく、パイクというのはごく一般的な姓で、カリフォルニアやミシガン、ニューヨークの諸州で妙に数が多いとわかった程度だった。ぼくらは馬車置き場で作戦会議を開いたから、ぼくはインターネットを使いつづけることができたし、ナイティンゲールはラグビーを観戦できた。

「彼はエンターテイナーだってニコラスがいってました」ぼくはいった。「もしかしたら、パンチ・アンド・ジュディの語り手、〝プロフェッサー〟だったのかも。ピッチーニの戯曲は一八二七年に刊行されたんですが、パイクは古い霊だとニコラスがいってましたから、十八世紀後半か十九世紀初頭でしょう。ですが、その時代の記録は役に立ちませんでした」

ナイティンゲールはオール・ブラックスがブリティッシュ・アンド・アイリッシュ・ライオンズのフルバックを真っ向から踏み倒して得点するのを黙って眺めていた。彼のうかない顔からして、勝利の見こみはかなり厳しそうだ。

「その時代に熱心に劇場通いをしていた誰かと話ができるといいかもしれないな」彼はいった。

「さらに幽霊を召喚するのをお望みですか？」

「今なお生きている誰かのことを考えているんだ、いうなれば」

「オクスリーですか？」

「それと、彼の愛しい内縁の妻、イシス、またの名をアンナ・マリア・デ・バーグ・コピンジャー、第四代サンドイッチ伯爵ジョン・モンタギューの愛妾、そして高名なシェイクスピア学者ヘンリー・アイアランドの同棲相手。彼女は涙のヴェールを一八〇二年に脱ぎ捨てた。推測するに、チャーツィーの青い芝生を求めて」

「チャーツィー？」

「オクスリー川の流れている場所だ」彼はいった。


またオクスリーに会うことになるとすれば、一石二鳥かもしれないとぼくは考えた。そこでビヴァリーの防水仕様の携帯電話にかけて、いっしょに野外調査に行く気はないかと訊いてみた。彼女の母親からの禁令がなおも有効である場合に備えて、これはファーザー・テムズに〝対処する〟助けになるものだと説明するつもりだったが、その必要はなかった。

「ジャガーで行くの？」ビヴァリーが訊いてきた。「悪気《わるぎ》があっていうんじゃないけど、あんたのあの車はにおうから」

だったらそうしよう、とぼくがいうと、十五分後には彼女がインターフォンを鳴らしていた。明らかにその前からウェスト・エンド界隈《かいわい》をぶらついていたのだろう。

「ママがあたしにいろいろ嗅ぎまわらせてるの」彼女はジャガーに乗りこみながらいった。

「あんたのいうレヴナントを捜してやりなさいって」彼女は赤のロールネックのセーターと黒のレギンスの上に、刺繍《ししゅう》が入った黒のボレロを羽織っていた。

「レヴナントを目にしたら、それとわかるのかい？」

「さあ、どうかな。何事にも、はじめての経験はあるもんでしょ」

ぼくとしては彼女の長い脚がダッシュボードの下に折りたたまれるのをずっと見ていたかったが、気温はすでに充分なくらい上がっている。うちの父親が、かつてぼくにいって聞かせたことがあった。しあわせな人生を送る秘訣は、その先どうなろうといっしょにやっていくつもりがないのなら、女の子と何かはじめるものじゃない、と。父親がこれまでにくれた最良の助言だったし、たぶんそのおかげでぼくが生まれたのだろう。ぼくはジャガーをガレージから出すことに気持ちを集中させ、南西へ、そしてまたしても川の向こう側へと進路を定めた。

紀元六七一年、今はチャーツィーと呼ばれているテムズ川南岸の高台に修道院が建立された。典型的なアングロ＝サクソンの居留地で、なかばは学びの中心地、なかばは経済の集積地、そして人生には剣で人を突き刺す以外の生き方もあると考えた貴族の子息たちの避難所にもなった。それから二百年後、人を剣で突き刺すことに少しも飽《あ》くことのないヴァイキングたちがやってきて修道院を襲い、焼きはらった。修道院は再建されたが、居住者たちは平和王エドガーを怒らせるようなことを何かしたに違いない。というのも、紀元九六四年に王は彼らを追い出し、代わりにベネディクト会修道士たちに与えたのだから。この会派の修道士は瞑想と祈りとじつに大量の食事のある生活を信奉し、そして食べることを好むがゆえに、開墾可能な土地の広がりを目の前にして改良せずにはいられなかった。そうした改良事業のひとつが、十一世紀ごろの、粉挽《こなひ》き用の水車の水力を供給するためにペントン・フックからチャーツィー・ウィアまでテムズ川に別の水路を掘ったことだ。彼らが〝掘った〟といっても、もちろん重労働をさせるためには農夫を調達したのだが。テムズ川のこの人工的につくられた支流は地図上にアビー川と記されているが、かつてはオクスリー・ミルズ・ストリームという名で知られていた。

ぼくらがどこに向かっているのかをビヴァリーには話していなかったが、クロックハウス環状交差路《ラウンダバウト》をまわってロンドン・ロードを輝けるステインズ貯水池のほうに向かいだすなり、行き先を見てとったらしい。

「この先には行けないよ」彼女はいった。「縄張りをはずれてるから」

「まあ落ちつけよ。これは認可されてるんだ」

ロンドンで生まれ育ったというのに、一度も目にしたことのない大きな街の広がりがあるというのは奇妙なものだった。ステインズもそのひとつだった。もっとも、行政上の厳密な区分ではロンドンの一部ではないし、建物はどれも低くて田舎じみて見えた。ステインズ橋を渡ると、これといって特徴のない道が高い生け垣や塀で両側の視界をさえぎるようになった。環状交差路に近づくと速度を落とし、そしてカーナビに投資しておけばよかったと今さらながらに後悔した。

「左に行って」とビヴァリーがいった。

「どうして？」

「〝老人〟の息子の一人を探してるんでしょ？」

「オクスリーだ」

「なら、左に行って」彼女は絶対的な確信をこめていった。

人に方向を指図されながら運転しているとよくそうなるように、ぼくは奇妙に方向感覚を失いかけながらも環状交差路の最初の出口から出た。左手にマリーナが見えた——ずらりと並んだ白と青のクルーザーが上下に揺れ、ときおりロングボートが単調さを破っている。

「あれかな?」ぼくは訊いた。

「ばかいわないでよ。あれはテムズ川に決まってるでしょ。まっすぐ行って」

これがオクスリーだとビヴァリーが断言した川の上に架かっている現代的な短い橋を渡ると、奇妙に小さな環状交差路に達した。まるで小さな人たち《マンチキン》の国に入りこんでしまったかのようで、このへんは小さな通りにピンクの化粧漆喰《しっくい》で塗ったバンガローが並んでいる。ぼくらは右に曲がり、川と並行に走りだした。小さな人間が道の真ん中にとび出してきた場合の用心に、ぼくはゆっくりと運転し、いつしか鼻歌をうたいはじめた。

「そこ」とビヴァリーにいわれ、ぼくは車を停めた。ぼくが車を降りても、彼女は車内にとどまっていた。「いいアイデアじゃないと思う」

「本当に彼らはいい人たちなんだよ」

「とっても洗練されてたりしてるってことはわかってるけど。タイはこれを気に入らないだろうから」

「ビヴァリー、きみのママが、ぼくに問題を片づけるようにっていったんだ。そしてぼくは、こうして問題を片づけようとしてる。きみはぼくが問題を片づけるのに協力することになる。

ただし、きみが車から降りないかぎり、そうはならない」

ビヴァリーはため息をつき、シートベルトをはずして車を降りた。伸びをして背中をそらしたから、彼女の胸が危険なくらいセーターにぴったり貼りついた。ぼくがじっと見ているのに彼女は気づき、ウィンクしてよこした。

「こわばった身体をほぐしてるだけ」彼女はいった。

イシスのバッテンバーグ・ケーキを食べるのはいい判断ではない、とナイティンゲールはいっていた。それなら、ぼくが水の精霊《ニンフ》と深い仲になるのを彼が同意するとはとうてい思えない。そのためぼくはビヴァリーの丸いヒップに目をとめたまま、プロフェッショナルらしく考えようとした。それに、いつだってレスリーがいるじゃないか、というか、より正確にいえば、いつの日かレスリーとそうなるかもしれないというかすかな希望がある。

ぼくはドアベルを鳴らし、礼儀正しく後ろに退がって待った。

イシスが中から応じる声が聞こえてきた。「どなたかしら？」

「ピーター・グラントです」

イシスはドアを開け、ぼくににっこりと笑みを投げかけた。

「ピーター、なんてうれしい驚きなんでしょ」彼女はぼくの後ろのビヴァリーに目をとめ、笑みを崩しはしなかったものの、目に警戒心がのぞいた。「それで、そちらはどなた？」

「こちらはビヴァリー・ブルック」ぼくがいった。「きちんと紹介する頃合いじゃないかと思ってね。ビヴァリー、こちらはイシスだ」

ビヴァリーが慎重に手を差し出すと、イシスがそれを握った。

「会えてうれしいわ、ビヴァリー。わたしたちは裏庭に出てのんびりしてたところなの――いっしょにいらっしゃいな」

いきなり駆けだすようなうろたえた態度はもちろん見せなかったものの、イシスは客よりも先んじて驚くべき知らせを夫に伝えようと決意した妻らしい、きびきびした足どりで廊下を進んでいった。花柄の壁紙とチンツ織りのカーテンで飾られたこぎれいな部屋をちらっと目にするうちに、ぼくらはキッチンのドアから裏庭に出た。

平屋建ての建物の裏はそのまま川辺に面していて、オクスリーは自分で木の桟橋をこしらえ、それが広い川面《かわも》に突き出ていた。立派なシダレヤナギが二本、両側に植わっていて、川の淵《ふち》を外から覆い隠している。そこは田舎の教会のようにひんやりと涼しく、時代が止まっているように感じられた。オクスリーは裸で水の中に立っていて、濁った茶色の水が太腿に打ちつけていた。彼は川の中からイシスににんまりと笑い、妻は桟橋のふちから〝お行儀よくなさい〟というようにあわてたしぐさで示していた。彼は妻のあとから出てきたぼくとビヴァリーに目を移した。

「どういうことなんだ?」オクスリーは訊いた。彼の肩がこわばるのが見えたし、そのとき太陽が雲間に隠れたことは誓ってもいい――もっとも、ただの偶然かもしれないが。

「こちらはビヴァリー・ブルック」ぼくはいった。「さあ、あいさつするんだ、ビヴァリー」

「ハロー」ビヴァリーがいった。

「もう一方の側と会ってみる頃合いだと思ってね」ぼくがいい添える。

オクスリーは落ちつかずに足を踏み替え、ぼくは背後でビヴァリーがあとずさるのを感じた。

「ねえ、すてきじゃない？」イシスがつとめて明るくいった。「みんなでおいしい紅茶でもどうかしら？」

オクスリーは何かいおうとするかのように口を開きかけ、思いなおしたらしく、妻のほうに顔を戻した。「それがいい」

ぼくはひそめていた息を吐き出し、ビヴァリーは不安げなくすくす笑いをもらしたし、それに太陽がまた顔を出した。ぼくはビヴァリーの手を取り、彼女を前にいざなった。オクスリーは肉体労働者のような身体つきで、細身でありながら固く引き締まった筋肉で覆われている――明らかにイシスは少し下の階級の男が好みらしい。

興味ぶかいことに、ビヴァリーは水のほうにより関心があるらしかった。

「いい場所だね」

「入ってみるかい？」とオクスリーがもちかける。

「うん、ぜひ」彼女はいった。

ぼくがまさしく驚愕したことに、彼女はセーターとボレロをしなやかな一連の動作で脱ぎ捨て、レギンスも脱ぐと、茶色の肌のみごとな手足をのぞかせながら、水中に跳びこんだ。

イシスとぼくはずぶ濡れになるのを避けてすばやく後ろに退がらないといけなかった。オクスリーはぼくにウィンクをして、妻のほうを向いた。「きみも入ってくるかい、イシス？」

「もう一人お客様がいるのよ」イシスはそっけなくいった。「わたしたちのなかには、まだマナーをわきまえている者もいるんですから」

ビヴァリーが水面に浮かび上がり、腰まで水に浸《つ》かりながら立った。生意気なにんまりした笑みと、剝き出しになった乳房をのぞかせている。彼女の乳首が大きく固くなっているとにぼくは気づかずにいられなかった。彼女はぼくに視線を移し、とろんとした視線で誘うように見た。彼女の母親が海の引き波のようだとすれば、ビヴァリーには暑い夏の午後に勢いよく流れていく清流のようなあらがいがたさがあった。

ぼくはすでにシャツのボタンをはずしはじめていたが、イシスの手が腕に触れるのを感じた。

「あなたはどうしようもなくだまされやすい男の子ね」彼女はいった。「あなたのことを、いったいどうしたらいいのかしら？」

オクスリーが水中にもぐった。ビヴァリーは首をかしげてぼくを見て、小ずるい笑みを唇に浮かべ、そして彼女も水中にもぐっていった。

イシスはプラスチックのガーデン・テーブルの椅子をぼくにすすめ、そして小声で何かつぶやきながら、ビヴァリーが脱ぎ捨てた服を集めてきれいにたたみ、裏庭のドアのそばの物干し用レールにふわりとかけた。オクスリーとビヴァリーは一分以上も水中から姿をあらわさなかった。ぼくはイシスの顔をうかがったが、彼女は気にしてもいないらしい。

「二人は少なくとも、あと半時間は戻ってこないでしょうから」

彼女はそういって、紅茶を淹《い》れてくれた。彼女が用意しているあいだ、ぼくは水面に気をつけていたが、泡さえも立っていない。二人は淵の外まで泳ぎ出て、木の向こう側のどこかで浮かび上がったに違いないといって聞かせたものの、自分自身にさえもあまりうまく信じこませることはできなかった。イシスは経験からくる安心をぼくに与え、紅茶を注いで、マデイラ・ケーキをひと切れすすめた——ぼくは感謝しつつも遠慮しておいた。彼女に、ヘンリー・パイクという男を知っているかと尋ねた。彼女はその名に聞き覚えがあるようだった。

「それと同じ名前の俳優がいたことははっきり覚えてるわ。だけれど、いつだってたくさんの俳優が、たくさんの美しい男性がいたから。わたしのよいお友だちだったアン・シーモアは、混血《ムラート》（カリブ海諸島や中南米でかつて使用されていた言葉で、白人と黒人のあいだの子孫のこと）の下男を抱えていたの、あなたの兄弟といってもいいくらいよ。彼はキッチン・メイドにとっての性的脅威だったわ」彼女は身を乗り出して、ぼくの目をのぞきこんだ。「あなたもキッチン・メイドにとっての性的脅威なのかしら、ピーター？」

ぼくはモリーのことを考えてみた。「そんなことはないというほかないね」

「そうね、わたしには見てとれる」彼女はそういって、椅子の背にもたれなおした。「彼は殺されたわ」とだしぬけにいった。

「ヘンリー・パイクよ。または、そういう噂だった。悪名高いチャールズ・マックリンのさらなる犠牲者として」

「それはいったい誰なんです？」

「誰よりも恐ろしいアイルランド人」とイシスはいった。「だけれど、すばらしい役者だった。その前にも一度、彼はシアター・ロイヤルで、かつらをめぐって役者仲間を殺してる。相手の目を杖で突いて」

「そりゃすごい」

「あのアイルランド人の気性でしょ、ほら」

マックリンは若くして役者として成功し、絶頂期に引退して酒場の経営をはじめたものの、商売はすぐに傾いた。舞台の上に戻らざるをえなくなった彼は、シアター・ロイヤルでつねに人気を誇ってきた座付きの役者だった。

「あそこではみんな、彼を愛していたわ」イシスはいった。「あそこのオーケストラ席のすぐ後ろにある一階席に彼のお気に入りの場所があって、いつでもそこで彼をみつけることができた。アンがよく彼を指さして教えてくれたのを覚えてるわ」

「そして、その彼がヘンリー・パイクを殺した？」

「その下男が？」

「噂によるとそうみたい。その一方で、彼は殺してないって証言した目撃者が六人はいたけれど」

「その目撃者たちはマックリンの友人だった？」

「それと、崇拝者もね」

「ヘンリー・パイクがどこに埋葬されたのか知らないかな？」

「ごめんなさいね、あの当時はちょっとしたスキャンダルになってたのに。もっとも、たぶんセント・ポールだと思うけれど。だって、あそこそはふさわしい教区だもの」

彼女がいったのはコヴェント・ガーデンのセント・ポール教会のことだ、もちろん――〝俳優の教会《アクターズ・チャーチ》〟だ。すべてがあのいまいましい一点に集まっている。

パシャッと水のはねる音がして、ビヴァリーが桟橋に駆け上がってきた。まるで水中に隠れた階段があるかのようだった。肌の色の濃いつやつやした裸体はアザラシのようで、もしこの瞬間にぼくの耳のすぐ後ろで誰かがショットガンを撃ったとしても、ぼくは振り向きもしなかったろう。彼女は川を振り返り、子どものように何度も跳びはねていた。

「あたしの勝ちだよね」彼女がいった。

オクスリーが、裸の白人中年男性に期待できるかぎり威厳のある態度で川から出てきた。

「ただのビギナーズ・ラックだ」彼はいった。

ビヴァリーはぼくの隣の椅子にすとんとすわりこんだ。彼女の目は明るくきらきらして、水滴が腕や肩のなめらかな肌や、そして胸のふくらみに真珠色の光沢《こうたく》をちりばめている。ビヴァリーがぼくににっこりしたから、ぼくはなんとか彼女の顔に視線をとどめるようにした。オクスリーがぺたぺたと足音をたてて近づいてきて向かいの椅子に腰をおろすと、なんの前置きもなしに、イシスのきつい視線も無視して、マデイラ・ケーキをひと切れつまみ上げた。

「泳ぎを満喫してきたかい？」ぼくは尋ねた。

「水の中には、あんたがきっと信じられないようなものまであるんだよ、ピーター」とビヴァリーがいった。

「髪が濡れてるぞ」

ビヴァリーはストレート・パーマをかけている自分の髪に触れた。髪の毛は縮れかけている。ぼくがじっと見つめつづけるうちに、彼女は自分がまったくの裸であることを急に思い出したらしい。

「おお、くそっ」といって、あわてた視線をイシスに向けた。「ごめんなさい」

「バスルームにタオルがあるわよ」とイシスがいった。

「じゃ、またあとでね」ビヴァリーはそういい残し、裏口に駆けこんでいった。

オクスリーは笑って、またひと切れケーキを取った。その手をイシスがぴしゃりと叩く。

「あなたも何か着てらっしゃい」彼女はいった。「ぞっとする年寄りなんだから」

オクスリーはため息をもらし、平屋建ての建物に入っていった。その後ろ姿を、イシスは愛しげに見守っていた。

「泳いだあとはいつもああなの」

「あなたもいっしょに泳ぐことは？」

「おお、もちろんよ」イシスはいって、ほんのかすかに顔を赤らめた。「だけれど、わたしはこれでもまだ川岸の生き物だから。彼らは水と陸地とのあいだでうまくバランスをとってる。わたしたちと長く過ごせば、それだけ人間らしくなって」

「それで、あなたが彼らと長く過ごすようになったら？」

「あなたもあんまりあわてて水の中には入らないことね」イシスはいった。「軽々しくしたくなるような決断じゃないから」

グレイト・ウェスト・ロードを戻る車中、ビヴァリーはずっと黙りこんだままだった。どこか途中で降ろしてやろうか、とぼくは彼女に尋ねた。

「うちまで送ってくれる？　ママに話しておく必要があるように思うから」

そこで、ぼくは街を横断してあのすばらしきワッピング地区まで運転しなくてはならず、ビヴァリーがあまりに黙りこんで口をきかずにいること自体に気が落ちつかなくなった。フラットの前で彼女を降ろしてやると、ビヴァリーはすっかり車から出る前にいったん動きを止め、気をつけてね、とぼくにいった。何に気をつけたらいいのかと訊くと、彼女は肩をすくめ、ぼくが制止するひまもないまま、ぼくの頬にキスをした。ぼくはあっけにとられたまま、車から歩いて離れていく彼女を見送っていた。セーターのふちが背中にぺったり貼りついている。そしてぼくはこう考えていた――いったい今のはなんだったんだ？

間違ってとらないでほしい。ぼくはビヴァリー・ブルックに惹かれている。が、少し疑念を抱いてもいた。その理由の少なからぬ部分は、彼女と母親がどちらとも、その気になりさえすればただのコケでさえも勃起させられそうなことにあった。百パーセント人間というわけではない者といっしょに水の中に入るのは気をつけなさい、というイシスの忠告は、ケーキの上に振りかける仕上げの砂糖衣《アイシング》でしかなかった。

愚壮館《ザ・フォリー》に戻りだすころにはラッシュアワーがはじまりかけていた。雲が垂れこめ、雨粒がフロントガラスを叩きだした。オクスリーとビヴァリーが関係をもったことははっきりと確信があった。二人が川の中で隣りあって立っているのを目にしたとき、二人はまるで……居心地がいいというのが一番ぴったりな表現だろう。または、いとこ同士のような意味で親しげだったかもしれない。ゲニイ・ロコルムの問題について英国じゅうを調べてまわることのできたバーソロミューは、一貫してこう主張している。〝自然の精霊〟は――と彼は呼んでいるのだが――つねに彼らの代表する土地の特質をいくらか帯びている、と。ファーザー・テムズもママ・テムズも同じひとつの川の精霊だ――ぼくが両者を徐々に近づけてやりさえすれば、あとは彼らの本質が自然に引き継いでくれるはずだ。

そしてもしそれが、何日かビヴァリーが川で泳ぐのを見守って過ごすことだとすれば、ぼくとしてはその代償を喜んで受け入れたい。

レスリーに連絡をとってみることを考えかけたが、代わりに車を入れてガレージに鍵をかけ、公園を渡って地下鉄のラッセル・スクウェア駅まで歩いていった。駅のそばの売店で花束を買い、これといったはっきりした理由もなく、電車でどこかに向かうため、地下に降りていった。

9　ユダの山羊《ゴート》

　ぼくはスイス・コテージ駅まで地下鉄に乗り、フィッツジョンズ・アヴェニューを四分の一ほどのぼっていくうちに、自分が何をしているのかと疑問に思いはじめた。単に車を捨てて公共機関に乗り換えただけではない。地下鉄でそのままハムステッドまで行って丘をくだればいいところを、ロンドンで一番けわしいといってもいい丘を歩いてのぼっていることになる。まだ空は明るく、午後の日射しが通りの並木の隙間から射しこんでいた。ぼくが手にしている花はバラだ。紫の変種で色がとても濃いため、ほとんど黒といってもいいくらいだった。誰のためになんだろうか、とぼくはいぶかしんだ。

　かなり暖かな日だったから、ネクタイをはずしてジャケットのポケットに押しこんだ。汗だくで訪問したくはなかったから、ゆっくりと時間をかけて、歩道沿いに植えられたプラタナスの木陰《こかげ》をたどってのんびり歩いていった。今日は頭の中である曲が鳴り響いていつまでも離れず、声に出して歌わずにはいられないような日だった。今回は過去からのひと吹きで、ブロウ・モンキーズの《ディギング・ユア・シーン》だった。ぼくがまだおむつをつけていたころにリリースされた曲であるのを考えると、歌詞をすべて知っていること自体が驚きだった。〝ぼくはまた自分自身になりたいだけ〟と三番のコーラス部分まで歌ううちに、めざす場所にたどり着いた。

建物は高いゴシックふうのまぜこぜの代物で、飾りものの塔が両端についていて、サッシ窓は白くペイントされている。大理石張りの階段が威圧感のあるどっしりした正面扉へとつづいているが、ぼくはそれを無視して横手の通用門のほうに向かった——自分がどこに向かっているのかわかっていた。ジャケットの襟が曲がっていないか確認し、靴の爪先のほこりをふくらはぎの裏の部分でぬぐう。身だしなみに満足すると、門を開けて中に入った。

家の横壁ぞいにスイカズラが植わっていて、日当たりのいい広い庭へとつづく通路を甘い香りで満たしていた。きれいに刈った芝生は矩形《くけい》に区切られた花壇と接していて、サフィニア・ペチュニア、マリゴールド、チューリップが植わっている。春の花が咲き乱れた巨大なテラコッタの植木鉢ふたつに両側を守られるようにして、奥まったパティオへとくだっている階段があって、その中央には午後の日射しが噴水のまわりにたまっていた。

ぼくでさえ、これがガーデニング用の量販店や郊外の大型スーパーマーケットで買い集めた安物でないことは見てとれた。それは繊細な大理石でできた、小鳥の水浴び用のような水盤で、中央に立つ裸体像は水瓶《みずがめ》を抱えている。イタリア・ルネッサンス期ふう、だろうか——ぼくには美術史について充分な知識が足りない。アンティークで、かなり傷《いた》んでいて、大理石はところどころふちが欠けていた。そして中央の精霊像《ニンフ》は、肩から鼠径《そけい》部のあたりまで色の薄れた筋がはしっている。彼女が掲げているフクベの器から垂れ落ちている水の作用だ。

こぼれ落ちる水のふくよかな香りは甘く誘うようで、ゆっくりと丘をのぼって長い距離をたどってきたぼくにはうってつけの癒《いや》しだった。この噴水のそばに、威厳のある年配の女性がぼくを待っていた。彼女は黄色のコットンのサンドレスを着て、麦わら帽に爪先のあいたサンダルを履いていた。近づくにつれ、彼女が母親と同じ目を受け継いでいるのが見てとれた。黒くてつり上がった猫のような目で、しかしビヴァリーよりも色が薄く、すらりと形のいい、メディア向きの鼻をしていた。

今はマーブル・アーチ（ハイド・パークの角に移設された、コンスタンティヌスの凱旋門をまねた大理石造りの門）が建っているそばには、かつて絞首台があった。昔のロンドンの街で罪人を縛り首にするときに使われていた場所だ。絞首台は村の名にちなんでつけられ、住人たちは身の毛のよだつこの見世物から莫大な利潤を得るようになり、観覧席までつくって客を呼び集めた。この絞首台は、そこを貫いて流れていた川にちなんで名づけられた。その川の名がタイバーンだ。かわいそうなエリザベス・バートンはそこで吊るされ、ほかにもジェントルマン・ジャックは四度の逃亡のあとでようやくここで始末され、ジェイムズ・ハックマン牧師もかわいいマーサ・レイを殺したかどで吊るされている。ぼくがこうした歴史を知っているのは、前にビヴァリーが姉の名に触れて、〝重要な人々を知ってる〟人物だといったため、あとで調べてみようと覚えていたからだ。

「あなたと二人で、少し話してみるころだと思っていたのよ」タイバーンがいった。

ぼくが花束を差し出すと、タイはうれしそうに笑って受け取った。彼女はぼくの顔を引きおろし、頬にかるくキスした。彼女は葉巻や真新しい車のシート、馬、家具磨き剤、スティルトンのブルーチーズ、ベルギー・チョコレートのにおいがした。そしてこうしたすべての裏に、大麻や群衆や忘我へと入りこむ最後の一滴のにおいがあった。

今では失われてしまったロンドンの川について、ぼくはすべての源流をたどってみた。とにかくも、ぼくにできるかぎりはすべて。ビヴァリー川《ブルック》やリー川、フリート川のように簡単にみつかるものもあったが、タイバーン川の位置や水源とされる伝説の〝羊飼いの井戸《シェパーズ・ウェル》〟は、十九世紀後半ヴィクトリア朝時代の狂気の蒸気エンジンによるロンドン拡張の際に正確な所在が失われてしまった。この噴水こそは明らかにその水源だが、噴水自体は帝国末期に先を見越すことのできた将校によって略奪されてきたものではないかと思われた。

ぼくは喉が渇いていた――ひと口でいいから噴水の水を飲んでみたかった。

「何を話しあいたいのかな？」ぼくは尋ねた。

「まず手はじめに、わが妹に関して、あなたの意図を知りたいわね」

「ぼくの意図？」訊き返したぼくの口の中はからからだった。「ぼくの意図は、純粋に恥じることのないものだ」

「本当に？」彼女はいって、噴水の後ろ側から花瓶を取り出した。「そのために、あの子をよた者《パイキー》どものところに連れていったの？」

〝パイキー〟という蔑称は、育ちのいい若き警察官が使うべき言葉ではない。「あれは予備段階の、実地踏査としての捜査だった。それに、オクスリーとイシスはパイキーなんかじゃない」

タイバーンが手の甲で大理石の水瓶の後ろ側を撫でおろすと、フクベからしたたっていた水が力強い流れとなって、そこから彼女は花瓶を満たした。

「だとしても」と彼女はバラの花束の包装をはがしながらいった。「自分の妹とつきあわせたいような連中じゃない」

「家族を選ぶことはできない」ぼくは快活によそおっていった。「だけど、ありがたいことに、友人は選ぶことができる」

タイバーンはぼくを鋭い視線でひとにらみして、バラを活《い》けはじめた。あまりぱっとしない花瓶で、容量を測るフラスコのように底がふくらんでいて、緑色のラッカーを塗ったファイバーグラスでできている。がらくた市《トランク・セール》で五十ペンスも出せば買えそうな代物だった。

「あたしは〝老人〟や彼の一族になんの悪意があるわけでもないけれど、今は二十一世紀だし、ここはあたしの街なのに。あたしがこの三十年間というもの必死にやってこなかったからといって、どこかの〝旅してまわる紳士〟がふらりと戻ってきて、あたしのものを勝手に奪おうとしてもいいものかしら？」

「あなたは何を自分のものと考えているのかな？」

彼女はぼくの質問など無視して、バラを整え終えると、花瓶をそばの塀の上に置いた。ぼくが買ったときには、店に残っていた最後のバラだったから、しおれかけていた。ところがタイバーンが花瓶に活けるとバラはぴんと伸び、再び花びらが大きく開いて、香りも豊かに、そしてさらに黒いつやが増していた。

「ピーター」彼女がいった。「あなたは愚壮館《ザ・フォリー》がどう管理されているか、またはいかに管理されてないか自分の目で見てきたわけよね。あそこが政府から正式な資格を得てるわけじゃなくて、ロンドン警視庁との関係はまったくの慣習と慣例から——おお、神よ、お助けを——伝統から成り立ってることはあなたもわかってるはず。すべては唾と封蠟《ふうろう》と卒業生《OB》たちのネットワークでたもたれてる。典型的な英国ふうの寄せ集めで、いざというときに前に進むようにいわれても、ひどい失敗に終わっただけ。あたしはね、ピーター、あなたが存在を知りもしないようなファイルにだってアクセスできるの、ドイツのエッテルベルクって呼ばれてる場所についても——その点について、あなたの先生に尋ねてみたくなるかもしれないわね」

「厳密にいうと、彼はぼくの主人《マスター》だ」ぼくはいった。「ギルドの誓いとして、彼の徒弟となることを誓った」ぼくは舌が腫《は》れてからからに乾いているのを感じた。まるでひと晩じゅう口を開けたまま眠っていたかのようだった。

「それこそは典型的よね」彼女はいった。「それが国民性にそぐわないことはわかってるけれど、あたしたちがそういったことについて、あとほんの少しだけでも組織だっていて、ほんのわずかでも大人になれたらいいのに、とは思わない？　超自然の事件を扱う政府の正式な部門ができたからって、あたしたちを殺すことになるかしら？」

「魔術省とか？」

「ハハ、ばかばかしい。ハハハ」とタイバーン。

なぜ彼女が紅茶の一杯も申し出ようとしないのか、ぼくはそのわけを知りたかった。こちらは花を買っていった。少なくともそのお返しに、おいしい紅茶かビール、または水の一杯くらいは期待していいように思えた。咳払いをすると、ゼイゼイと少し息がもれた。ちらっと噴水に目をやると、水が水盤にふんだんに流れ落ちている。

「気に入ってくれたかしら？」彼女が訊いた。「水盤はどっちかといえば飾りのない、十七世紀のイタリアで設計された模倣品だけど、真ん中の像はスイス・コテージ駅を建てるときに掘り出されたものなのよ」彼女は像の顔に手を置いた。「大理石はベルギー産だけど、彫刻自体はこの地でつくられたものだって考古学者が太鼓判を押してくれたわ」

ぼくは、なぜ自分が水を飲みたくないのか理由を考えるのに困難を感じはじめていた。これまでにも水を飲んだことはある。ビールやコーヒーや、またはダイエット・コークが手に入らないときに。ペットボトルから、ときには水道の蛇口から飲んだこともある。子どものころはいつも蛇口からじかに飲んでいた。外で遊んできたあとで、暑くて汗をかいたままフラットに駆け戻り、グラスに注ぐのももどかしく、蛇口をひねってその下に口を頭ごと突っこんだものだ。母親にみつかると叱られたが、父親はただ気をつけるんだぞというだけだった。「魚がとび出してきたらどうする？」と父親はよくいった。「魚が出てきたこともわからないうちに呑みこんじまうぞ」父親はいつだってそんなようなことをいっていた。ぼくが十七歳になるまで、父親がいつも麻薬でトンでいたからだとは気づかなかった。

「それをやめろ」ぼくはもぐもぐとつぶやいた。

彼女はすてきな笑みを見せた。「やめろって、何を？」

ぼくは酔っぱらうことを少しも気にしてはいない。だが、いつだって夕べのひとときに、自分が何かにぶつかって、こんなふうに考えるのだった。こんなのには飽きあきだ、頼むから自分の脳の制御をすっかり取り戻せないか、と。ぼくは自分が急にハムステッドまで花を届けずにいられなくなったことと、奇妙な噴水からわきあふれる水を飲みたいという欲求に駆られたことにどちらも同じくらいにいらだっていた。一歩あとずさろうとしたが、わずかに足を引きずるのが精いっぱいだった。

タイバーンの笑みが消えた。「おいしい水を一杯どう？」

彼女は少しやりすぎて、そのことを自分でもわかっていた。そして彼女がわかっているとぼくがわかっていることもわかっていた。彼女がぼくに対して行使する影響はひどくさりげないものでなくてはならず、これほどあからさまなほのめかしであってはいけないはずだ。それに、ぼくはいつだってあの魚のことが気になっていた。

「いい考えがある」ぼくはいった。「道を少しくだったところにパブがあったろ。あそこに行こう」

「狡猾なくそったれめ」彼女はいった。ぼくのことをいっているのだとは思わない。彼女は顔を近づけ、ぼくの目をじっとにらんだ。「あなたの喉が渇いてることはわかってるのよ。水を飲みなさい」

ぼくは自分の身体が噴水のほうにぐいっと動くのを感じた。足が引きつったりしゃっくりが出るのと同じようにそれは不随意な反応で、しかし今は身体全体が自分の考えとは違う目的のために動いている——それは恐ろしい感覚だった。そのときになって、ぼくは気づいた。〝老人〟やママ・テムズはぼくをあやつろうとさえしなかった。彼らがそうしたければ、ぼくに側転で部屋を跳ねまわらせることだってできたろう。彼らの力には制限があるはずだ。そうでなければ、ママ・テムズや〝老人〟がダウニング・ストリートの首相官邸に踏みこんで、あれこれ命じるのを何が阻止できるだろうか？　そうであれば、人々はとっくに気づいていたろう——手はじめに、テムズ川はもっときれいになっているはずだ。

　ナイティンゲールのおかげに違いない、とぼくは気づいた。対抗する釣り合いのおもり、超自然のものに対する人間側のバランス、そしてそれは、彼らがナイティンゲールを支配できないことを意味している。ナイティンゲールを通常の人間と分けへだてている唯一の違いは魔術だ。それはつまり、魔術が防御を提供してくれているに違いない。これは解釈の拡大というものだが、歴史に名をとどめるロンドンの川の化身がぼくの精神を乗っ取ろうとしているときに、うまく考えをまとめるのは簡単なことではない。

　時間を稼ごうとして、ぼくは背後に身を投げ出そうとしてみた。うまくはいかなかったものの、それ以上噴水にぐいっと引き寄せられるのを抑えることはできた。ナイティンゲールはまだ相手の魔術をブロックする技術を教えてくれてはいなかったから、ぼくは代わりにインペロに手を伸ばした。頭の中でフォルマを準備するのは予想よりもずっと簡単だったため——のちにぼくが推測したところでは、タイバーンがやっていたのがなんであれ、それはぼくの脳の本能的な部分にはたらきかけていたのであって、〝高次〟の機能にではない――ぼくは抑えがきかなくなりかけていた。

「インペロ」とぼくは唱え、彫像を台座から浮かび上がらせようとした。

大理石にひびが入る音を聞いて、タイバーンの目が大きく見開かれた。彼女がさっと振り返り、その目がぼくを離れたとたんに身体が急に自由になって、ぼくは後ろによろけた。頭の中の形がぼくの支配を離れるのを感じ、彫像の頭部が崩壊して大理石の小片がとび散った。ぼくは肩に衝撃を受け、顔にも鋭い切り傷を負ったし、小型犬サイズの大理石のかたまりが、足もとのタイルにドスンと落ちてきた。

噴水の水盤もひび割れるのが見え、水がもれてパティオじゅうに血の染みのように広がっていった。タイバーンは振り返ってぼくを見た。額に切り傷ができていたし、サンドレスは腰の少し上のあたりが破れていた。

彼女はひどく黙りこんでいる。それはけっしていいしるしではなかった。前にも人がこのように黙りこむのを見たことがある。うちの母親や、酔った男が運転する車に弟を轢《ひ》き殺された女性の顔などに。人々はマスコミにあやつられてこんなふうに考えがちだ。黒人女性というのはみんな大げさにふるまうもので、しきりと首を振って、「おお、あなたはそんなことしてないじゃない」と大声で叫ぶか、または、高慢でなければ威厳たっぷりで、しいたげられていても頑固なまでに辛抱しつづけて、「なんでみんなで仲よくやっていけないのかわからない」などとわめくものだ、と。しかし今のタイバーンのように、黒人女性が黙りこんで、目をぎらつかせ、唇は真一文字に引き結ばれ、顔はデスマスクのように表情がないのを見れば、自分がたった今、生涯の敵をつくったのだとわかる。ただではすまず、モノポリーでいえば、寄り道せずに刑務所に直行して、二百ドルを受け取ってはいけない。

そんな女性を相手にして、ぼんやりそばに立ったまま話しあおうなどと考えてはいけない――信じてもらっていい、絶対にいい結果には終わらないだろう。ぼくは自分のアドヴァイスに従ってあとずさりはじめた。タイバーンの黒い目は逃げだすぼくをじっと見守りつづけている。ぼくはどうにか無事にわきの通路に入りこむと、くるりと背を向けて全速力で駆けだした。スイス・コテージ駅まですっかり丘を駆けとおしたわけではないが、せかせかした足どりで歩いていった。

丘をくだりきったあたりに公衆電話があった。彫像を破壊したときにぼくの携帯電話はバッテリーを入れたままだったから、公衆電話が必要だった。オペレーターに電話してぼくの登録番号を告げ、レスリーの携帯電話につないでもらった。彼女はぼくがどこにいるのか知りたがった。どうやらぼくがいないあいだに、何もかもがおかしくなっていたらしい。

「盲目の男は救うことができたわ」とレスリーはいった。「あなたのおかげじゃないけど」

彼女はそれ以上の詳細を教えようとしなかった。というのも、〝あなたのボスが昨日からここであなたを探してる〟からだそうだ。〝ここ〟というのはどこかと訊いてみると、ウェストミンスター死体安置所だと彼女は答え、そのためぼくはいやな気分になった。盲目の男を救うことはできたかもしれないが、ほかの哀れな誰かが顔を失ったのだろうから。できるだけ早くそっちに向かう、とぼくは彼女に告げた。

たまたま通りかかったこの地区のパトカーにスイス・コテージ駅まで乗せてもらって、そこからジュビリー線の地下鉄にとび乗って街に戻ることにした。レディ・タイには駅をカバーする人力もそうする気もあるとは思えなかった。そして自分の携帯電話を駄目にしてしまう数少ない利点は、それを傍受される心配がないことで、彼女がぼくの身体にそっとつけておいたかもしれない追跡装置《トラッカー》も同様だ。ご存じのとおり、ぼくは誇大妄想にとらわれているわけではない。そういう機材はインターネットで簡単に買うことができる。

電車に乗りこんだとき、ラッシュアワーはほぼ最高潮に達しつつあって、車輛内はみずから望んだ個人空間内での宙づり状態からオイルサーディンの缶にぎゅう詰めにされた状態へとちょうど移行しかける手前くらいまで混んでいた。車輛の端で連結ドアに背中を押しつけた体勢をとっていると、乗客が何人かぼくを見上げるのが目についた。ぼくは複雑なシグナルを発していた。スーツ姿と相手を安心させる顔つきとはある方向を示し、明らかについさっき誰かと争ったばかりだという事実とハーフであることは別の方向を示していた。

ロンドンっ子は地下鉄の中でまわりの者に無関心である、というのはまったくのつくり話だ。ぼくらはたがいに異常なほど意識しあっていて、不安が現実となったときのシナリオをつねに改訂して対策を練り上げている。もしもあのさわやかな、ハンサムでしかし異国ふうの顔だちをした若者が小銭を無心してきたら？　素直にめぐんでやるか、それとも拒絶したらよいのだろうか？　彼が冗談をいってきたら、こちらも反応するか、もしそうするなら、シャイな笑みを浮かべるか、いきなり大笑いすべきだろうか？　彼が誰かと争って怪我しているのなら、助けが必要なのではないだろうか？　彼を助けたら、自分も危険な立場に、またぱ冒険か、アブナい異人種間のロマンスにでも引きこまれるのではないか？　自分は夕食をのがすことになるだろうか？　彼がもしいきなりジャケットをはだけて、「神は偉大なり」などと叫びだしたら、車輛の反対側まで逃げる時間はあるだろうか？

いつだってぼくらの大半は、できるだけ摩擦の少なくてすむ戦略を工夫して、ぼくらが共有している時間、ぼくらの車輛内の平和を奨励し、神様、どうかお願いです、なんとか家に帰り着くまでこのままでありますように、と祈っている。これは六十歳以上の人々には公共の場での礼儀と呼ばれていて、その目的はたがいに殺しあうのを未然に防ぐことにある。ウェスティギアと同じようなものだ。つねにそういったものに気づいているわけではないが、周囲の魔術の集まりに反応して本能的に対策を形にする。

これこそが幽霊を突き動かしている要因なのだとぼくは気づいた。長寿命のバッテリーから電力を取りこみつづけるLED照明灯のように、幽霊はウェスティギアを取りこむことで存在しつづけている。死の空間、パーリーのあのヴァンパイアの屋敷をぼくは思い出した。ナイティンゲールによると、どうやっているのか、またはなぜなのかは誰もはっきりとわかっていないが、ヴァンパイアは〝感染した〟元は通常の人間で、周囲に存在するウェスティギアを含む魔術のみなもとを食べはじめるのだという。

「しかし、それだけでは生物を生かしつづけるには充分でない」とナイティンゲールはいっていた。「そこで連中は、さらなる魔術を狩りに出かける」

その最良のみなもとは、サー・アイザック・ニュートンによれば、人間だ。が、人間から魔術を盗みとることはできない。または、粘菌よりも複雑な身体を持つどんな生き物からであっても。ただし、死の間際《まぎわ》であれば別だが、それさえも簡単なことではない。ぼくは明白な質問をぶつけてみた――なぜ連中は血を吸うんですか？　答えは誰にもわかっていない、と彼はいった。なぜ誰も実験してみないんですか、と尋ねると、彼は奇妙な顔でぼくを見返した。

「少しは実験されてきた」彼は長い間があいたあとでいった。「戦時中に。だが、結果は非倫理的であるとみなされ、資料は封印された」

「戦時中にヴァンパイアを使おうとしていたんですか？」ぼくは尋ね、そしてナイティンゲールの顔に浮かんだ本物の痛みと怒りの表情に驚かされた。

「いや」彼は鋭くいって、それからもっと穏やかにいい添えた。「われわれじゃない――ドイツだ」

ときどき、〝それ以上先には近づくな〟と誰かにいわれたときには、近づかないほうがいいこともある。

ゲニイ・ロコルム、すなわちビヴァリーやオクスリーやほかの反社会的なテムズ一族のような者たちも、あるレヴェルで見れば生き物であって、これまた周囲から力を取りこんでいる。バーソロミューやポリドリはともに、彼らが〝その勢力範囲内の多種多様なありとあらゆる生命や魔術〟から力を引き出しているのではないかと示唆している。ぼくは懐疑的だったが、彼らが〝勢力範囲〟と共生して暮らしていて、一方のヴァンパイアは明らかに寄生していることはぼくも進んで受け入れるつもりだ。仮に幽霊もそれと酷似しているのだとしたら？　もしニコラス・ウォールペニーがどうやってか彼の活力としているウェスティギアの一部であって、自分もそこから力を摂《と》っている共生者だとしたら、くだんのレヴナント霊は寄生者、幽霊にとってのヴァンパイアになりうる。それなら、犠牲者のしぼんだカリフラワー状の脳の説明になる——彼らは魔術を吸いとられたのだ。

そうだとすると、ぼくが計算機を使って召喚したことはヘンリー・パイクのために魔術の食欲を満たさせたということにしかならない。しかし、サメの撒《ま》き餌《え》のように魔術をばらまくことでレヴナント霊を引き寄せられないだろうかとも考えた。電車がベイカー・ストリート駅に止まるころには、ぼくはすでに計画を形にしはじめていた。

地下鉄というのはこうした概念上の大いなる躍進を得るのに適した場所だ。なぜといって、何か読むものでもないかぎり、ほかにできることはほとんどないのだから。

ウェストミンスター死体安置所に着くと、今回は身分証を見せる必要もなく、門衛はただ手を振ってぼくを通してくれた。ロッカー室でナイティンゲールがぼくを待っていた。装備に着替えるあいだに、ぼくはタイバーンと会ってきたことを手短に説明した。

「問題を起こすのは、いつだって子どもたちのほうだ」ナイティンゲールはいった。「けっして現状には満足しない」

「どうやって盲目の男の命を救ったんですか？」

「どうやら盲目というほどではないらしい」ナイティンゲールはいった。「じつのところ、視覚障害者なのだそうだ。病院で待っているあいだに、とても荒々しい若い女性が、この点をしばらくのあいだわたしに力説していたよ」

「それなら、あなたはその視覚障害者をどうやって救ったんですか？」

「わたしの手柄だといえたらいいんだが。彼の盲導犬だ。接収が起こるなり……」

「接収？」とぼく。

どうやらこの言葉はドクター・ウォリッドがひねり出した名称で、正常な人間がレヴナントに支配された状態をさすらしい。法律用語では、負債の支払いのため、または犯罪による違法な収益と見なされたために、個人の資産が没収される手つづきをさす。この事件の場合、接収された資産は人間の肉体だ。

「接収が起こるなり」とナイティンゲールがいった。「盲導犬が、マルコルムと呼ばれていたかと思うが、逆上して吠えたて、犠牲者になりかねなかった主人を引きずって現場から離れた。シーウォル主任警部が、前もってその地域の慈善募金活動の行動予定を部下にカバーさせていて、接収された哀れな犠牲者が盲目の男につづく前に介入した」

「またしても、情報からみちびかれた警察活動の勝利ですね」

「まさしく」とナイティンゲール。「最初に現場に到着したのはきみの友人のメイ巡査だ」

「レスリーが？　彼女がそれをうれしく思っていないことは賭けてみてもかまいませんね」

「彼女自身の言葉を借りれば、〝なんでこのくそったれな事件は、わたしの前でばっかり起こるの？〟だそうだ」

「それで、接収されたわれらが犠牲者の存命中の身元は？」

「誰が死んだといった？」

ナイティンゲールはぼくを従えて廊下を進み、移動式の集中治療室として使えるように器具がそろった部屋へと向かった。よくよく考えてみれば、死体安置所でこういうものをみつけるのは気の落ちつかないものだ。レスリーは部屋の隅の椅子にぐったりと前屈みにすわっていた。ぼくらが入っていくと、彼女は手を上げてハローというしぐさをした。ベッドの両側は排気音のする機械で囲まれ、ピーッと音がしたり、ただ音もなく点滅している。ベッドに寝かされていたのは、ダラム郡セッジフィールド出身のテレンス・ポッツリー、二十七歳、テスコの備品管理係長で、近親者とはほぼ間違いなくまだ連絡がついていない。彼の顔からはステンレス鋼の複雑にからみあったものが突き出ていた——医療用骨格と呼ばれているそうだ。ポッツリーの接収の問題が解決されたなら、こうしておけば再建手術がうまくいくものとドクター・ウォリッドは期待していた。

「子どものころ、歯列矯正器をはめただけで、あんなに不平をもらしてたのに」とレスリーがつぶやいた。

「彼の意識は？」

「どうやら彼は、医師たちのいう〝医学的昏睡状態〟にとどめられているらしい」ナイティンゲールがいった。「われわれが誰を相手にしているのか、オクスリーは知っていたかな？」

「イシスが知っていました。ヘンリー・パイクという名を、あまり大成しなかった俳優として覚えていたんです。チャールズ・マックリンという男に殺されたのかもしれないそうです――マックリンはもっとはるかに成功した俳優です」

「それで恨みについては説明がつくな」とナイティンゲール。

「彼は逮捕されたの？」とレスリー。

「記録はあいまいだ。パイクは逮捕されたかもしれない……」

「パイクじゃなくて」とレスリー。「マックリンのほう。ひとつの殺しをうまく逃げおおせるのは偶然の事故みたいなもんだけど、ふたつとなるとくそったれなくらいにありそうにない。フェアじゃないのはいうまでもなく」

「マックリンは老齢まで長生きした」とナイティンゲールがいった。「彼はコヴェント・ガーデンで亡くなるまで暮らした。最初の殺人についてはわたしも知っていたが、ヘンリー・パイクのことは聞いたことがないな」

「どこか違う場所で話しあえないかしら？」レスリーがいった。「この男のそばにいると気が滅入《めい》って」

ぼくらは何よりもまず警察官だったから、どこか違う場所といえばパブか警察寮を意味していた——そして、寮のほうが近かった。ドクター・ウォリッドが加わるのを待ったうえで、ぼくは来る途中で考えついた戦略をおおまかに説明していった。

「ひとつ考えがあるんです」

「狡猾な計画じゃないといいけど」とレスリー。

ナイティンゲールはぽかんとしていたが、少なくともドクター・ウォリッドからはくつくつ笑いを引き出した。

「じつをいうと」ぼくはいった。「狡猾な計画なんだ」

ナイティンゲールがピッチーニのシナリオのコピーを携行していた。ぼくはそのコピー紙を並べて広げ、パンチが盲目の物乞いを投げ捨てたあとの場面に注意を向けた。そこでは、巡査が妻と赤ん坊殺害の容疑でパンチを逮捕しにやってくる。

「ぼく自身が次の場面で巡査の役を務めます」

「自分の頭を叩き割られる役に志願するつもりかね？」とドクター・ウォリッドが訊いた。

「シナリオを読んでもらえば、巡査が実際はこの出会いを無事に生き延びることがわかるでしょう」ぼくはいった。「その直後に到着する警官も含めて」

「それはわたしになるようだな」とナイティンゲール。

「わたしじゃないかぎりはね」とレスリー。

「これがうまくいくとは思えんな」とナイティンゲール。「ヘンリー・パイクがわれわれとの邂逅《かいこう》をお膳立てする理由は何もない、いかにわれわれがやつのささやかな寸劇に合致しようとも」

ドクター・ウォリッドがシナリオを指さしていった。「パンチが尋ねる。〝それで、誰がきみを送ってよこしたのだ〟それに対して巡査が答える。〝わたしが送ってよこされたのだ〟パンチに選択の余地はない。彼は運命に追いつかれたのである。彼がいう。〝おれは巡査なんて頼んでない〟」

「あなたはパンチをすっかり見誤ってると思う」レスリーが指摘した。「彼のことを、パンチ・アンド・ジュディの人形劇どおりに演じることに躍起《やっき》になった超自然の連続殺人鬼みたいなものと思いこんでる。けど、彼がほかの何かだったら？」

「たとえばどんな？」

「たとえば、社会的風潮、犯罪と無秩序、ある種の高級志向の悪ガキ《スーパー・チャヴ》の顕現《けんげん》化みたいなものとか。ロンドン民衆の暴動と叛逆の霊とか」

ぼくらは全員があっけにとられて彼女を見た。

「わたしも上級課程を取ってることを忘れてるわよ、ほら」

「なら、ほかに計画があるのかな？」ぼくは訊いた。

「ううん。ただ、あなたに気をつけてほしいだけ。自分で何をしてるのかわかってるつもりでいるからって、自分が何をしてるのか実際にわかってるってことにはならないんだから」

「改めてはっきりさせてもらってうれしいよ」ぼくはいった。

「どういたしまして。たとえあなたがヘンリーのしっぽをつかめたとしても、それからどうするの？」

いい質問だ――ぼくはナイティンゲールを見た。

「彼の魂のあとをたどることができる」ナイティンゲールはいった。「充分に近づくことができれば、彼の骨のありかまでたどれる」

「それから、どうするの？」とレスリー。

ぼくはナイティンゲールの顔を見たうえでいった。「骨を掘り起こして細かく砕き、岩塩と混ぜて、海に撒いて捨てる」

「それでうまくいくの？」

「前のときはうまくいった」とドクター・ウォリッド。

「令状が必要だわ」レスリーが唐突にいいだした。

「幽霊に令状は必要ないだろ」とぼく。

レスリーはにやりとして、シナリオをテーブルのぼくの側に押してよこした。彼女がスプーンでそのページをトントンと叩いたから、ぼくはそのくだりを読んだ。

〝**巡査：それ以上しゃべるな。おまえは殺人を犯し、本官は令状を持っている**〟

「役どおりに演じるつもりなら、小道具もすべて必要になるわよ」

「幽霊のための令状か」とぼく。

「少なくとも、それは難しくもあるまい」ナイティンゲールがいった。「もっとも、そうなると作戦実行は今夜遅くなるまで延期しないといけなくなるが」

「本気でこれを進めるつもりなの？」レスリーは尋ねて、心配そうな顔でぼくを見た。ぼくはできるかぎり無頓着な顔をよそおったが、実際に浮かんだのは楽観的な気楽さが欠けた表情だったかもしれない。

「わたしが思うに、われわれにとってこれが唯一の選択肢のようだ」ナイティンゲールがいった。「きみにはシーウォル主任警部に報告してもらって、十一時にコヴェント・ガーデンまで警備の人員をよこすように頼んでもらえるとひどく助かるんだが」

「そんなに遅くなるんですか？」ぼくは尋ねた。「ヘンリー・パイクはそこまで待ちはしないかもしれませんよ」

「最短でも十一時まで令状は手に入らん」ナイティンゲールがいった。

「それで、これがうまくいかなかったら？」

「そのときは、レスリーが計画を考えつく番だな」


ぼくらは車で愚壮館《ザ・フォリー》に戻り、ナイティンゲールは魔術関連の図書室に姿を消した。推測するに、レヴナント霊のあとを追跡する呪文を急いでおさらいするためだろう。一方のぼくはといえば、上階の自分の部屋に戻って、戸棚から制服を取り出した。ヘルメットを探しまわらなくてはならず、ようやくベッドの下からみつけ出した。銀色の呼び子笛も、なおも現代の制服に残されているばかばかしい装備品だが、その中にいっしょにしまってあった。新品の携帯電話はタイバーンの噴水の惨事を無事に切り抜けることができなかったため、机の引き出しから警察支給のデジタル式無線機《エアウェイヴ》を取り出して、バッテリーをはめこんだ。大型のかばんに制服のジャケットといっしょに詰めこみながら、この部屋が今なお他人の家の予備のベッドルームのように見えることに気づいた。どこかもっとましなところに移る機会が訪れるまで一時的に滞在しているだけの場所のようだ。

大型かばんを肩に掛け、振り返るとモリーが戸口からじっとのぞきこんでいるのをみつけた。問いかけるように首をかしげている。

「さあ、どうかな」ぼくはいった。「ぼくらは外で食べることになると思う」

彼女は眉をひそめた。

「最前線に立つのはぼくのほうなんだ」といってみたものの、彼女が感心したようすはなかった。「彼なら大丈夫だよ」

モリーは最後にもう一度疑わしげな視線をぼくに向けてから、すべるように去っていった。ぼくが部屋をあとにするころには、彼女の姿はどこにも見えなかった。ぼくは下に降り、読書室でナイティンゲールを待った。三十分後に、彼は〝仕事用〟のスーツに杖を持ってあらわれた。準備はいいかと尋ねてきたから、すっかりできていますと答えた。

美しい暖かな春の晩だったから、ジャガーで向かうのはよして、ぶらぶら歩いて大英博物館のわきを通り過ぎ、ミュージアム・ストリートを抜けてドゥルリー・レーンに入った。たっぷり時間をかけたものの、まだ何時間も余裕があったから、ぼくらはシアター・ロイヤルそばの〈ハウス・オブ・ベンガル〉というまずまず期待できそうな名前のカレー・ハウスに入って夕食をとることにした。

ジャガイモや皮の厚いパイ、牛脂《スエット》、そして肉汁《グレーヴィ・ソース》といった英国風の料理が載っていないメニューをありがたく眺めながら、なぜナイティンゲールがこれほど外で食べるのを好むのか、ぼくにも理解できた気がした。

ナイティンゲールはワイルド・レモンに漬けた仔羊肉を、ぼくはチキン・マドラスに落ちついた。チキン・マドラスは相当に辛くて、見ていたナイティンゲールの目にも涙が浮かんだほどだった。ぼくにとっては、いくらか味がまろやかな部類だったが。インド料理はグラウンドナッツ・チキンやジェロフ・ライス（どちらも西アフリカの代表的な料理）で育ったアフリカ移民の息子にはなんの脅威でもない。西アフリカ料理の金言《モットー》は、料理がテーブルクロスに火のつくほど辛くないなら、料理人がペッパーをけちったに違いないというものだ。実際にそんなモットーは存在しない——うちの母親にいわせると、口の内側が焼けただれないような食べ物を欲しがる者がいるとは単純に理解不能なのだそうだ。

ぼくらは待つあいだにビールを注文し、そして外交努力の進展はどうだったかなとナイティンゲールが訊いてきた。「タイバーンとのあいにくな出来事のほかにだが」

ぼくはオクスリーの川を訪問したときのことやビヴァリーの反応を伝えていった。訪問中にぼく自身も川にとびこみたくなったことは伏せておいた。訪問はうまくいったし、両サイドに親しい結びつきを築けたと思うと答えた。「そこからさらに関係を深める足がかりになるでしょう」と。

「紛争問題の解決」とナイティンゲール。「近ころのヘンドンではそう教えているのかな？」

「ええ。でも、ご心配なく。あそこでは、電話帳で人を殴りつける方法や、でっちあげの証拠品をこっそり置いておく最善の十の手法も教えてますから」

「昔ながらの巧妙な技量が今も伝えられていると聞いて安心したよ」

ぼくはビールに口をつけた。「タイバーンは古いやり方の大ファンというわけではないようですよ」

「ピーター、ママ・テムズの娘たちのなかで、よりによってレディ・タイを相手にするとはな」彼はフォークを振って強調した。「だからこそ、われわれは訓練がすむまで、魔術をむやみに振りまわしたりしないのだよ」

「ぼくはどうすべきだったんでしょうか？」

「うまくいいのがれて逃げることもできたはずだ。タイをなんだと思っているんだ――街のゴロツキとでも？　彼女がきみの頭に〝帽子をつなぐ〟つもりだと思っていたのか？　向こうはきみをつついて、どう出るのか試してみた。そしてきみは暴発した」

ぼくらはしばらく無言でカレーを食べつづけた。彼のいうとおりだ――ぼくはパニックを起こしていた。

「それをいうなら〝ケツに帽子《タマ》を突っこむ〟ですよ」ぼくはいった。「〝つなぐ《プラグ》〟じゃなくて――〝突っこむ《ポップ》〟です」

「おお、そうか」

「あなたはこのことをあまり心配されていないようですね。レディ・タイの問題を」

ナイティンゲールは口いっぱいに頬ばった仔羊肉を呑みこんでからいった。「ピーター、われわれはこれから手ごわいレヴナントの霊にわれわれ自身をユダの山羊《やぎ》（家畜を処分する時に先導役を務めるよう訓練された山羊のこと）として捧《ささ》げようとしている。われわれの知っているだけでも十人以上を殺したレヴナントに」彼はライスを頬ばった。「今夜の作戦を無事に生き延びるまでは、レディ・タイのことを心配するつもりはない」

「ぼくが正しく覚えているなら、このシナリオでは、ぼくがユダの山羊、〝巡査〟です。そしてぼくが相手に背中をさらすことを考えてみれば、あなたが彼を追跡できるという確信はおありなんですか？」

「確実なものは何もない、ピーター。だが、最善を尽くす」

「それで、彼を自分の墓に逃げ帰らせることができなかったら？」ぼくは尋ねた。「次善策《プランB》はおありですか？」

「モリーは血占術《ヘモマンシー》ができる」ナイティンゲールがいった。「とても興味ぶかい技法だ」

ぼくは頭の中のわずかなギリシャ語のたくわえを検索してみた。「血を媒体にした占いですか？」

ナイティンゲールは考えこむように唇を噛み、ごくりと唾を呑みこんだ。「おそらく、それが最良の訳語ではないだろうな。モリーはきみのウェスティギアの感覚をいささか拡張できる」

「どれくらいですか？」

「二、三マイルまで。わたしも一度しか試したことがない。ゆえに、はっきりどれくらいとはいいがたい」

「どんなふうなものなんですか？」

「幽霊の世界に足を踏みこむようなものだ。まさしく〝幽霊の世界〟でさえあるのかもしれんな、おそらく。その方法でヘンリー・パイクをみつけることができるかもしれん」

「どうして今すぐその方法でやってみないんですか？」

「その経験をきみが生き延びる確率は五分の一だからだ」

「そうですか、だったら」ぼくはいった。「たぶん今はやらないでおくのが最善のようですね」

わが職業が――とはいっても泥棒をつかまえるほうで、魔術を使うほうではない――ロンドンのどこではじまったかというと、それはボウ・ストリートで治安判事のヘンリー・フィールディングによってはじめられたのだった。風刺小説の作者でもあり、〝ボウ・ストリート・ランナーズ〟という名で知られるようになる組織の創設者によって。彼の住居はロイヤル・オペラ・ハウスのすぐ隣にあった。当時、そこがただの〝シアター・ロイヤル〟という名で知られ、マックリンが酒場の経営のかたわら、劇場サイドで少しばかり俳優活動をしていた時代に。そういった歴史までぼくが知っているのは、チャンネル4が《スター・ウォーズ》で皇帝を演じていた男を主役にしたテレビ・ドラマを放映していたからだ。ヘンリー・フィールディングが死ぬと、治安判事の地位は盲目の弟、ジョンに引き継がれ、彼がボウ・ストリート・ランナーズをさらに強固な組織にまとめ上げたのだが、彼らのまさに戸口で、マックリンがヘンリー・パイクを殴り殺すのを阻止するにはいたらなかったらしい。パイクが腹をたてるのも無理はない。ぼくだって怒るだろう。

その場所がロンドンではじめての本物の警察署になり、十九世紀になると道路の反対側に移ってボウ・ストリート治安判事裁判所となった――おそらくは英国でオールド・ベイリーの中央刑事裁判所に次いで有名な裁判所だろう。オスカー・ワイルドは公序紊乱《びんらん》のかどでそこに送られたし、ウィリアム・ジョイス、すなわちホーホー卿（第二次大戦中に英国内でナチのプロパガンダ放送をつづけたファシスト）その人も絞首台の縄までの短い歩みをボウ・ストリートからはじめたのだった。クレイの双子兄弟はジャック〝ザ・ハット〟マクヴィティ殺害のかどでそこに送致された（クレイ兄弟は六〇年代にロンドンで暗躍していた名高いギャングで、マクヴィティはその手先）。治安判事裁判所は二〇〇六年に不動産王に売却されてホテルになった。というのも、歴史と伝統はロンドンで清らかな声を響かせているが、お金のほうもそれ自身の甘い誘惑を高らかに歌い上げているからだ。

その当時の建物は鉄のアーチ柵とガラス屋根のついた屋内生花市場に改装された。イライザ・ドゥーリトル、というのは《マイ・フェア・レディ》でオードリー・ヘプバーンが演じた娘だが、彼女はそこでスミレの花を手にして、ディック・ヴァン・ダイク（映画《メリー・ポピンズ》で大道芸人バート役を演じたアメリカ人）よりこっち側でもっともひどいコックニーなまりを披露することになる。一九九〇年代にロイヤル・オペラ・ハウスを改築したときに周辺の街区はほとんどまるごと呑みこまれ、生花市場も姿を消した。そんなわけで、ぼくら二人はオペラ・ハウスの舞台裏の入口からまわりこむことにした。どうやらナイティンゲールは、こっそり入れてくれる知り合いがいるらしい。

実際は、舞台裏というよりは大道具の搬入口のようなところだった。ぼくはこれよりも小さな物置部屋を備えた倉庫をいくつか目にしたこともある。中には業務用の大きなエレヴェーターがあった。背景の巨大な書き割りを下の倉庫から上の階の舞台に移動させるためのものだ。テリーが――ベージュ色のカーディガンを羽織った、頭の禿《は》げ上がった小男で、彼こそがナイティンゲールの内通者だ――説明してくれた。総量は十五トン以上にもなり、使われないときはウェールズの倉庫にしまっているそうだ。なぜウェールズなのかまでは教えてくれなかった。

「われわれは治安判事に会いにきた」とナイティンゲールがいった。

テリーは重々しくうなずくと、ぼくらを連れて、白塗りの狭い通路をいくつもたどっていき、衛生安全委員会《HSE》基準の認可済み防火扉へと案内していった。居心地の悪くなるくらいウェストミンスター死体安置所を思い起こさせる扉だった。ぼくらは天井の低い倉庫室にたどり着いた。ここはかつて生花市場の地階だったところだ、とナイティンゲールが教えてくれた。

「かつて、まさしく四番地に治安判事裁判所が建っていた場所だ」彼はそういって、ぼくらの案内役のほうを向いた。「あとは心配いらない、テリー。帰り路《みち》はわかっている」

テリーは快活に手を振って、通路を戻っていった。この部屋には醜悪なスチール製または硬板の棚が並んでいて、段ボール箱や配送時の包装に包まれたままのナプキン、カクテル用のスティック、一ダースずつ束《たば》ねられた給仕用トレイの包みなどが雑然と詰めこまれていた。部屋の中央はぽっかりあいていて、床にへこみ傷がいくつか残っていることから、かつてはそこにも棚の列が並んでいたことを示していた。ぼくはウェスティギアを感じとろうとしてみたが、最初のうちはほこりやちぎれたビニール片のにおいばかりだった。やがて、〝それ〟を感じた。知覚の片隅に、羊皮紙、乾いた汗、革やこぼれたポルトワインのにおいを。

「幽霊の治安判事に幽霊逮捕のための令状を出してもらうわけですか？」

「象徴的なシンボルは幽霊にとって効力がある」ナイティンゲールはいった。「そういったものは、われわれの現実世界がもたらすことのできるほかの何よりも影響をおよぼすこともしばしばだ」

「なぜなんです？」

「正直いって、ピーター、われわれがそれを研究してみたことは覚えているし、それに関連した文章をバーソロミューの著作で読んだことも覚えている——論考さえも書いたことがあるかもしれない。が、そのわけをわたしが覚えているはずもない」

「あなた自身が覚えていないなら、どうやってそれをぼくに教えこむつもりなんですか？」

ナイティンゲールは杖を自分の胸にかるくコンコンと打ちつけた。「きみにその部分を教える前に、記憶を新たにするつもりだ。少なくとも、わたしの師匠のうち二人が同じことをしたのは覚えている。そしてその当時、われわれには専門分野ごとに教師がいた」

ナイティンゲールが安心できる言葉を探していることに急に気づいて、ぼくはそのことにひどく不安になった。

「ぼくの教育にいつも先んじていてくれるよう願いたいですね。それで、どうやって治安判事をみつけるんですか？」

ナイティンゲールは笑みを浮かべた。

「彼の注意をこちらに向けさせるだけでいい」そういうと彼は振り返り、室内のぽっかりあいた中央の部分に向かって呼びかけた。「ナイティンゲール大尉が、大佐にお目にかかりにやって参りました」

乾いた汗とこぼれた酒のにおいが強まり、ぼくらの前に人影がひとつあらわれた。この幽霊はわが旧友ウォールペニーよりもさらに身体が透けていて、ぼんやりしているためによけいに幽霊らしく見えたが、ぼくらに振り向けられたその目はぎらついていた。サー・ジョン・フィールディングは見えない目を黒い布で覆って隠していたはずだし、ナイティンゲールが〝大佐〟と呼びかけていたから、ぼくの推測によると、これは初代治安判事のサー・トーマス・ド・ヴェイル大佐だろう——あまりに日常的に堕落していたために、十八世紀ロンドンの社会をも驚嘆させることになった男だ。歴史家のあいだでは、一般に英国諸島の歴史においてもっとも堕落した時代とみなされているあの当時でさえも。

「何が望みかね、大尉」とド・ヴェイルが訊いた。その声はかすかで遠く、彼のまわりには、机、椅子、本箱といった家具のかすかな輪郭までも、見えるというよりは感じとることができた。言い伝えによると、ド・ヴェイルは特別な秘密の納戸《なんど》をこしらえていて、その中で女性の目撃者や容疑者に〝司法上の検査〟をおこなったといわれている。

「令状をいただきたいのです」とナイティンゲールはいった。

「通常のものかね？」

「もちろんです」ナイティンゲールはジャケットのポケットから厚ぼったい紙を丸めて巻きとったものを取り出し、ド・ヴェイルに差し出した。幽霊は透けた手を伸ばしてナイティンゲールの指から紙束をつかみ取った。そうしたすべてを彼はなんでもないようにやってのけたが、物質的な物を動かす努力のためにド・ヴェイルがなにがしかの代償を支払っているに違いないとぼくにも確信できた。この点について、熱力学の法則はとても明確だ――すべての負債は完全に等しく支払われなくてはならない。

「して、どの悪党を逮捕することになっておるのかね？」ド・ヴェイルは尋ね、半透明の机に紙を置いた。

「ヘンリー・パイクです、閣下」とナイティンゲール。「別名パンチ、またの名をプルチネッラ」

ド・ヴェイルの目がぎらつき、唇を小刻みに震わせた。「あやつり人形を逮捕する気かね、大尉？」

「人形遣《つか》いを逮捕する、と申しておきましょう、閣下」

「して、罪状は？」

「妻、および子どもの殺害です」

ド・ヴェイルは首をかしげた。「口やかましい女だったのか？」

「なんとおっしゃいましたか、閣下？」とナイティンゲールが訊きなおす。

「おいおい、大尉」ド・ヴェイルはいった。「挑発されることもなしに、妻を殴る男などいやしない――口やかましい女だったのか？」

ナイティンゲールはためらった。

「どうにもひどい口やかましさでした」ぼくがいった。「話に割りこむことをお許しくださ い、閣下。ですが、赤ん坊はまったく無垢な存在でした」

「女の鋭い舌のために、男がひどいおこないに駆られることもある」ド・ヴェイルはいった。

「わし自身が証人になれるとおりにな」彼はぼくにウィンクしてよこした。すごいぞ、けっして薄れることのない記憶に残りそうだ、とぼくは考えた。「しかしながら、赤ん坊は無垢な存在であり、そのためにこの男を逮捕して、民衆の面前に引きたてねばなるまい」

ド・ヴェイルの幽霊の手に忽然と羽根ペンがあらわれ、大げさな動きで令状に署名した。

「必要なものは覚えていると思うが」ド・ヴェイルがいった。

「手つづきはわが部下が心得ています」ナイティンゲールがいった。

この話はぼくには初耳だった。ナイティンゲールのほうをちらっとうかがうと、彼は右手でルクスをつくるしぐさをした。ぼくは理解したしるしにうなずいた。

ド・ヴェイルは紙に息を吹きつけてインクを乾かすしぐさをまねたうえで、令状を筒に巻きなおし、ナイティンゲールに返した。

「ありがとうございます、閣下」と彼は礼をいうと、ぼくに向かっていった。「きみの出番だ、巡査」

ぼくはワーライトをつくり出し、ド・ヴェイルのほうにただよわせた。彼は右の手のひらをくぼませてそっとすくい取った。ぼくがなおも呪文を維持しているあいだに光は薄れ、そして思ったとおり、ド・ヴェイルは魔術を吸いこみだした。ぼくが一分間ほどもそれをたもっているうちに、ナイティンゲールが手で断ち切るしぐさをしたから、呪文を消した。光が薄れていくあいだ、ド・ヴェイルはため息をもらし、感謝のしるしにぼくにうなずいた。

「あまりにもわずかだ」彼はもの足りなさそうにそういうと、姿を消した。

ナイティンゲールは巻いた紙をぼくに渡した。「これできみは正式に令状を手に入れたわけだ」

令状を開いてみると、予想していたとおり、紙はなおも真っ白のままだった。

「さあ、ヘンリー・パイクを逮捕しにいこう」ナイティンゲールがいった。

倉庫からかなり離れたあとで、ぼくはエアウェイヴの送受信器にバッテリーを入れなおしてレスリーを呼び出した。

「こっちのことは心配しないで」彼女は応えた。「あなたがポケットから手を出して仕事にとりかかるのを、とってもしあわせな気分で待ってるところだから」

レスリーの声の背後から、別の声やグラスのぶつかる音、ダスティ・スモールの最新のシングル曲が聞こえてくる。ぼくとしては同情する気持ちにもなれなかった。彼女はパブにいる。彼女やほかの応援部隊もそろそろスタンバイする時間だ、とぼくはほのめかしてやった。

警察の仕事はシステムと計画と実行がすべてだ——超自然の存在を追っているときでさえも。ぼく、ナイティンゲール、シーウォル、ステファノポウラス、そしてレスリーが作戦の詳細を詰めていくのに十五分も必要ではなかった。なぜなら、ぼくらがやろうとしているのは、標準的な容疑者の特定、包囲、追跡、そして逮捕だからだ。ヘンリー・パイクの最新の被害者を特定するのはぼくの役目だった。ぼくがそれを終えたなら、ナイティンゲールが魔術を使って、ヘンリーの霊を彼の眠っている墓穴まで追跡する。事態がまずいことになったときにはシーウォルの部下たちが容疑者の包囲を担当し、その一方でドクター・ウォリッドも移動式の救護班とそばに待機していて、かわいそうな犠牲者が運悪く顔の皮をはがされるのを防ぐ手助けをする。一方、ステファノポウラス部長刑事は五割増しの賃金で集めてきた土木作業員をヴァンに満載して——そしてこれはぼくもあとで知ったのだが——墓がどこでみつかってもいいように、JCBのミニ・ショヴェルカーまで準備していた。さらには別のヴァンに制服警官を満載して、パブや映画館のように不都合なほど人の多い場所の下にヘンリー・パイクが埋まっていると判明した場合に備えて、群衆をすみやかに誘導できるように待機させていた。厳密にいえばシーウォルが作戦全体の指揮をとることになっていて、そのため彼はすばらしく上機嫌であるものとぼくは確信していた。

ナイティンゲールとぼくがロイヤル・オペラ・ハウスの舞台裏のドアからあらわれてボウ・ストリートに戻ったころには、すべての者が配置についているはずだった。ヘンリー・パイクがチャールズ・マックリンに殴り殺されたのがこの通りを十メートルも行かないあたりであったことを考えてみれば、ぼくらのささやかな囮《おとり》作戦をはじめるにはうってつけな場所だろう。ぼくは大きなかばんを開けてしぶしぶ制服の上着を着こみ、ひどくばかげて見えるヘルメットをかぶった。

念のためにいっておけば、ぼくらはみんなこのいまいましいヘルメットが嫌いだ。ヘルメットは格闘時になんの役にも立たないうえに、キャップをつけたままの青いボールペンのように見える。ぼくらがなおもこれをかぶりつづけているのは、代わりのデザインが間違いなくさらにひどいものになるだろうというだけの理由からだ。だとしても、これから巡査の役割を演じるのなら、それらしく見せたほうがよさそうだ。

真夜中が近づくと、この晩最後の回のオペラ愛好家たちがオペラ・ハウスから少しずつあふれ出て、地下鉄駅やタクシー乗り場のほうに向かいはじめた。ボウ・ストリートはロンドン中心部の通りに可能なかぎりひと気《け》がなくなり、しんと静まりかえっていた。

「本当にパイクを追跡できるんですか？」ぼくは訊いてみた。

「きみはきみの役割のことだけを考えろ」彼はいった。「わたしはわたしの務めを果たす」

ぼくはヘルメットの顎ひもを締め、エアウェイヴでもう一度確認した。今度はシーウォルが出て、あたふたするのをやめて、やるべきことにさっさととりかかれとぼくに告げた。ぼくは振り返り、役を演じはじめるべきですかと尋ねかけ、そのために上等なスーツ姿の男をまっすぐ目にすることになった。

男は舞台裏のドアそばの陰からとび出すなり、ナイティンゲールを背後から撃った。

10 盲点《ブラインド・スポット》

男は中年の白人で、質はいいがほかにこれといって特徴のないあつらえもののスーツを着ていた。セミ・オートマティックのピストルらしきものを右手に握り、左手にはコーベのオペラ・ガイドを手にしていた。襟のボタンホールに白いカーネーションを挿している。ナイティンゲールはすぐさま崩れ落ち、ぐったりと膝をついて、顔から倒れこんだ。杖が手から離れ、敷石の上をカランカランと音をたててころがった。

上質のスーツを着た男がぼくを見た。通りのナトリウム灯の明かりのもとで、薄い青色の目がウィンクしてきた。

「これでも食らえ」男は得意げにいった。

拳銃を持った相手から逃げることは不可能ではない。とりわけ、明かりのとぼしい状況で、ジグザグに走ることを忘れずに、しかもすみやかに距離をあけられるとすれば。その選択肢が魅力的でなかったというのではない。だが、ここでぼくが逃げだしたら、銃を持った男が前に進んでナイティンゲールの頭にとどめの一発を撃ちこむのを止めるものは何もない。ぼくはあとずさりながら銃を持った男をなだめる訓練を受けていた。声をかけることで信頼関係を築き、相手の注意を警官に集中させることで民間人を現場から安全に離れさせることができる。

ジャック・ウォーナーとダーク・ボガード出演の《ブルー・ランプ》を観たことはおありだろうか？　ヘンドンの警察学校で訓練を受けていたときに、ぼくらはディクソン巡査の一シーンを見せられた。ディクソンというのはウォーナーの役名で、最後に撃たれて死ぬことになる。映画のシナリオを書いたのは元警官だった男で、自分が何を語っているのかわかっていた。ディクソンが死ぬのは彼が恐竜のように鈍かったからで、愚かにも武器を持った容疑者のほうに近づいていった。ぼくらの指導教官ははっきりと指摘していた。近づくな、脅《おど》すな、話しつづけてあとずさりながら離れろ。相手がとりわけ頭が悪いか、政治的な意図を持っているか、またはひとつ記憶しておくべき例外として外交官特権に守られている者でないかぎり、警察官を殺したところで状況が好転するとは考えないものだ。最低でも時間を稼いで、武装した応援部隊が到着してこの愚かなくそったれの頭をぶち抜くのを待つことができる。

ぼくはあとずさる選択肢のことは考えなかった。相手はヘンリー・パイクに接収されたあやつり人形で、ぼくがどれだけ冷静に話しかけたとしても、ぼくやナイティンゲールを撃つことをためらいもしないだろう。

正直いって、あとずさることはまったく考えもしなかった。ぼくの脳はこう反応していた。〝ナイティンゲールが倒れた――銃――呪文！〟と。

「インペロ！」ぼくはできるだけ落ちつきはらった声でいって、男の左足を地上一メートルの高さまで浮上させた。身体が空中に、そして右方向に傾いて持ち上げられた男は悲鳴をあげた。ぼくは集中を欠いていたに違いない。というのも、はっきりと踵《かかと》の骨が折れるポキッという音を聞いたからだ。男の手から銃が落ちて、地面にころげ落ちるあいだに両腕をばたばた振りまわしてもがいた。ぼくはすかさずとび出して、銃を通りの向こうに蹴とばし、そして男の頭に蹴りを一発入れた。強烈に、そして確実に動けないようにするために。

男に手錠をかけるべきだが、背後ではナイティンゲールが路上で横たわり、あふれる血でくぐもった息づかいが聞こえてくる。俗にいう〝肺に穴のあいた状態〟というやつで、この場合、呼称に比喩的表現は使われていない。ナイティンゲールの右肩の下十センチのところに射入創があったが、少なくともそっと彼の身体を横向きにしたとき、射出創はみつからなかった。肺に穴のあいた状態について、ぼくが受けた応急処置の訓練にあいまいな点はなかった――ぼくがあたふたして騒ぎまわる一秒ごとに、それだけロンドン救急隊の到着が遅れることになる。

応援部隊に銃声が聞こえなかったことははっきりしていた。そうでなければ、とっくに駆けつけていたろうから。それに、銃撃者の足を空中に浮かせた際に、ぼくのエアウェイヴもだめになっていた。そのときになって、制服の上着のポケットに銀色の呼び子笛が入っているのを思い出した。あたふたと笛を取り出し、口にくわえてできるかぎりの力をこめて吹き鳴らした。

ボウ・ストリートで吹き鳴らす警察の呼び子笛。一瞬、ぼくはウェスティギアのように、結びつきを感じとった。夜と、通りと、笛と、血のにおいと、ぼく自身の恐怖心、そしてロンドンの過去の時代からのあらゆる制服警官が、こんな夜遅い時間にいったい何をしてるんだといぶかしんでいた。それとも、単にぼくがパニックを起こしていただけかもしれない。勘違いするのはひどく簡単だった。

ナイティンゲールの息づかいが不安定になりはじめた。

「呼吸をつづけてください」ぼくは声をかけた。「あなたはこの習慣をやめたくはないはずです」

サイレンが近づいてくるのが聞こえた――美しい音色《ねいろ》だった。

警察内のOBたちのネットワークの問題点は、そのスイッチが入っているのかどうかけっしてはっきりとはわからないことと、捜査がこちらの利点になるのか、ほかのOBのためなのかさえもはっきりしないことにある。彼らが取調室にコーヒーを一杯とビスケットを持って入ってきたとき、こちらの利益のために動いてくれているのではないのではないかとぼくは疑いはじめた。同僚の警察官が親切に取り調べを受けるときは、普通なら警察寮に行って自分でコーヒーを淹れてくることもできる。今回のようにルームサーヴィスを受けるのは、対象となる警官が容疑者である場合だけだ。ぼくたちはチャリング・クロス署に戻っていたのだから、寮の場所を知らないわけでもない。

ぼくを取調室のテーブルの反対側にすわらせる前に、ナイティンゲール主任警部はまだ命があるということまでは教えてくれた。ユニヴァーシティ・カレッジ付属病院の最新設備の外傷センターに収容され、〝安定した〟状態にある、と。この表現はいくつものよくない意味を含んでいた。

ぼくは時計を確認した。今は午前三時半、ナイティンゲールが撃たれてまだ四時間もたっていない。大きな公共の組織で少しでも働いたことがある人間なら、官僚的な仕事の潮の満ち引きを本能的に感じとれるようになる。ぼくはそのハンマーが振りおろされるのを感じとれた。警官になって二年にしかならないぼくがそれを感じとれたという事実からも、それが実際にとても大きなハンマーであることを意味している。誰がこのハンマーを振りおろしたのか、ぼくには目ざとく推測がついた。けれどもぼくには、まずいコーヒー一杯とチョコ・ビスケット二枚を前にして、取調室のテーブルの反対側にすわりつづけるほかにどうしようもなかった。

ときには、黙って立ったまま最初の一撃に耐えるしかないときもある。そうすることで、相手の手のうちを見ることができる。相手の意図をはっきりさせて、そのうえでそういったことが重要であるなら、はっきりと法律の正しい側に自分自身を置くことができる。それで、この一撃があまりに強烈で、ぺちゃんこに押しつぶされてしまったら？　だとしても、とにかくその危険に賭けてみるほかにない。

なまくらな鈍器がぼくの意表をついて振りおろされた。もっとも、シーウォルとステファノポウラス部長刑事が取調室に入ってきてぼくの向かい側に腰をおろしたときも、無表情な顔をたもちつづけるように気をつけてはいたが。

ステファノポウラスはテーブルに書類のフォルダーをぴしゃりと叩きつけて置いた。この数時間で作成されたにしてはあまりにもファイルがぶ厚かったから、大部分は見せかけの詰め物に違いない。彼女はぼくに薄い笑みを浮かべながらカセットテープの外装セロファンをはぎとり、ダブルデッキのカセットレコーダーのそれぞれに押しこんだ。テープのうち片方はぼくのためのもの、またはぼくの法的な代理人のためのもので、ぼくの意図に反して引用されるのを防ぐためだ。もう一方は警察のためのもので、ボールベアリングをいっぱいに詰めた靴下でぼくの背中や太腿や尻を殴りつけることなく告訴できたと証明するためのものだ。

どちらのテープも意味のないものだった。なぜなら、ぼくのすわっている位置はドアのすぐ上に設置された監視カメラのファインダーにばっちり収められているのだから。ライヴ映像は通路の奥の監視室に転送されていて、シーウォルとステファノポウラスが入ってきた芝居がかったやり方から判断して、向こうでは英国警察長協会《ACPO》ランクの誰かが見守っているのだろう——最低でも、副警視監以上のお偉いさんが。

テープレコーダーの録音が開始され、シーウォルがぼくと彼自身、それとステファノポウラスが出席していることを告げ、ぼくは逮捕されたのではなく単に警察の捜査に協力しているだけだといって聞かせた。理論のうえでは、ぼくはいつでも好きなときに立ってこの部屋から出ていくこともできる。ぼくが警官としてのキャリアに別れを告げる覚悟があるのなら。

ぼくがその誘惑に駆られなかったとは思わないでほしい。

記録に残すため、ナイティンゲールが撃たれたときにぼくが彼とおこなっていた捜査の概要をもう一度説明してくれないかとシーウォルが頼んだ。

「本当に記録に残していいんですか？」ぼくは尋ねた。

シーウォルがうなずいたから、ぼくはすっかり打ち明けた。ヘンリー・パイクはレヴナントであり、復讐に燃えるヴァンパイアの霊で、パンチ・アンド・ジュディの伝統的な人形劇をだしに現実の人間をあやつり人形として使っているのではないかという仮説と、そのためぼくたち二人がその話に入りこむ手だてを講じて、ナイティンゲールがヘンリー・パイクの骨をみつけ出して破壊できるようにするつもりだったことを。この件の魔術的な部分を説明していくとき、ステファノポウラスは顔をしかめるのを隠すことができなかった――シーウォルの顔は読みとりがたかった。銃撃の部分にさしかかると、発砲者に見覚えはあったかと彼が尋ねた。

「いいえ」とぼく。「何者なんですか？」

「男の名はクリストファー・ピンクマンという」シーウォルはいった。「そして彼は、誰かを撃ったことをいっさい否定している。彼はオペラから歩いて家に帰る途中で二人の男に襲われたと主張している」

「銃のことはどう説明してるんですか？」

「銃などどこにもなかったと主張している。彼がいうには、覚えている最後の記憶はオペラから出てきたことで、その直後に覚えているのは頭部をきみに蹴られたことだそうだ」

「それと、足首の骨が折れたときの激烈な痛みと」とステファノポウラス。「それと、地面に投げ出されたときにできた、かなりひどい打ち身と挫傷も」

「硝煙《しょうえん》反応の検査結果は？」ぼくは訊いた。

「彼はウェストミンスター・スクールで化学を教えている」とステファノポウラスがいった。

「くそっ」ぼくはもらした。硝煙反応の検査は信頼できないことで知られ、容疑者が化学薬品を扱う職業についているとなると、彼が銃を発砲したと法科学的な証拠として法廷で断定できないばかりか、とうてい証拠として申請もされそうにない。ぼくの頭に恐ろしい疑念が浮かんだ。

「銃はみつかった――でしょうね？」

「現場から小火器は回収されていない」ステファノポウラスがゆっくりといった。

「ぼくが歩道の向こうに蹴とばしたんですよ」

「小火器は回収されていない」ステファノポウラスがゆっくりとくり返す。

「この目で見たんですよ。セミ・オートマティック式のピストルのたぐいだった」

「何もみつかっていない」

「なら、どうやってナイティンゲールは撃たれたんですか？」

「それこそは」とシーウォル。「きみが教えてくれるのではないかと期待しているんだ」

「ぼくが彼を撃ったとほのめかしているんですか？」

「そうなの？」とステファノポウラス。

ぼくは急に口がからからになった。「いいえ。ぼくは彼を撃ってなどいません。それに、銃がないなら、どうしてぼくが撃ったはずがあるでしょうか？」

「どうやらあなたは、心で唱えるだけで物を動かせるらしいわね」

「心で唱えるだけでは無理ですよ」

「なら、どうやるの？」

「魔術を使うことで、です」

「オーケイ、なら、魔術を使うことで」とステファノポウラス。

「きみはどれくらいの速さで物を動かせるのかな？」とシーウォル。

「弾丸のような速さでは無理です」

「へえ」とステファノポウラス。「それってどれくらいの速さなの？」

「秒速三百五十メートルですね。現代のピストルの場合は。ライフル銃はもっと速いです」

「古い単位《オールド・マネー》でいうと？」シーウォルが訊いた。

「わかりません。ですけど、計算機を貸してもらえれば、やってみますよ」

「われわれとしてはあなたを信じたいの」とステファノポウラスがいった。警察の歴史において、もっともありえない〝いい警官〟の役割を演じている。

ぼくはいったん黙りこんで、深呼吸をした。ぼくは上級の取り調べ講座を受講したわけではないが、基礎くらいはわかっている。この取り調べのやり方はあまりにずさんだ。シーウォルのほうを見ると、彼は〝ようやく目を覚ましたか〟というような顔を向けた。生徒にひどく愛された教師のような、年長の刑事のような、アッパーミドル階級の母親のような。

「あなたがたは何を信じたいんですか？」ぼくは尋ねた。

「魔術が本物であるということを」シーウォルがいって、わかっているんだぞといわんばかりの笑みをぼくに向けた。「実演してもらえないだろうか？」

「それはいいアイデアとは思えませんね。周囲に好ましくない影響があるんです」

「少し都合がよすぎるように聞こえるけど」とステファノポウラスがいった。「好ましくない影響っていうのはどんな？」

「おそらく、あなたがたのケータイや、携帯型情報端末《パーム・パイロット》、ノートパソコン、ほかにも室内にあるすべての電子機器を破壊してしまうでしょう」

「テープレコーダーは？」とシーウォル。

「それもです」

「監視カメラは？」

「テープレコーダーと同じです。ケータイはバッテリーをはずすことで保護できます」

「あなたのいうことは信じられない」ステファノポウラスはそういって、ぐいっと身を乗り出し、巧妙に自分の身体で背後のカメラから隠しながら、とても女性らしいノキアのスリムラインからこっそりバッテリーを抜き取った。

「実際に見せてもらおうか」とシーウォルがいった。

「どれくらいのものを？」

「きみにどんなことができるのか見せてくれ」

とても長い一日だったし、ぼくはくたくたに疲れていたから、危機的状況でも信頼して使うことのできるフォルマにした——ワーライトをつくり出したのだった。蛍光灯の細長い光のもとでそれは青白く、非現実的で、シーウォルはさほど感嘆しなかったが、ステファノポウラスの鈍重な顔にこれほど純真な喜びから発した笑みが広がったから、一瞬、彼女がピンク色の部屋でユニコーンのぬいぐるみに囲まれている幼い女の子のように見えた。

「きれい」と彼女がもらした。

テープレコーダーに入っていた片方のテープのリールがぐちゃぐちゃにからまり、もう一方は単に動きを止めた。これまでの経験から、カメラを壊すにはワーライトの力を強める必要があるとわかっていた。もっと光を明るくしようとしたとき、ぼくの頭の中の〝形〟がおかしくなって、急激な光の柱が天井までわき起こった。鮮明な青色で、集束した光だった。手を動かすと、光線もそれにつれて壁を移っていった——ぼく専用のサーチライトを手にしているようなものだった。

「もう少しささやかなものを希望してたんだがな」シーウォルがいった。

ぼくは光を消し、〝形〟を思い出そうとしたが、それは夢を思い出そうとするようなもので、つかもうと手を伸ばすそばからするりと逃げていった。一度崩れてしまった形をつかみなおすには実験室で長い時間を過ごさないといけないとわかっていた。訓練をはじめた当初から、フォルマがそこにあるとわかりさえすれば半分は勝ったも同然だ、とナイティンゲールがいっていた。

「カメラもだめになったのか？」シーウォルが訊いた。

ぼくがうなずくと、彼は安堵のため息をついた。

「おれたちには、くそったれな猶予が一分間もない」彼はいった。「さすがのおれも、こんなに大量のクソが坂をころがり落ちてくるのは、ジ・メネジス（二〇〇五年七月に起きたロンドン地下鉄駅同時テロ直後の厳戒警戒中に、警官に誤って射殺されたブラジル人）が撃たれて以来、目にしたこともない。だから、おまえにしてやれるアドヴァイスはな、小僧、おまえがもぐりこめる一番深い穴を探して、クソが落ちてくるのがやんで、平らに厚く積もって、かりかりにひからびるまでじっとしてるんだな」

「レスリーについては？」ぼくは尋ねた。

「おれならレスリーのことなんて心配しない。あいつはおれの責任下にある」

それはつまり、シーウォルがレスリーの後見役《パトロン》であることを意味していて、彼女に危害を加えようと近づく者は、まずはじめに彼を倒していかないといけないとはっきり表明したことになる。わがパトロンはというと、現在のところユニヴァーシティー・カレッジ付属病院のベッドに横たわってチューブから呼吸をしている状態ゆえに、ナイティンゲールが同じように保護してくれるとは思いがたい。そうできるものならシーウォルがぼくにも庇護の手を伸ばしてくれると考えたかったが、確信はもてなかった。自分で身を守れとぼくにあからさまにはいわなかった——が、それはいわずもがなだ。

「次はどうする？」シーウォルが訊いた。

「ぼくに訊いてるんですか？」

「いや、おれはテーブルに訊いてるんだ」

「わかりません。ぼくにわかってないことがたくさんあります」

「それなら、独学で学びはじめたほうがいいな。なぜって、おまえさんがどう考えてるかは知らんが、ヘンリー・パイクが今になって急にやめるとも思えんからな——どうだ？」

　ぼくはかぶりを振った。

　ステファノポウラスがうめきをもらし、腕時計をトントンと叩いた。

「おまえのことは解放してやろう」シーウォルはいった。「このいまいましい霊が撒きちらしたクソのケリをつけなきゃならんからな。英国警察《ACPO》長協会の連中がパニックを起こして、お祓《はら》いのためにカンタベリー大主教を連れてくる気になる前に」

「全力を尽くします」ぼくはいった。

　シーウォルはぼくに、ぼくのいう全力というのはくそったれにましなものであるべきだぞとほのめかす視線をよこした。「今度またはじめるときには、おまえさんが口を動かす前に、ちゃんと脳が機能してることを確認してもらいたいもんだ。ハムステッドでのあの件のときみたいにならんようにな——わかったか？」

「一点のくもりもなく、はっきりと」

　取調室のドアが勢いよく開き、男が顔をのぞかせた。中年で髪に白いものが混じりかけ、肩幅が広く、眉毛が異常なほどふさふさしている。たとえウェブサイトのプロフィールから彼がリチャード・フォルサム副警視監だと知らなくても、警察内の大物だとわかったろう。彼はシーウォルに指を曲げてまねいた。「アレックス、ちょっと話がしたい」

シーウォルは壊れたテープレコーダーに目をやった。「取り調べを一時中断する」

彼はそういって、少し間を置いた。そうして彼は立ち、いわれるままにフォルサムのあとから部屋を出ていった。ステファノポウラスが、かの有名な邪悪なにらみをぞんざいにきかそうとしたが、ぼくは彼女がまだマイ・リトル・ポニーのぬいぐるみを大事にとってあるんだろうかと考えていた。

シーウォルが戻ってきて、隣の部屋で取り調べをつづけると告げた。隣室はまだモニター設備が機能していた。ぼくらはそこで取り調べをつづけ、今や伝統となった、事実だけを述べる一方であつかましい嘘をぬけぬけともらしていった。ナイティンゲールとぼくは、まったくの伝統的なある情報提供者から、ウェスト・エンド界隈《かいわい》で一連の無分別な攻撃を試みてきた集団が——もちろん一人であるはずはなかったから——ボウ・ストリートにアジトを構えていると信じるだけの理由を得て捜査していたところ、正体不明の襲撃者に待ち伏せをくらった、とぼくは説明した。

「フォルサム副警視監は、とりわけロイヤル・オペラ・ハウスへの脅威を心配しておられる」シーウォルがいった。

どうやら副警視監はいっぱしの芸術鑑賞家で、警視長に昇進した直後にヴェルディのオペラを誰かから紹介されたらしい。文化への唐突な愛好家気どりは、ある一定のランクと年齢以上の警察官に共通する病《やまい》であるらしい。一般人の中年の危機《ミドルエイジ・クライシス》のようなもので、それよりはシャンデリアや外国の言語が多く関わっているらしい。

「われわれとしては、活動の焦点はボウ・ストリートにあるかもしれないと考えています」ぼくはいった。「ですが、われわれの捜査では今のところロイヤル・オペラ・ハウスとの明白な関連性はみつかっていません」

朝六時までにはフォルサムに渡せそうな調書をシーウォルがつくり終え、ぼくは椅子にすわったまま眠りこんでいた。すぐに停職になるか、または少なくとも懲戒処分か独立警察陳情委員会から調査が入ると警告されるかと思っていたが、七時になるとそのまま解放された。

車で乗せていってやろうかとシーウォルがいってくれたが、ぼくは断った。張りつめた精神と睡眠不足のせいでふらふらしながらセント・マーティンズ・レーンまで歩いて戻っていった。夜のうちに天候が変わっていた。汚れた青い空のもとで、冷たい風が吹いていた。土曜のラッシュアワーのはじまりは遅く、通りは早朝の静けさをいくらかたもっていて、ぼくはニュー・オックスフォード・ストリートを渡って愚壮館《ザ・フォリー》をめざした。

ぼくは最悪の事態を予想していたが、裏切られはしなかった。覆面パトカーが少なくとも一台、通りの向こうに停まっているのが見てとれた。車内に人の姿は見えないが、念のためかるく手を振ってみた。

ぼくは正面の扉から入っていった。事態に正面から向きあうほうがいいし、くたくたに疲れていて、裏の厩にまわりこむのも面倒だった。警官を予想していたが、そこに立っていたのは兵士二人で、戦闘服に軍用ライフルを携行している。英国陸軍の森林地方用迷彩柄《DPM》ジャケットを着て、えび茶色のベレー帽にパラシュート連隊のバッジをつけている。二人はクロークルームの小部屋の前の通路をふさいでいた。ほかにも二人、メインの扉の両側に身を隠すように立っていて、両脇の完全武装したパラシュート隊員に襲いかかるような自殺行為を犯そうとする者をつかまえようと待機していた。何者かが、愚壮館《ザ・フォリー》を物理的に封鎖することをひどく真剣にとらえているらしい。

パラシュート隊員はライフル銃を上げてぼくをさえぎろうとまではしなかったが、和平合意前のベルファストの通りにひどく活気を添えていたに違いない、さりげなく威嚇する雰囲気をただよわせている。兵士のうちの片方が、顎でアルコーヴのほうを示した。愚壮館《ザ・フォリー》がもっと優雅であった時代なら、呼ばれるまでドアマンがそこで控えていたはずの場所を。そこには軍曹のストライプを肩につけたパラシュート隊員がもう一人すわっていて、片手には紅茶のマグを、もう一方には《デイリー・メール》紙を手にしていた。

この男が誰なのか、ぼくはすぐに気づいた。フランク・キャフリー、消防隊にもぐりこんでいたナイティンゲールの連絡係だ。彼は親しげにうなずき、ぼくに手招きをした。フランクの肩に縫いとられた徽章《きしょう》をぼくは確認した。パラシュート隊第四大隊で、これが国防義勇軍のひとつであることはぼくも知っている。フランクは予備役兵に違いなく、確かにそれなら、彼がどこかから白燐《はくりん》手榴弾を手に入れたのかも説明がつく。これもOBのネットワークの一部なのかもしれないとぼくは疑ったが、この瞬間は、フランクがナイティンゲールの味方であるとひどく確信があった。まわりに将校の姿はほかになかった。彼らは見ないふりをして兵舎に戻り、下士官《NCO》にあとの問題をまかせたのだろう。

「きみを館内に入れることはできない」フランクがいった。「きみの上司が回復するか、または正式な後任が指名されるまでは」

「誰の権限で？」ぼくは訊いた。

「おお、これはすべて同意事項の一部なのだ」フランクはいった。「ナイティンゲールとわれわれの連隊は過去にさかのぼって関係がある。ちょっとした借りがある、といってもいいかもしれないな」

「エッテルベルクの？」ぼくはヤマをかけて尋ねた。

「借りにはけっして返しきれないものもある。そして、しなくてはならない仕事も」

「館内に入らないといけないんだ」とぼくはいった。「図書室を使いたい」

「すまないが、同意事項ははっきりしている——権限なしには本館の境界線を越えては入れない」

「本館の境界線」ぼくはつぶやいた。フランクはぼくに何かを伝えようとしているが、ぼくは睡眠不足のために頭がまわらなかった。彼にもう一度くり返されたあとで、ようやくガレージは境界線の外にあるとほのめかしていることに気づいた。

ぼくは薄暗い日射しのもとに戻ると、ぐるっと裏のガレージにまわりこみ、そこから入った。外に停まっていた傷だらけのルノー・エスパスはあまりに見え透いた偽造のナンバー・プレートをつけていたから、パラシュート連隊の所有物以外に考えられなかった。少し時間を割《さ》いてジャガーのドアがロックされているのを確かめたうえで、作業机の下からほこりよけのカバーを引っぱり出して、このヴィンテージ・カーの上からかぶせた。ぼくはくたびれた足で馬車置き場の上階まで階段をのぼっていき、先に到着していたタイバーンをみつけることになった。

彼女はぼくが部屋の奥に積み上げておいたトランクやほかの古い品々を探しまわっていた。モリーの絵やナイティンゲールの父親だろうとぼくが推定した男の肖像画が壁に立てかけてあった。ぼくが見守っている前で、タイバーンは膝をついて寝椅子の下に手を伸ばし、またしてもトランクを取り出した。

「昔はこれを船室用《キャビン》トランクと呼んだものなのよ」彼女が振り返りもせずにいった。「幅を細めにつくってあるから、ベッドの下にしまうことができる。これなら、船旅に必要なものを分けて詰めることができるでしょ」

「というよりは、あんたの召使いが詰めるんだろ」ぼくはいった。「または、あんたのメイドが」

タイバーンは注意ぶかく折りたたまれたリネンのジャケットをキャビン・トランクから取り出して、寝椅子の上にかけた。

「ほとんどの人に召使いはいない。ほとんどの人は召使いなしで我慢してる」彼女は探していたものをみつけ、立ち上がった。優雅なイタリア製の黒いサテンのパンツ・スーツに、飾りのない黒靴を履いていた。額にはまだ大理石の破片で切った傷痕が残っている。彼女は戦利品をぼくに見せた。くすんだ茶色のボール紙のジャケット・スリーヴに、78回転のレコードとわかるものが入っている。「デューク・エリントンとアデレード・ホールの《クレオール・ラヴ・コール》、ビクターのブラック・アンド・ゴールド・レーベルのオリジナル盤」

彼女はいった。「それを彼は、空き部屋のトランクに詰めこんでおいたなんて」

「eBay《イーベイ》に出品してオークションにかけるつもりかい？」

彼女が冷ややかに一瞥《いちべつ》した。「自分の私物でも取りにきたの？」

「そうしてもかまわないかな？」

彼女はためらった。「お好きなように」

「親切にどうも」

ぼくの衣服はほとんどが愚壮館《ザ・フォリー》に置いてあったが、モリーは絶対に馬車置き場を掃除しにこなかったから、ソファーの裏に落ちていたスウェットシャツとジーンズをどうにか回収できた。ノートパソコンは置いていったとおり、雑誌の山の上に載っていた。ケースを探しまわらないといけなかった。そのあいだじゅう、タイバーンは冷ややかな視線をぼくに注いでいた。風呂に浸かっているあいだじゅう、母親に監視されているようなものだった。

フランクが指摘したとおり、ときにはどんな代償を支払おうともしなくてはならないことがある。ぼくは背を伸ばしてまっすぐ立ち、タイバーンと向きあった。

「あのさ、噴水の件については悪かったよ」

一瞬、この作戦がうまくいったかと思った。彼女の目の中に何かが見えたことは誓ってもいい。やわらぎ、そしてある認識——何かの。だが、それはすぐに消えて、前と同じ、にべもない怒りに取って代わられた。

「あなたのことを調べてみたの」彼女はいった。「あなたのお父さんは麻薬中毒者《ジャンキー》だったわね、三十年前から」

そういうことを人から指摘されても、ぼくは傷つくべきではなかった。父親が麻薬中毒者であることは、十二歳のころからわかっていた。いったんそのことを知ると、父親はとても冷静に、それが何を意味しているのか熱心にぼくにわからせようとした——息子に同じ轍《てつ》を踏んでほしいと思ってはいなかった。彼は今なおヘロインを処方されている英国で数少ない人間の一人だ。ロンドンでもっともささやかな成功をおさめたジャズの伝説となった男の大ファンだった一般開業医《GP》の好意を受けていた。父親が麻薬を使っていないことはひとときもないが、つねに心を抑えていられるし、人が彼をジャンキーと呼んでもぼくは傷つかないはずだった。

が、もちろん傷ついた。

「くそっ」ぼくはもらした。「父さんは本当に、そっと隠してたのに。バレちゃうなんて、びっくりしたよ」

「失望はあなたの血筋に色濃く流れてる、そうじゃない？　化学の先生はあなたに失望したあまり、《ガーディアン》紙にそのことを投書した。あなたは彼のお気に入り《ブルー・アイド》の生徒だった――比喩的にいえば」

「知ってる。父さんは切り抜きをスクラップブックにとってあるんだ」

「警官としておぞましい不品行のためにあなたがクビになったら、お父さんは同じように切り抜きをとっておくのかしら?」

「フォルサム副警視監」ぼくはいった。「彼はあんたの手下だ、違うかな?」

タイバーンはぼくに薄い笑みを浮かべて見せた。「あたしは出世組に注目してるから」

「あんたの好きなように手なずけてるのかい?」ぼくは訊いた。「ちょっといいことしてやっただけで、人がどんなことまでやってのけるのかは驚くばかりだ」

「もう少し大人になりなさい、ピーター。これには権力と相互の利益が関係してるの。あなたがまだほとんどの考えを自分の生殖器で考えてるからって、ほかのみんなもそうだということにはならないのよ」

「そう聞いて安心したよ。だって、誰かが彼に、眉毛を整えるべきだっていわなきゃいけないからね。それで、銃はあんたが手に入れたのか?」

「ばかなことといわないで」

「あんたらしいやり方だ。あんたの問題を、代わりにほかの誰かに解決させる。マキャヴェリは誇らしく思うだろうな」

「あなたはマキャヴェリの著作を読んだことがあるの?」彼女が訊いた。ぼくがためらったために、彼女は正しい結論を導き出した。「あたしはあるわよ。イタリア語の原書で」

「なんでわざわざ原書なんだい？」

「単位を取るためよ。オックスフォードのセント・ヒルダで。歴史とイタリア語の」

「二科目とも最優等でだろ、もちろん」

「もちろんよ」彼女はいった。「だから、なぜナイティンゲールの見すぼらしい上品気どりがちっともあたしの興味を惹かないのかもわかるでしょ」

「それで、あんたが銃を用意したのか？」

「いいえ、あたしじゃないわ。あたしがこんな失敗を計画する必要はなかった。どのみち、ナイティンゲールがしくじるのは時間の問題だった。もっとも、愚かにも彼が撃たれることになるとまでは予想してなかったけど。だとしても、災難だった」

「どうしてまだ中に入らないんだ？」ぼくは訊いた。「なんで馬車置き場にとどまってる？あっちはじつに興味を惹かれる場所だぞ。あんたが想像もしてないような図書室があるし、映画の歴史場面のロケ用に貸し出せば、ひと財産築けるだろう」

「すべて都合のいいときにね」

ぼくはポケットから鍵を取り出した。「ほら、鍵を貸してやるよ。あんたなら、きっとパラシュート連隊をうまくいいくるめて入れるだろう」

タイバーンはぼくが差し出した手に背を向けた。

「ここから生じるひとつのいい点は」と彼女はいった。「こうしたものをいかに扱ったらいいか、今や合理的な選択をする機会があるっていうこと」

「あんたは本館に入れない、違うかい？」

ぼくはビヴァリー・ブルックがいった〝敵対的なフォース・フィールド〟について考えていた。

タイバーンはぼくに公爵夫人のような目つきを向けた。サッカー選手の妻にはけっしてできない先祖伝来の視線で、一瞬、さまざまなものがあふれ出たように感じた。下水や金のにおい、そしてブランデーや葉巻の合間に交わされる取引。ただしタイバーンは現代的だったから、そこにはカプチーノや日干しのトマトのかすかな香りもあった。

「目的のものはすべて回収できた？」彼女は訊いた。

「あのテレビもぼくのものだ」

好きなときに持っていっていい、と彼女はいった。

「彼はあなたに何を見てとったのかしら？」彼女はいって、首を振った。「どうしてあなたが、秘められし炎の守り手になるのかしら？」

秘められし炎というのはいったいなんのことだろうか、とぼくは内心そう考えた。「単に運がよかっただけ、じゃないかな」

彼女はその言葉に答えようともしなかった。くるりと背を向けて、トランク荒らしを再開した。本当のところ、彼女は何を探しているんだろうかとぼくはいぶかしんだ。

馬車のための庭を抜けて戻る途中、背後でくぐもった吠え声を聞いてぼくは振り返った。

青白い、悲しげな顔が三階の窓からぼくを見守っていた――モリーが、トビーを胸にきつく抱きかかえている。ぼくは立ちどまり、彼らを安心させられるように願いながら手を振ると、ナイティンゲールがまだ生きているのか確かめに向かった。

ナイティンゲールの病室の外には武装した警官が一人立っていた。ぼくが身分証を見せると、警官はかばんを外に置いていくようにと告げた。現代的な集中治療室《ICU》は驚くほど静かになりうる。モニター機器は何かまずい事態が起こったときにだけ音がするし、ナイティンゲールは自力で呼吸できていたから、ダース・ヴェーダーのようにコーホーと音のする人工呼吸器もつけていない。

ポリエステル製の、ぱりっとして汚れの落ちやすいパステル色のベッドカバーにくるまれていると、彼は普段よりも歳をとって場違いに見えた。ぐったりした片方の腕が布団から出され、五、六本のワイヤーや管につながれている。顔はやつれて土気《つちけ》色で、目は閉じていた。しかし呼吸は力強く、一定していて、機械の助けを借りてもいない。サイドボードにはブドウの皿が載っていて、野生の青い花がたっぷり花瓶に活《い》けてあった。少し雑然としているな、とぼくは思った。

ぼくはしばらくベッドわきに立ったまま、何か声をかけるべきだと考えていたが、何も思い浮かばなかった。誰も見ていそうにないのを確認したあとで、ぼくは手を伸ばして彼の手を握った――驚くほど温かだった。何かを感じられたように思った。湿った松葉、木材をいぶした煙、カンヴァス、といったようなぼんやりした感覚。だがあまりにもかすかで、それがウェスティギアかどうかさえもはっきりしなかった。ぐらつきかけたぼくは足を踏んばって身体を支えた。それほどまでに疲れていた。部屋の隅になんの特徴もない肘掛け椅子がひとつあった。表面をコーティングした樹脂合板とポリエステルのカバーで覆われた耐火性の発泡スチロール素材でできていて、あまりにも寝心地が悪そうに見えた。椅子にすわりこんだぼくは片側に頭をもたせかけ、三十秒もしないうちに眠りに落ちていた。

つかのま、目を覚ましたときに、ドクター・ウォリッドと看護士二人がナイティンゲールのベッドのまわりを忙しく動きまわっているのが見えた。ぼくがぼんやり彼らを見つめているうちに、ドクター・ウォリッドが気づいて、家に帰って眠りなさいといった——少なくとも、彼はそういったのだと思う。

今度はコーヒーの香りに目を覚ました。ドクター・ウォリッドは紙コップ入りのラテと、ぼくの食費にかなりの穴があきそうなくらいたっぷりとスティック・シュガーを持ってきてくれた。

「彼の容態は?」ぼくは尋ねた。

「胸を撃たれている」ドクター・ウォリッドがいった。「こうした傷は人の動きを弱めることになる」

「回復の見こみは?」

「命に別状はない。だが、全快するかどうかははっきりしないな。補助なしに自分で呼吸できているのはよい兆《きざ》しだが、とにかくも」

ぼくはラテに口をつけ、舌を火傷《やけど》した。

「連中はぼくを愚壮館《ザ・フォリー》から締め出したんです」

「わかってるよ」

「あそこに戻れるように手配してもらえませんか?」

ドクター・ウォリッドは笑った。「無理だよ。わたしはちょっとばかりひそかな専門技術を持っているだけの、民間のアドヴァイザーだ。ナイティンゲールが動けない以上、愚壮館《ザ・フォリー》の施錠をはずす判断ができるのは警視総監、またはそれ以上の者だけだ」

「内務大臣、でしょうか?」

ドクターは肩をすくめた。「少なくともな。これからどうするつもりかね?」

「あなたの部屋からインターネットにアクセスできますか?」ぼくは尋ねた。


ユニヴァーシティー・カレッジ付属病院のように医師養成を目的とした大学病院の場合、正しいドアをくぐって入れば、そこはもう病院であるのをやめて医学研究と管理運営センターとなる。ドクター・ウォリッドはそこに研究室を持っていて、このことを知ってぼくは驚いたのだが、助手の学生もいた。

「ここでひそかな分野について教えているわけじゃないんだよ」と彼は説明したが、彼は——そして彼自身を大げさに宣伝したいわけではないが——世界に名の知れた胃腸病学者だった。「誰にだって趣味は必要だからね」

「ぼくのは仕事探しになりそうですよ」

「わたしなら、その前にシャワーを浴びることにするね。面接を受けにいくつもりなら」

ドクター・ウォリッドの研究室はやけに細長い部屋で、突きあたりに窓があり、両側に長く延びる壁はずらりと本棚で覆われていた。どの棚にもフォルダーや、専門誌や事典類が積み上がっていた。片側の細い本棚の向こう側が机になっていて、プリントアウトしたコピー紙の海のただ中にパソコンがあぶなっかしく浮かんでいた。

ぼくはかばんをおろし、ノートパソコンをコンセントにつないでバッテリーを充電しはじめた。モデムの差しこみ口は《ガット：国際胃腸病学・肝臓病学ジャーナル》誌の山の後ろに隠れていた。表紙の惹句《じゃっく》には、《ガット》誌は世界じゅうの胃腸病学者から最高の胃腸病学会誌に選ばれました、と高らかに謳《うた》われていた。自分の腸の円滑なはたらきのために、ほかにもたくさんの雑誌の努力が捧げられているというほのめかしに、ぼくは不安に感じるべきか安心するべきなのかよくわからなかった。モデムの差しこみ口は怪しいくらい応急装備されたもののように見え、間違いなく英国国民保健制度《NHS》から支給された標準的なものではなさそうだった。そのことをドクター・ウォリッドに尋ねてみると、ファイルの中には秘密を確実にたもちたいものがあるからだという答えが返ってきた。

「誰から隠したいんですか？」

「ほかの研究者からだよ。連中はつねにわたしの研究を略奪しようとしている」どうやら肝臓病学者が、なかでも最悪であるらしい。「あれほど頻繁に胆汁《たんじゅう》を扱っている連中に、何を期待できるというのかね？」ドクター・ウォリッドはそういって、冗談がぼくに通じなかったとわかるとがっかりしたようだった。

ここの装備でもなんとかなりそうだと満足すると、ぼくはドクター・ウォリッドに案内されて通路の先にあるスタッフ用のバスルームに向かい、四角い小部屋の中でシャワーを浴びた。そこは対麻痺《ついまひ》者や、その車椅子、ケア・アシスタント、介助犬をいっしょに入れるに充分なほど広くつくられていた。備えつけの石鹸《せっけん》はレモンの香りのするジェネリック医薬品の抗生物質のかたまりで、あまりに強力だったから全身の表皮が薄くはがれ落ちてしまいそうなくらいだった。

シャワーを浴びながら、ナイティンゲールが撃たれたいきさつについてもう一度考えてみた。《デイリー・メール》紙には毒々しく装飾された絵空事が書きたてられているにもかかわらず、普通はぶらっと適当なパブに入っていって拳銃を買うことなどできはしない。とりわけ、昨日の晩、クリストファー・ピンクマンによってあまりに手慣れていない手で握られていた、最高級《ハイ・エンド》のセミ・オートマティックとなるとなおさらだ。それはつまり、ぼくらがロイヤル・オペラ・ハウスに到着し、それから二十分もせずに舞台裏のドアから再びあらわれ出るまでのあいだに、ヘンリー・パイクがピンクマンを配置につかせることなどできるはずがないことを意味していた。ヘンリー・パイクはぼくらがボウ・ストリートでやつを罠にかける計画でいたことを知っていたに違いなく、そうなると可能性は三つ残されていた。パイクは未来を予見できるのか、他人の思考を読むことができるのか、またはこの計画を知っていた誰かが彼の接収したあやつり人形の一人だったかだ。

予知能力についてはすぐに却下した。ぼくが因果律《いんがりつ》の信奉者であるばかりでなく、ヘンリー・パイクはこれまで一度も未来を知っているとほのめかすようなことをしていないからだ。愚壮館《ザ・フォリー》の一般の図書室でぼくが調べてみたかぎりでは、他人の思考を読むなどということはできない。少なくとも、誰かの思考をテレビのナレーションの声のように聞くことはできそうにない。違う、誰かがヘンリー・パイクに告げ口したか、またはヘンリー・パイクが接収した誰かに計画の内容を話してしまったかだ。ナイティンゲールがそんなことをするわけはないし、ぼくもしていない。となると、残るは殺人課の連中しかいない。ステファノポウラスやシーウォルが、魔術について、その正式な実践者と話しあうことさえためらっていたのを考えてみれば、彼らが部下たちに打ち明けたとは考えられないし、レスリーも彼らの例にならったろう。

ぼくは心地よく肌が剥き出しになったように感じながらシャワーから出て、くり返し何度となく洗濯されたために紙やすりのような手触りのタオルで身体をぬぐった。馬車置き場から回収してきた衣服は洗いたてというわけでもなかったが、少なくともそれまで着ていたものよりはましだった。これといって特徴のない通路を何度か間違って曲がったすえに、ぼくはドクター・ウォリッドの研究室に戻り着いた。

「気分はどうかな?」ドクターが訊いた。

「人間に戻れたような気分ですよ」

「かなりましだな」そういって彼はコーヒーメイカーの場所を指さして示し、好きに飲むといいといってくれた。

人類がやみくもにうろつきまわるのをやめて食料を耕作しはじめて以来、社会はどんどん複雑になっていった。いとこたちといっしょに眠るのをやめて隣室との壁をつくり、寺院やまずまずのナイトクラブがいくつかつくられるやいなや、社会はあまりに複雑になって、一人の人間がすべてをいっぺんに把握することなどできなくなった。そうしてそのために官僚制度が生まれたのだった。

官僚制度は複雑なものをひとつづきのたがいに結びついたシステムへと分割する。そのシステムがどのようにしてたがいに組み合わされているのかを各人がいちいち知る必要はないし、自分の属しているささやかなシステムがどんなふうに機能しているのか知る必要さえもない。自分はそのささやかな役割を果たすだけで、全体の機械がきしむ音をたてて動きつづける。それぞれの組織が果たす機能が多様になればなるほど、たがいに結びついたシステムや下部のシステムは複雑なものになる。ロンドン警視庁のように、テロリストの攻撃を未然に防いだり、家庭内のいざこざをとりなしたり、運転者が不特定の他人を轢《ひ》き殺さないように監視しつづける責任があるとすれば、そのためのシステムはまさしくとても複雑なものになる。

このシステムのための機能の一部こそは、すべてのOCU、すなわちロンドン警視庁内の作戦指揮単位《オペレーショナル・コマンド・ユニット》が専用のＨＯＬＭＥＳ操作室かまたはアクセスの権限のあるノートパソコンにインストールされた専用のソフトを通じてＨＯＬＭＥＳ２やＣＲＩＭＩＮＴ（警視庁《ロンドン》が一九九四年に導入した、犯罪者、容疑者、苦情通報者などの情報を網羅したシステム）のデータベースにアクセスできるようにすることである。この業務は情報管理室が扱っている。彼らの管理責任はシステムのささやかな部分にすぎないため、重大組織犯罪捜査課《シリアス・アンド・オーガナイズド・クライム・グループ》（これまたＯＣＵだ）と愚壮館《ザ・フォリー》との違いを認識していない。愚壮館《ザ・フォリー》それ自体がＯＣＵに分類されているのは、誰もほかにロンドン警視庁の組織図のどこに落としこめばいいのかわからないためだ。

　さて、このようなことはナイティンゲール主任警部にとってはなんの意味もない。だが、何を隠そうこのぼくにとっては、ＨＯＬＭＥＳ２のインターフェースの合法なコピーを手持ちのノートパソコンにインストールできるだけでなく、殺人および重大犯罪課のトップと同じアクセス権限が与えられていることを意味する。

　それは願ったりかなったりだった。なぜなら、ぼくの想定した容疑者の一人はシーウォル主任警部で、これは一発で仕留める確信がないかぎり、標的にすべき相手ではないからだ。ステファノポウラス部長刑事もこの作戦について前もって知っていたわけだが、同じくらいやっかいな標的で、へたをするとぼく自身が彼女を揶揄《やゆ》した例のジョークのナンバー２になりかねない――〝なあ、無意識のうちに悪意あるレヴナント霊に道具として利用されてたってステファノポウラス部長刑事を責めた刑事の身に何があったか知ってるかい？〟

　ドクター・ウォリッドは容疑者ナンバー３で、そのためにぼくは何をしているのか彼にくわしく話さずにおいた。レスリーがナンバー4で、ナンバー5は、ぼくがもっとも怖れていることだが、もちろんぼく自身だ。これを証明する手だてはもちろんないが、ブランドン・クーパータウンがウィリアム・スカーミッシュを殺してから自分の子どもを窓からほうり出すまでのあいだに、それまでの自分と違ったところを明かすようなことがなかったのはかなりはっきりしている。

レスリーからは何も感じなかった。〝接収〟を覆い隠すことは可能なのだろうか？　または、ぼくは単に自分がそう思っているほど感覚が鋭くないだけなのかもしれない。ウェスティギアと自分自身の気まぐれな感覚を区別できるようになるには生涯をかけて研鑽《けんさん》を積む必要がある、とナイティンゲールがいつもいっていた。これまでのぼくは、誰を信用したらいいのか勝手に決めつけていた——同じあやまちをくり返すつもりはない。

シャワーを浴びたあと、ぼくはしばらく時間をかけて鏡に映った自分の顔をにらみ、勇気を奮い起こして口を開いて、中をのぞきこんだ。そうしてようやく目を閉じて、頬の内側に指を突っこんだ——これまで生きてきて、自分の小臼歯をいとおしく撫でるのをこれほどうれしく思ったことはない。この事実がはっきりと示しているのは、ヘンリー・パイクがまだぼくの顔を引き伸ばしてはいないということだ。

ぼくはＨＯＬＭＥＳを起動して、自分のアクセス・コードとパスワードを打ちこんだ。厳密にいえばどちらもナイティンゲール主任警部のもので、厳密にいえば、どちらも彼が動けなくなった時点ですみやかに無効にされるべきものだが、明らかに誰もまだそこまで手をまわしてはいなかった——惰性による怠慢というのは、文明社会と官僚制度のもうひとつの重要な特質だ。ぼくは、ウィリアム・スカーミッシュの殺害、一月二十六日にコヴェント・ガーデンで起こったあの事件のはじまりから調べはじめた。

探していたものは三時間とコーヒー二杯を消費したのちにみつかった。ドクター・フラムラインの事件を見なおしているときに。この暴行事件はビジネス文書を配達する自転車乗りがストランドの通りで車にはねられて治療のためユニヴァーシティー・カレッジ付属病院に運びこまれたときに起こった。そこで自転車乗りがドクター・フラムラインをいきなり攻撃したのだった。

実際に制服警官が、救急車の到着を待つあいだに交通事故現場で彼から調書をとっていた。彼の主張によると、車の運転手は彼を追い越しながら故意に彼を道からはじきとばしたのだそうだ。事故はストランドの監視カメラがカバーしていないめったにない地点で起こった、とレスリーはいっていたが、事故当初の報告によると、自転車乗りはチャリング・クロス駅のすぐ外ではねられたと記録されている。

一九九〇年代にアイルランド共和国軍《IRA》がロンドンの鉄道ターミナル駅を本格的なターゲットにして以来、駅の周辺に監視カメラの死角となる地点など存在しない。ぼくはＨＯＬＭＥＳのアーカイヴの内臓まで荒らしまわり、そこにトラファルガー広場からオールド・ベイリーまでの関連するすべてのカメラ映像を、参照可能なように殺人課のイカレた誰かがアップロードしていたのをみつけた。どれをとっても正しいファイル名がつけられていなかったために、肝心なビデオ映像をみつけるのにたっぷり一時間半はかかった。自転車乗りはどんな車に幅寄せされたのかまで特定していなかったが、故意に彼を道からはじきとばしたのがぼろぼろのホンダ・アコードであるのは見間違いようがなかった。ビデオの解像度は運転手やナンバー・プレートが確認できるほど鮮明ではなかったが、車の進路を追ってトラファルガー広場の信号の上から見張っている高解像度の交通監視カメラにたどりつくまでに、ぼくはそれが誰の車かわかっていた。

それは確かに納得がいった。彼女はクーパータウンが妻と子どもを殺したときに現場にいたし、映画館の事件のときも、ドクター・フラムラインの攻撃のときもそばにいた。オペラ・ハウスの外での作戦を計画したときも彼女はその場にいたし、応援部隊といっしょに到着して、紛失したピストルをこっそり回収できる状況にもあった。

レスリー・メイこそはぼくの探している容疑者だった。というか、その一部だった。ヘンリー・パイクに接収され、彼の暴力と復讐のための狂った芝居の役割の一部を務めていた。

彼女ははじめから、ウィリアム・スカーミッシュが頭を切り落とされ、ぼくがニコラス・ウォールペニーに出会ったあの最初の晩からその一部だったのだろうか。そうしてぼくは、ピッチーニのシナリオに出てくるプリティ・ポリーを思い出した――妻と子どもを殺したパンチが恋心を寄せた、無口な娘のことを。彼がひどい音をたててキスしてくるあいだ、彼女は〝ちっとも嫌じゃない〟らしかった。そうして彼が歌う。〝**おれがもし、老ソロモン王みたいにたくさんの妻を抱えてたとしても、わがプリティ・ポリーのためなら全員殺したって**

かまやしない〟と。

以前にコヴェント・ガーデンで息子が迷子になった母親を目にしたことがあった。彼女は古きよき意味でとてもイギリス人らしい婦人だった。生地のいいプリント柄のワンピースに上等なバッグを持ち、ウェストエンドに買い物に来て、ロンドン交通博物館を訪ねた。そしてショーウィンドウのディスプレイに少し気をとられているうちに、振り返ってみると六歳の息子がいなくなっていたのだった。

彼女がぼくらを探しあてたときの表情を、ぼくはとてもはっきりと覚えている。表面上は冷静をよそおい、典型的な英国人らしく上唇をこわばらせていた。だが、その目は彼女の本当の心を明かしていた――右に左にすばやく動いて、すぐさまあらゆる方向に駆けだしていきたい衝動と闘っていた。ぼくが彼女を落ちつかせようとするあいだに、レスリーが署に連絡を入れて、組織だった捜索がはじまった。

ぼくはあのときの自分がどんなことをいったか覚えていない。ただ相手が落ちつくような言葉をかけていた。が、そうするあいだも、母親がほとんど気づかないくらいかすかに震えているのがわかったし、ぼくの目の前で一人の人間が取り乱しかけているのがわかった。

その一分後には六歳児がみつかった。広場の奥まった中庭から、親切なパントマイムの大道芸人が連れてきてくれたのだった。息子があらわれたときの母親をぼくはじっと見ていた。安堵の表情が顔にあらわれ、怖れは内面に引っこみ、そしてサンドレスと飾らないサンダル姿のきびきびした実際的な女性だけが残された。

今のぼくはあの女性の恐怖を理解できた。自分自身のためではなくて、ほかの誰かの身を案じていた。レスリーは接収された――ヘンリー・パイクが彼女の頭の中に居すわり、少なくとも三カ月はとどまってきた。ぼくは最後に彼女と顔を合わせたときのことを思い出そうとしてみた。彼女の顔は以前と違って見えたろうか？　ぼくは彼女の笑顔を思い出した。歯の大半をのぞかせて、大きくにんまりした笑顔を。最近はぼくににっこりと笑って見せたことがあったろうか？　あったかもしれない。ヘンリー・パイクが彼女にディシムロを実行していたのなら、彼女をプルチネッラの顔だちにつくり変えてしまったなら、彼女が歯の損傷を隠す手だてはない。どうやってヘンリー・パイクを彼女の頭から追い出したらいいのかぼくにはわからなかったが、レヴナント霊が彼女の顔をはがしてしまう前に彼女のもとに救出に向かえるなら、少なくともどうやってそれを止めたらいいのかわかるかもしれないと思った。

ドクター・ウォリッドがオフィスに戻ってくるまでに、ぼくは計画をひとつ思いついていた。

「どんなものだね？」と彼が尋ねた。

ぼくはドクターに説明し、ひどい計画だという考えには彼も同感だった。

11 上の階級の暴動《ベター・クラス・オブ・ライオット》

最初の任務はレスリーをみつけることだ。この点は、彼女の携帯電話に電話して、どこにいるのか尋ねるという単純な手段によって成し遂げられた。

「わたしたちはコヴェント・ガーデンだけど」と彼女はいった。〝わたしたち〟というのは彼女とシーウォルと殺人課の残りのうち半数ほどのことで、主任警部は警察の伝統的な〝疑わしきときは人力を惜しみなく投入せよ〟というアプローチをとっていた。彼らは広場をくまなくさらって、それからすばやくオペラ・ハウスを確認するつもりだった。

「彼は何を期待してるんだい？」

「はじめに、いかなる問題の可能性も阻止すること。そのあとは、あなたを待ってるんでしょ、覚えてる？」

「ある計画を思いついたかもしれない」ぼくはいった。「だけど、きみが愚かなことを何もしでかさないことが重要なんだ」

「ねえ、このわたしが愚かなことをすると思う？」

それが本当であってくれさえすれば。

次に必要なのは車だ。そのためにビヴァリーの防水仕様の携帯電話にかけてみて、彼女がタワー・ブリッジの下をすいっと泳いでくぐったり、または水のニンフが休みの日に何をしているにしても、その最中でないことを願った。彼女は二度目の呼び出し音で出て、姉さんにいったい何をしたのとぼくを問いつめた。「彼女は全然うれしがってないよ」

「きみの姉さんのことは、今のところ気にしなくていい。車を借りる必要があるんだ」

「あたしもいっしょに行くっていう条件でならね」彼女はいった。それはぼくも予想していた。実際のところ、それをあてにしていたのだった。「でなけりゃ、勝手に歩いていけば」

「わかったよ」ぼくはしぶしぶ認めるふりをしていった。

彼女は三十分以内にやってくると約束した。

予定リストの三番目は何か強力なドラッグを手に入れることで、それはぼくが大きな病院にいるというのに、驚くほど困難なことがわかった。問題は、わが従順なドクターが倫理的な呵責《かしゃく》を感じたことにあった。

「きみはテレビの見過ぎだよ」ドクター・ウォリッドはいった。「鎮静剤の吹き矢などというものは存在しない」

「いいえ、存在しますよ。アフリカでは野生動物にしょっちゅう使ってます」

「だったら、もっと正確にいい換えるとしよう。安全な鎮静剤の吹き矢などというものは存在しない」

「必ずしも吹き矢である必要はありません。こうしてレスリーを接収されたままほうっておく一分ごとに、それだけヘンリー・パイクが彼女の顔を剝いでしまう可能性が高まるんですよ。魔法ではたらきかけるには、相手が目を覚ましていないといけません。脳の意識的な部分を遮断してしまえば、ヘンリーは呪文を使うことができなくなって、レスリーの顔を神様が意図したとおりにたもつことができるはずです。賭けてみてもいいですよ」

ドクターの顔つきから、彼もぼくの言い分が正しいと考えているのが見てとれた。

「だが、そのあとはどうするのかね？　彼女を際限なく医学的昏睡状態にとどめてはおけない」

「時間を稼ぐんです。ナイティンゲールが目を覚ますのを。ぼくが愚壮館《ザ・フォリー》に戻れるようになるのを。ヘンリー・パイクが老衰で死ぬのを……または不死の幽霊がどうなるにしても」

ドクター・ウォリッドはぶつぶつこぼしながら出ていって、少しすると滅菌加工のパッケージに入った使い捨ての注射器を二本手にして戻ってきた。箱には生物学的危険物の印と、〝子どもの手の届かないところで保管してください〟というステッカーが貼ってあった。

「塩酸エトルフィンの水溶液だ。体重六十五キロ程度の人間の女性を鎮静化させるのに充分な量だよ」

「即効性は？」

「これはサイを鎮めるのに使うものだ」彼はそういって、ふたつめのパッケージを手渡した。これまた注射器が二本入っている。「これは中和剤、ナルカンだ。もし間違ってきみ自身にエトルフィンを射すようなことがあれば、救急車を呼ぶ前にすぐさまこれを使って、救急隊員にはこのカードを見せるように準備しておくといい」

彼はまだラミネート加工機から出てきたばかりで温かなカードを手渡した。ドクター・ウォリッドの丁寧な大文字で手書きされている。〝警告。わたしは愚かにも自分自身に塩酸エトルフィンを注射してしまいました〟とあって、救急隊員がおこなうべき処置方法がリスト化されていた。その大半は蘇生の方法や、鼓動や呼吸を維持するための勇敢な行為に関するものだった。

ぼくは落ちつきなくジャケットのポケットをぽんと叩きながらエレヴェーターで下の外来受付エリアまで降り、鎮静剤は左ポケット、中和剤は右ポケット、と小声でくり返しつづけた。

ビヴァリーが駐車禁止エリアでぼくを待っていた。カーキ色のカーゴ・パンツにハサミで袖を切った黒Tシャツ姿で、胸には〈WINE BACK HERE〉（ワインはこちら）とステンシル文字で横書きされている。

「じゃーん！」彼女はそういって、車を示した。カナリア・イエローのBMWミニ・コンヴァーティブル、クーパーSモデルで、後部《リア》にはスーパーチャージャーがついているし、ランフラット・タイヤだった。ロンドンの中心街を走って、なおかつ標準的な駐車スペースにおさまる車のなかでは、これ以上ないくらい目立つ車だ。ぼくは喜んで彼女に運転をまかせた――ぼくにもまだ少しは基準がある。

五月の終わりにしては暑くて、ラッシュアワーの車の排気ガスはあるにしても、コンヴァーティブルでドライヴするにはうってつけな日だった。ビヴァリーの運転はこの二年以内に試験に合格したばかりにしてはまずまずのひどさだった。ロンドンの道路のよい点は、たいていの運転者は致命的なミスを犯すほどスピードを出す機会がないことにある。予想されたとおり、ガウアー・ストリートの手前で渋滞に巻きこまれてぴたりと動かなくなり、ロンドンを車で移動する者にとっての長年のジレンマに直面することになった——車を降りて歩くか、それともまた車が動きだすのを期待して待ちつづけるか。

もう一度レスリーに電話してみたが、携帯電話は留守電に直接つながった。ぼくはベルグレイヴィア署にかけて、ステファノポウラスの無線機《エアウェイヴ》につないでもらった。誰かがこのチャンネルを傍受している場合に備えて、彼女は当然なことに、家に戻って、追って指示があるのを待つようにと警告したが、そのあとでシーウォルとレスリーを最後に目にしたのは二人がオペラ・ハウスに向かったときだと教えてくれた。ぼくはすなおに家に戻りますと伝えた。こういったところでステファノポウラスや仮想上の傍受者を納得させられはしなかったろうが、少なくとも法廷で提示されるかもしれない通話記録ではそれなりに見えるだろう。

なんとかニュー・オックスフォード・ストリートを越えると渋滞はおさまって、ぼくはビヴァリーにエンデル・ストリートに入るよう指示した。

「現場に着いたら、レスリーには近づかないようにするんだぞ」ぼくはいって聞かせた。

「あたしじゃレスリーの相手にならないとでも思ってんの?」

「彼女はきみの魔術をすっかり吸いとってしまうかもしれない」

「マジで？」

これは推測だが、ビヴァリーのようなゲニイ・ロコルムはどこかから魔術のみなもとを引き出しているに違いないとぼくはにらんでいた。そしてヘンリー・パイクのようなレヴナント霊にとって魅力的な標的になるに違いないと。または、そういうものに対して彼らは元から耐性があって、ぼくはなんでもないことを心配しているだけかもしれないが、その可能性に賭けてみる気にはなれなかった。

「マジで」とぼく。

「くそっ」彼女はもらした。「あたしたち、友だちだと思ってたのに」

ビヴァリーに何かなぐさめの言葉でもかけてやろうとしたが、それは握りつぶされた。ビヴァリーが〈オアシス・スポーツセンター〉わきの一方通行の通りから、ぼくの知るかぎりウィンカーも出さずに、またほかのドライヴァーや歩行者のことはまったく気にかけもせずに、エンデル・ストリートに入りこんだためだった。

「レスリーはきみの友だちだ」ぼくはいった。「ヘンリー・パイクはそうじゃない」

週末を喜ぶ人々がパブやカフェから路上にあふれ出て、ロンドンはあと数時間、トスカーナに別荘《ヴィラ》を所有する人々が望むようなストリート・カルチャーを満喫することになる。道が狭くなったことと、通行人をはねてしまうおそれがあるために、ビヴァリーでさえも一時的にアクセルを踏みこむ足をゆるめた。

「人に気をつけてくれよ」

「はっ」とビヴァリーがいう。「この連中は、飲むのと歩くのをいっしょにやるべきじゃないよ」

ぼくらはロング・エイカーの小さな環状交差路《ラウンダバウト》をめぐり、角の〈ケンブルズ・ヘッド〉の外で飲んでいるさらなる人の群れのためにまたしても速度をゆるめ、ボウ・ストリートに入ると加速しなおした。パトカーも消防車もほかのどんな緊急事態の兆候もオペラ・ハウスの外には見えなかったから、どうにか間にあったかもしれないと思った。ビヴァリーはオペラ・ハウスの向かいの身障者用駐車スペースに車を停めた。

「エンジンは止めずにおくんだぞ」ぼくはそういい残して車を降りた。それほど急いで逃げ出す予定はなかったが、こう指示しておけば彼女は車内にとどまって、よけいな問題を起こさずにすむだろうと考えた。「警察が車をどかすようにいってきたら、ぼくの名前を出して、中で捜査中だといってやれ」

「もちろんそれでうまくいくからだよね」とビヴァリーはいったものの、ミニにとどまった。それこそが一番の重要事項だ。

ぼくはかるく駆けながら道を渡って正面入口へと向かい、ガラスとマホガニー材でできた扉を押して入りこんだ。日射しのもとから入りこむと、館内の吹き抜け《アトリウム》の広間はひんやりとして暗く、扉のそばにはガラス・ケースの中にマネキンが飾られていた。以前の公演で使った衣装が飾られている。ふたつめの、内側の扉をくぐってロビーに入ると、別の方角からやってくる人々の急な流れと出くわした。すばやく周囲を見まわして彼らを突き動かしている原因を探したが、いそいそと切迫した動きではあるものの、パニックを起こしているようすはない。そうしてぼくは気づいた。今は幕間《まくあい》で、この人々はタバコを吸うため外に向かっている喫煙者だ。

確かに、人の流れは売店と表示された扉をぞろぞろとくぐって左に折れていく。おそらくは、トイレとバーのほうへと——おそらくそのとおりの順番で。ぼくはその場に立ちどまって、人の流れを先に通した——少なくともシーウォルは、あの体格のため簡単に目につくはずだ。

衣装的にいえば、ぼくは失望することになった。誰もが高価そうな衣服で着飾っていたが、どれもスマート・カジュアルといった程度で、ときどきイヴニング・ドレスが退屈をまぎらしてくれるだけだった——ぼく自身の一番上等なスーツ以上の豪華なよそおいを予想していたのだが。

人の流れが弱まると、ぼくは流れに合流してそのまま左に運ばれていき、クロークルームを越えて階段をのぼり、メインのバーに入った。表示によると、ここが〈バルコニーズ・レストラン〉で、一見したところここのつくりは、ヴィクトリア朝時代ふうの錬鉄で組んだガラス張りの温室に、色を塗らずに仕上げた数トンぶんのマツ材を投入してつくられていた。幕間には千人もの少しぼんやりした観客が勢いよく入ってきて、さっきまでの歌声をジン・トニックでまぎらすことができるように設計されていた。店内には大きくひらけたスペースがあって、シンプルなクッションつきの家具や清潔な真鍮の調度品でそろえている。白鋳鉄《はくちゅうてつ》とガラス屋根からなる丸天井のアーチの真下に位置しているため、まるでセント・パンクラス駅の改装をIKEAが受注したかのようにも見えた。きかんしゃトーマスがもしもスウェーデンの出身なら、彼のリヴィングはちょうどこんなふうだろう。

もっとも、彼のところはたぶんここよりもずっと静かで落ちついているだろうが。

部屋のまわりを六メートルほどの高さのバルコニーがぐるりと囲んでいて、椅子とテーブルを充分に並べられるだけの幅があり、白のリネンやシルヴァーウェアが用意されている。バルコニーは客がまばらだった。おそらく、ほとんどの観客はまっすぐバーに直行して、またオペラがはじまるまでに可能なかぎり大量のジンを喉に流しこむからだろう。上からもっとよく見わたせるように、ぼくは一番そばの階段をめざした。

半分ぐらい上がったところで室内の雰囲気が急に変わりつつあることに気づいた。それほど強烈な感覚というわけではなく、夜ふけに遠くのほうで犬が吠えているような感じだった。「あの雌犬《ビッチ》は消えればいいのに」と女のかん高い声が、どこか下のほうから聞こえてきた。前にニール・ストリートで感じたのと同じ、張りつめた感覚だ――ドクター・フラムラインが急に発狂したかのように自転車乗りに襲いかかったあの直前と。誰かがトレイを落とし、高価な板張りの床に金属がカランとぶつかる音が響いて、グラスがいくつか砕け散った。そばで皮肉な歓声があがった。

ぼくはバルコニー階に達し、誰もすわっていないテーブルふたつのあいだに立って下の群衆を見わたした。

「このぼんくら野郎」と下のどこかで男がいった。「くそったれな、ぼんくら野郎」

ぼくは四十代後半の頑健そうな男に目をとめた。ごま塩頭でコンサヴァなスーツ、はっきりとしたもじゃもじゃの眉毛。フォルサム副警視監だった——ぼくの人生はそれほど複雑な関係から成り立っているわけではないために。ぼくはバルコニーの手すりから離れ、そのときになって反対側のバルコニーの手すりからレスリーが身を乗り出しているのが見えた。まっすぐにぼくをにらんでいる。彼女は正常そうで、活きいきとして楽しげに見えた。勤務時のレザー・ジャケットとスラックス姿だ。ぼくが見ていることを確信すると、彼女は楽しげにかるく手を振り、顎でメイン・バーのほうを示した。そこではシーウォル自身が酔っぱらって酒をあおっていた。

案内のアナウンスの声が、三分後に公演がはじまりますと告げた。

下のメイン・バーで、肘にレザーのパッチをあてたツイード・ジャケットを着た男が、話し相手の頬を張りとばした。誰かが叫び、レスリーが注意をそらしたすきに、ぼくは一般の人々を押しのけながらバルコニーを渡って駆けだした。ちらっとレスリーを見やると、彼女はぼくが最初の角をまわって部屋の端から端まで渡しているバルコニーを猛然と近づいてくるのを驚いた顔で見つめていた。この瞬間にレスリーの頭の中で実際に考えているのが彼女とヘンリー・パイクのどちらであるにしても、着飾った名士たちをぼくが押しのけてまで突進してくるとは予想していなかったらしい。ぼくとしてもそれをあてにしていたのだった。抗議の声をあげるオペラ愛好者を無理やりどかしながらポケットから鎮静剤のたっぷり詰まった注射器を取り出そうとするのは簡単なことではなかったが、最後の角をまわってまっすぐレスリーめざして近づくまでにどうにかすべての準備を整えていた。

彼女は首をかるく傾け、黙ったままおもしろがるようにぼくを見守っていた。好きなだけクールにふるまうがいい、もうじき眠りにつくことになるんだから、とぼくは心のうちでつぶやいた。

そのころには一般の人々はみずからの意思でぼくの進路をよけ、ぼくは最後の五メートルを誰にも邪魔されることなく駆け抜けた。または、そうなっていたろう、階段を駆け上がってきたシーウォルがぼくの顔を殴りつけていなかったなら。まるで天井の低い梁にまともに激突するようなものだった。ぼくはそのまま反動で仰向けに倒れ、気づいたときにはぼんやりした目で天井を見つめていた。

くそっ。この男はその気になればずいぶんとすばやく動くことができる。

明らかにヘンリー・パイクはほかの人間にも影響を与えることができる。シーウォルのように頑固な男でさえも——これはよいしるしではなかった。

「わたし、はっきりいってどうでもいい」と女性がどこか右のほうでわめいた。「くそったれな男たちが、くそったれな男たちについて歌ってるだけだもの」

案内のアナウンスの声が、一分以内に公演が再開されますので席にお戻りください、と告げた。ウェイターの制服を着た、ルーマニアなまりの若者がぼくに、警察を呼びましたからそのままじっとしていてください、と声をかけた。

「ぼ、ぼくが警察だ、間抜けめ」といってやったが、顎がはずれているような感じがして、くぐもった声になった。

ぼくが身分証を探し出して振りかざすと、相手のために公正にいえば、若者はぼくを助け起こしてくれた。バーは片づけをするスタッフ以外はからっぽだった。誰かが注射器を踏みつけて、ぺちゃんこにつぶれていた。ぼくは顔を撫でて確認してみた。歯は全部そろったままだったから、シーウォルはパンチを手加減したに違いない。さっきの大柄な男はどこに行ったかとスタッフに尋ねると、ブロンドの女性と下に降りていきましたといった。

「劇場の中に？」ぼくは尋ねたが、誰もそこまではわからなかった。

階段を駆け降りたぼくは、クロークルームの細長い大理石のカウンターを目の前にした。シーウォルの便利なところは、見のがしたり忘れることが難しい点にある——受付の案内係は彼が一階席に向かったと教えてくれた。ロビーに引き返すと、礼儀正しい若い女性の係員がぼくをさえぎろうとした。

支配人を呼んできてくれとぼくが告げると、彼女はすぐにとって返し、ぼくはそのすきに劇場内にもぐりこんだ。

まずは音楽が巨大かつ陰鬱な波となってぼくを襲い、劇場の大きさがそれにつづいた。巨大な蹄鉄型をした客席が金メッキと赤い天鵞絨《ビロード》の列となって幾層にもせり上がっている。目の前には人の頭の海がオーケストラ席までずらりと広がり、その先に舞台がある。セットは帆船の後部を模したもので、ただしスケールは誇張されて舷側が人間よりも高くそびえている。すべてが寒々とした色あいの青や灰色、そして汚れた白色で塗られていた――苛酷な大海原をただよう船の上だ。音楽も同じくらい陰気で、バックビートですますこともできたろうし、そうでなければ、ミニスカート姿の女の子でもよかったろう。制服に三角帽《トライコーン》をかぶった男たちがたがいに歌で呼びかける一方で、白シャツを着たブロンドの男が目を大きくして見つめている。ブロンドの男にとってよい結末には終わりそうにないという奇妙な感覚をぼくは抱いた。または、それをいうなら観客全員にとっても。

テノールの男が船長だとぼくがやっと見てとったとき、バス、この作品で悪役を演じている男が口ごもった。最初はこれも劇の演出かと思ったが、観客のあいだに広がったささやき声から、しくじったのだとわかった。歌い手は取りつくろおうとしたが、自分のセリフを思い出すのに手こずっていた。テノールがアドリブをきかそうと前に出たが、彼も口ごもり、純粋にパニックを起こした顔で舞台の袖のほうを見た。観客のささやきがオーケストラの演奏をかき消しはじめ、演奏者たちもようやく何かおかしいことに気づき、唐突に不協和音を響かせて演奏が止まった。

ぼくはオーケストラ席のほうに通路をくだりはじめた。もっとも、どうやってステージにたどりついたらいいのかまったくわかっていなかったが。観客のうち数人は立ち上がって、何が起きているのかと首を伸ばしてのぞきこんでいた。ぼくもオーケストラ席のふちに達して見おろすと、演奏者たちがまだ楽器を構えているのが見えた。手を伸ばせば第一ヴァイオリニストにさわれるくらい近かった。彼は身体を震わせ、その目はぼんやりしていた。指揮者がタクトで譜面台をコツコツと叩き、オーケストラはもう一度演奏をはじめた。今度の音楽がピッチーニの戯曲でミスター・パンチが歌った最初の曲であることにぼくは気づいた。《マルボローは戦に出ていった《マルブルー・サン・ヴァ＝タン・ゲール》》、古いフランスの民謡だが、英語圏では《あいつは《フォー・ヒーズ・ア・ジョリー》いい男《・グッド・フェロー》》という名で知られている。
船長役のテノールが最初に曲の反復句《リフレイン》に反応した。

ミスター・パンチはいい男
着ている衣服《おべべ》は赤と黄色

バスとバリトンがすばやく加わり、つづいてみんなが歌を引き継いだ。まるで目の前に歌詞カードが用意されていたかのようだった。

ときどき彼がやさしくなるのは
いい友だちが相手のときだけ

歌い手たちは曲のリズムに合わせて足を踏み鳴らした。観衆は椅子に貼りついて動けなくなってしまったようだった。人々が困惑しているのか、魅了されたのか、それとも単に驚愕のあまり動くこともできないのか、ぼくには判断がつきかねた。そのうちに、一階席の最前列の人々が手と足でリズムに加わりだした。ぼく自身も強制的な衝動を感じた。ビールや九柱戯《スキトルズ》やポーク・パイのにおいやダンスの興奮が押し寄せ、ほかの連中のことなどまったく気にならなくなった。

ふらついてばかりで女にはひどい男
好きにできるかぎりはその日暮らし

手拍子と足踏みの音は、一列ごとに一階席の最前列から後方へと広がっていった。オペラ・ハウスのすぐれた音響設備のために足踏みはハイベリーの群衆よりもやかましく、しかも同じくらい伝染性があった。ぼくは自分の足が動きださないように膝に力をこめて押さえつけないといけないといけないほどだった。

死んだらすべてが終わるだけ
そこでパンチの喜劇も終わり

レスリーがあつかましくも舞台に上がり、階段をのぼって誇張された船尾楼甲板《せんびろうかんぱん》に立って、観客と向きあった。そのときになって、彼女の左手に銀の握りのついた杖が握られているのをぼくは見てとった。その杖が何かはすぐにわかった——このくそったれ野郎はナイティンゲールから杖を奪っていた。スポットライトが暗闇を突き射し、まばゆい白光が彼女を照らした。音楽と歌がやみ、足踏みの音も静まっていった。

「紳士淑女の皆様がた」とレスリーが呼びかけた。「ならびにお坊ちゃんやお嬢ちゃん。今宵《こ よい》は皆様に、偉大なる才能の持ち主にしてわれらが座長でもあるミスター・ヘンリー・パイクに敬意を表して、『ミスター・パンチの悲劇的な喜劇または喜劇的な悲劇』をお目にかけましょう」

彼女は喝采《かっさい》の声を待ち、何も起こらないとわかるとなにやら小声でつぶやき、そして杖をさっと振るしぐさをした。ぼくの頭上を強制的な衝動が襲い、背後の観衆から一斉《いっせい》に喝采の声がわき起こった。

レスリーは優雅な身ぶりで一礼した。「ここに立つのはうれしいものです。おお、ですが、この劇場はわたくしの時代よりもはるかに大きく拡張されています。誰かこの中に、一七九〇年代からいらした方は?」

桟敷《さじき》席から単独の叫びがあがった。いつだって観衆の中にはこういう者が一人はいるものだという証明でしかなかった。

「サー、あなたを信用しないわけではありませんが、あなたはまったくの嘘つきですな」レスリーはいった。「老いたへぼ役者がまもなくここにあらわれます」彼女は光ごしに一階席に目をやって、何かを探していた。「おまえがそこにいることはわかっているんだぞ、黒いアイルランドの犬よ」

彼女はかぶりを振った。「これだけはいっておきましょう、この二十一世紀にいられるのはよいことだ、と」彼女が唐突にいった。「感謝すべきものがたくさんあります。屋内の水道設備、馬いらずの車——かなり延びた平均寿命」

一階席から舞台に上がる明確な通路はなかった。オーケストラ席は二メートルほどくぼんでいて、向こう側の舞台のふちは人間がとびつけないほど高い。

「紳士淑女の皆様がた、ならびにお坊ちゃんやお嬢ちゃん、今宵は、ミスター・パンチの物語から、悲しむべき場面をわたくしなりの解釈でお目にかけましょう」レスリーがいった。「もちろんわたくしが申しておりますのは、彼の投獄とそして、ああ、差し迫った処刑についてであります」

「やめろ」ぼくは怒鳴った。ぼくはシナリオに目をとおしている。次にどうなるのかわかっていた。

レスリーはまっすぐぼくを見て、笑みを浮かべた。「ですがもちろん、〝劇こそまさにうってつけ〟（ハムレットの台詞。『ハムレット』第2幕2場）です」パキパキと骨の折れる音がして、彼女の顔が変わった。鼻は湾曲した刃《やいば》となり、声は突き刺すような、かん高い叫びにまで高まった。

「これでも食らえ！」彼女が金切り声で叫んだ。

間にあわなかった。だが、その声と同時にぼくはオーケストラ席にとびこんだ。ロイヤル・オペラ・ハウスはカルテットとドラム・マシーン程度で音楽をごまかしてはいない——ここには総勢七十名ものオーケストラがまるごとそろっていて、オーケストラ席はそれに見あう大きさにつくられていた。ぼくはホルンのセクションのただ中に落ちた。彼らはヘンリー・パイクの強制的な衝動にそれほど強くとらわれていなかったから、とりたててぼくにあらがおうともしなかった。ぼくはヴァイオリニストを押しのけて進みだしたが、いい作戦ではなかった。立ったままジャンプしてみても、舞台に手は届かなかった。ヴァイオリニストの一人が、あんたはいったい何をやってるつもりなんだと問いただし、つづいてコントラバス奏者もぼくの頭を蹴とばしてやるぞと脅した。両者とも同じように、金曜の夜のひどく酔った目をしている。ぼくはこの変化をヘンリー・パイクと結びつけはじめていた。ぼくが譜面台をつかんでこの二人を近づけないようにとどめているあいだに、オーケストラは再び演奏をはじめた。演奏がはじまるなり、人を殺しかねない勢いだった演奏者二人もぼくのことなど無視して、自分の持ち場に戻って楽器を手に取り、ついさっきまで精神異常者の発作のような行動をとっていたにしては、たいそう優雅なふるまいで演奏をはじめた。レスリーの肉体を奪いとったあいつが、ひどくかん高い声で歌いはじめるのが聞こえた。

愛する者と別れるときも
パンチは悲しく歌わにゃならぬ

レスリーが何をしているのかはぼくのところから見えなかったが、歌から判断して、牢獄の窓の外で絞首台が組み立てられていくのをパンチが見守る場面らしい。オーケストラ席の両端にドアがあった――どちらもいずれは舞台裏につづいているはずだ。ぼくは演奏者を肘で押しのけながら、ギギィーとかベンと弦の鳴る音や、キャーという悲鳴や、ドンとぶつかりあう音をあとに残しつつ、そのあいだを通り抜けていった。

ドアの向こう側はまたしても別の、シンダー・ブロックの狭い通路に通じていて、その先で同じような通路が左右に分かれていた。ぼくは舞台の左側から出ていったのだから、もう一度左に曲がれば舞台裏にたどりつけるものと考えた。

そのとおりだった。ただしロイヤル・オペラ・ハウスに舞台裏はなく、そこには飛行機をしまえるような格納庫があった。天井の高いこの巨大な部屋は少なくとも大ホールの舞台の三倍もの広さがあり、ツェペリン飛行船を収納できそうなくらいだ。舞台監督、セリフ付け係《プロンプター》、そのほかにも演技中は姿を見せずに隠れている者たちも舞台の袖に押し寄せ、ヘンリー・パイクが観衆に行使している影響がなんであるにしても、呆然と立ちすくんでいる。

その影響からのがれたぼくは、冷静になって少し考えてみる時間ができた。レスリーの顔への影響はすでに起こってしまった。今さら彼女に鎮静剤を射《う》ったとしても、彼女の顔ははがれ落ちるだろう。舞台にあわてて駆け上がったところで助けにはなりそうにない――おそらく、ぼくが愚かにも舞台に上がるのもヘンリー・パイクのシナリオの一部だ。ぼくは裏方の集まっているところまでそっとにじり寄り、姿をはっきりさらすことなくできるだけ舞台に近づこうとした。

舞台では絞首台そのものをこしらえているわけではなかった。代わりに、上から首つり用の縄が、帆船の桁端《ヤーダム》にくくりつけたようにぶら下がっていた。ヘンリー・パイクはぼくが思っていた以上に用意周到なのか、またはもともとのオペラでも、たくさんの歌のあとで、誰かを絞首刑にする場面があったのだろうか。

レスリーはなおもパンチの役を演じつづけ、鉄格子の窓の奥でしょげかえったまねを演じている。もはやピッチーニのシナリオどおりになぞってはいないらしく、代わりにヘンリー・パイクの人生の物語を観衆に語って聞かせていた。役者になる大望を抱き、ウォリックシャーの小さな村で育った卑しい生《お》い立ちから、ロンドンの舞台で頭角をあらわすまでを。「そうしてわたくしは」とレスリーが高らかに語りつづけた。「もはや若者ではなく、厳しくそして容赦ないロンドンの舞台で得られた長年の経験でもって天与の才能を鍛えあげた熟練の役者へと成長したのであります」

舞台監督やまわりの者が誰一人としてクスリとも笑わないことが、彼らの強制的な衝動の強さを示していた。ナイティンゲールはまだぼくに〝強制的な衝動の初歩〟も教えはじめていなかったから、二千人以上の人間を束縛するのにどれくらいの魔術の力が必要なのかわからないが、相当な量だろうということは賭けてみてもよかった。そしてそのときになって、レスリーの顔がはがれ落ちるのは彼女の脳がしぼんでしまうよりもおそらくましなのではないかと判断した。

ぼくはあたりを見まわした。近くに救急キットがあるはずだ。救急車が到着するまで彼女を生かしておくつもりなら、塩水と包帯で彼女の頭を包んでおく必要がある、とドクター・

ウォリッドがいっていた。壁の消火器の並びの上に救急キットが載っているのをみつけた。かなり大きな赤い弾性プラスチックのスーツケースに入っていて、それ自体が手ごろな武器になりそうだ。ぼくは残り一本になった注射器を用意して、もう一方には救急キットを手にして袖ににじり寄っていった。

また舞台が見えるようになったころには、レスリーが——彼女のことをパンチまたはヘンリー・パイクと考えることには耐えられなかった——ヘンリーの失望を詳細に語って聞かせていた。そのほとんどはチャールズ・マックリンを責めていた。ヘンリーがいうには、マックリンは彼に恨みをもっていて、挑戦されると、まさしくこの劇場の外で容赦なくヘンリーを打ちのめしたのだった。

「やつはそのために吊るされるべきでした」レスリーはいった。「哀れなトーマス・ハラムに対しても、シアター・ロイヤルの中でしでかした殺人のために吊るされるべきだったのと同じように。ですが、やつにはアイルランド人の強運と口のうまさがありました」

そのときになって、ぼくはヘンリー・パイクが何を待っているのかに気づいた。チャールズ・マックリンは死ぬまでロイヤル・オペラ・ハウスの常連だった。伝説によると、マックリンの幽霊は彼のお気に入りだった一階席の指定席で幾度も目撃されているという。ヘンリー・パイクは彼を呼び出そうとしているが、その願いがかなうとは思えなかった。レスリーは船尾楼甲板を渡って、一階席をのぞきこんだ。

「姿をあらわせ、マックリン」彼女が呼びかけた。今や彼女の声に不安があらわれているように思えた。

船尾楼甲板は舞台からせり上がっていて、ぼくが横からよじのぼるには高すぎる。唯一のアクセス手段は正面の階段をのぼることだ——が、どうやってもレスリーに気づかれずにこっそり忍び寄ることはできそうにない。ぼくは何か愚かなことをしないといけなかった。

ぼくは大胆に舞台に踏み出して、そして観客を見わたすという間違いを犯した。フットライトよりも先はあまり見えなかったが、そびえ立つ暗闇の向こうからたくさんの人々が見つめ返してくるのは充分に見てとれた。ぼくは自分の足につまずき、つくりものの大砲にしがみついた。

「これは誰か？」とレスリーが金切り声で叫ぶ。

「ジャック・ケッチだ」ぼくはあまりにも小さな声でいった。

「愚か者と素人《しろうと》の相手は勘弁してくれ」レスリーが小声でぼそっともらし、そして声を高めていった。「これは誰か？」

「ジャック・ケッチだ」ぼくはいった。

今度は観客にも聞こえたように思えた。ぼくはウェスティギアのさざ波を受け取った。人々からではなく、観客席の布地からだ。劇場はジャック・ケッチを覚えている。チャールズ二世の処刑執行人だった男だ。自分の仕事についてまったく悔い改めることなく吹聴してまわったことで有名な男で、かつてパンフレットを発行して、処刑者のラッセル卿が斧を打ちおろすときにじっとしていられなかったことをあざけったこともあった。一世紀ののちには、ケッチの名は処刑人、人殺し、そして悪魔そのものの代名詞となった。もしもここで唱えるべき名があるとすれば、それこそはジャック・ケッチだろう。これならパンチ・アンド・ジュディの人形劇での彼の役割の説明になるし、ぼくがレスリーに近づいて注射器を使うために最高のチャンスにもなる。

「どうもありがとう、ミスター・ケッチ。だが、わたしはここできわめて快適に過ごしている」レスリーはいった。

ぼくはシナリオを暗唱できるほど読みこんではいないが、アドリブをきかせる程度にはわかっている。

「だが、おまえは出てこなくてはならない。牢獄を出て、吊るされるのだ」

「そこまで残酷にはなれんでしょう」とレスリー。

ここでもっとたくさんふざけたやりとりがつづくはずだということはわかっていたが、セリフを全部覚えているわけではないので、場面を端折《はしょ》ることにした。

「ならば、おまえを力ずくで連れ出すまで」

ぼくはそういって、船尾楼甲板へと階段をのぼっていった。崩れたレスリーの顔を見るのは忍びなかったが、急な動きに驚かされる危険を冒すわけにはいかない。彼女のパンチの顔はいらだちのためにねじれた。おそらくはぼくがセリフをとばしたからだろうが、それでも彼女は演技をつづけた——ぼくが期待したとおりに。この場面でジャック・ケッチはパンチをつかみ、絞首縄のところまで引きずっていく。そのときになって、妻を殺したずる賢い男はジャック・ケッチをだまして首を輪に突っこませ、反対に縛り首にしてしまう。いいや、この劇はもう子どものお手本にはならない。

ぼくは注射器を準備した。

レスリーはぼくが近づくとしりごみした。

「お慈悲を、お慈悲を」彼女は金切り声で叫んだ。「二度ともうしませんから」

「その点は確実だな」

ぼくはいったが、彼女に注射器を突き刺すよりも先に、彼女はくるりと身をひるがえして、ぼくの鼻先にナイティンゲールの杖を突きつけた。いきなり、ぼくは背中と肩の筋肉が固まり、かろうじて身体のバランスをたもって倒れないようにすることしかできなかった。

「これが何かわかるかな？」レスリーはそういって、杖を左右に振った。

ぼくは「ただの棒だ」といおうとしたが、顎の筋肉もほかの部分と同じように固まっていた。

「プロスペロー（シェイクスピアの戯曲『テンペスト』の登場人物で、ミラノ大公の地位を追われ、魔法を使って復讐をもくろむ）が本と杖を持っていたように、きみの主人《マスター》も両方とも持っていた。だが、わたしに必要なのはこの杖だけだ。霊の世界にいると、魔術を扱うときに〝言葉でいいあらわせない何か《ジュ・ヌ・セ・クワ》〟を与えてくれる。とはいえ、肉体を持たぬ状態では、欲望を満たすのに必要な活力の火花が欠けているのでね」

少なくともこれは、ヘンリー・パイクがはじめから魔法を使えはしなかったことの確証になった。いまいましくも自分の身体が麻痺して相手のなすがままにされている状況でなければ、この考察をもっと興味ぶかく思えたろう。

「これこそはきみの主人の力のみなもと」レスリーがつづけた。「そして彼の力をもってすれば、うむ、ほぼわたしの思うがままになんだってできる」彼女はにやりとして、折れた歯をのぞかせた。「きみのセリフは〝さあ、ミスター・パンチ、これ以上遅れずに〟だ」

「さあ、ミスター・パンチ、これ以上遅れずに」ぼくは絞首縄のほうを示した。「輪の中におまえの頭を通すのだ」

奇妙なのは、このときのぼくが強制的な衝動をほとんどフォルマのように感じとれたことだ。ぼくの頭の中に浮かんだ形ではあるにしても、ぼくのこしらえたものではない。

「輪の中にとは」とレスリーはいって、観衆にウィンクして見せた。「どんなふうに？」

「そう、輪の中に入れるんだ」ぼくはいった。またしてもそれを感じた。そして今度は確信をもった。フォルマの概念自体は外からのものではあっても、実際のフォルマそのものはぼく自身の頭の中で形づくられている。催眠術のようなもので、命令というよりは示唆だ。

「なんのために？　わたしにはどうやるのかわからない」レスリーはそういって、深い絶望のポーズをとった。

「とても簡単なことだ」ぼくはそういって、絞首用の輪っかをつかんだ。ロープは手のひらにこすれてちくちくした。「頭をここに通すだけでいい」

レスリーは身を乗り出し、輪っかを完全にはずれたところに首を突き出してから訊いた。

「それで？」

「違う、違う」ぼくはいって、輪っかを指さした。「ここだ」

これがただの示唆なら単純に振り払えるはずだ、とぼくは考えた。

レスリーは大げさな身ぶりで、またしても輪っかからはずれて首を突き出した。

「それで？」

ぼくは頭の中からフォルマを押し出そうとしたが、気づいたときにはこういっていた。

「そうじゃない、ばかめ」

そして大げさな身ぶりでいらだちを示した。力ずくでではなく、何かほかの手段を考え出さないといけなかった。なにしろあとセリフふたつ以内に、ジャック・ケッチ役の男は自分自身の愚かな首を輪っかに突き通し、みずから縛り首になる定めにあるのだから。そして彼といっしょに、ぼくの首も。

「相手をばかと呼ぶ前に気をつけろ。あんた自身ができるかやってみるといい」レスリーがかん高い声でいって、観客が展開を予想してくすくす笑うように間をおいた。「どうやるのか手本を見せてくれさえすれば、自分もすぐにやって見せよう」

ぼくは身体が動いて絞首縄に頭を突っこもうとするのを感じた。そのときになって、この強制的な衝動を捨て去れないにしても、少し変えることでのがれられるのではないかと考えた。ぼくはそれをアンチ・ノイズのようにみなした。ある音波に対して、反対の様相をもつ別の音波をつくり出すことによって相殺《そうさい》する——狡猾な手段で、直観にはひどく反したものではあるが、うまくいくはずだ。ぼくは頭の中の奇妙なものがうまくいくことを願った。というのも、頭の中でフォルマをつくりはじめた矢先に、口がこうしゃべっていたからだ。

「よかろう。おれがやってやる」

変速装置《トランスミッション》の中で形の違う歯車がたがいにこすれあって空回《からまわ》りするように、ぼくのフォルマが強制的な衝動とぶつかりあった。フォルマの小片が頭の中をぐるぐるめぐり、痛みをともなって頭蓋骨の内側で跳ねまわるのが実際に感じとれたように思ったが、これはぼくの想像でしかなかったのかもしれない。どちらでも問題ではなかった。ぼくは身体のこわばりが解けるのを感じ、輪っかから頭を戻して勝ち誇ったようにレスリーを見た。

「それとも、やらないかもな」とぼくはいった。

太い腕が背後からぼくの胸まわりを挟みこみ、大きな手がぼくの後頭部をつかんで輪っかの中に無理やり押しこんだ。ラクダの毛のブラシとシャネルのアフターシェイヴ・ローションのにおいがした——ぼくが自分の頭のよさにうぬぼれているあいだに、シーウォル主任警部がそっと忍び寄っていたに違いない。

「それとも、やるかもな」とレスリーがいった。

ぼくは懸命に身体をねじったものの、大男でも驚くほど力の弱い者はときどきいるが、シーウォルはそうではなく、そのためぼくは彼の袖口からのぞいたわずかな皮膚の部分に注射器を射し、水溶液をまるごと注入してやった。あいにくなことに、まるごととはいってもレスリー用に量を定めてあったから、シーウォルのような体格の人間にとっては半分の量でしかない。レスリーが叫ぶまで、身体を押さえつけている力は揺らぎもしなかった。「ほうり出してやれ」

そうしてぼくは引きずられ、空中に首だけでぶら下がった。

ぼくの命を救うことになった唯一の光明は、ぼくが吊るされることになった芝居用の絞首縄が役者の健康と安全に配慮して、本来はそこに首を入れるはずだった魅力的なクロアチア人のバリトンを吊るさないようにつくられていたという点にあった。絞首用の引き結び《スリップノット》は見せかけのつくり物で、ロープの芯は針金で補強されていて、形をたもつようにできていた。別れのアリアを歌ったあとで、ハンサムなバリトンが身につけているはずの、間違いなく巧みに隠されている安全用のハーネスに結んだ綱を引っかける円い小穴が間違いなくどこかにあるはずだ。あいにくなことにぼくはハーネスをつけていなかったから、どうにか輪っかから首をはずすまでにあやうくこのいまいましいものにくびり殺されかけ、そのために顎の皮膚がこすれて血がにじんだ。ぼくは身体を支えるため輪っかに肘まで押しこみ、そうしてもなお、背筋に激痛がはしった。

すばやく下に目をやると、自分が舞台からゆうに五メートルはある空中に吊り下がっているのが見えた。すぐには降りる気になれなかった。

下ではレスリーが観衆に向きなおっていた。

「警吏《けいり》のことはこれでよし」彼女はいった。

レスリーの後ろでは、シーウォルがくたびれきったランナーのようにぐったり前屈みになって、階段に腰をおろしていた。塩酸エトロフィンがようやく効きはじめていた。

「これを見よ」とレスリー。「法を順守する役人の一人はみずからの最期《さいご》へと足を蹴って離れ、もう一人は腰をおろして眠りこけている。間違いなく酒でへべれけに酔って。このようにして、われわれよき英国人は、彼らが追いかけるはずの悪漢どもとほとんど見分けのつかない卑劣な連中に信頼をおいているわけですな。紳士淑女の皆さん、ならびに坊ちゃんやお嬢ちゃん、こんなありさまにいつまで我慢するおつもりですか？　善良な人々がせっせと税金を払いつづける一方で、外国人は何も払おうとせず、それでいて、英国人が苦労して勝ちとった特権である自由をなぜ当然のように期待できるのでしょうか？」

縄にしがみついているのがだんだんしんどくなってきたが、手を離してみる可能性のことは考えたくもなかった。舞台の両側には巨大な垂れ幕がかかっていて、身体を充分に振ればあれをつかめるだろうかと考えた。輪っかを両手で握りなおし、体重を移して身体を曲げ、勢いをつけた。

「よけいに抑圧されているからでしょうか？」とレスリーが声を張り上げた。「自分たちの権利以外に何も求めない人々となるか、それともすべてを——社会保障、住宅補助、疾病保健、そして支払い免除を求めるか？」

ぼくが歴史の授業で習ったことのひとつに救貧法の改革がある。だからヘンリー・パイクがレスリーの記憶を拝借しているのか、または過去二百年ぶんの《デイリー・メール》紙を読んできたのかのいずれかに違いないとわかった。

「それで、彼らは感謝したろうか？」彼女は問いかけた。観衆が反応してつぶやく。「もちろん、そんなことはない」レスリーがつづけていった。「連中はそういったものを当然の権利と見なしてきたゆえに」

ロープを揺らしすぎてオーケストラ席のほうまでとび出さないようにするのは簡単なことではなかった。軌道を修正しようとして、8の字を描いて揺れることになった。垂れ幕まではまだ数メートルあったから、絞首用の輪っかに背中まで入れて、足を折りたたんでその空間を橋渡しした。

急に群衆がどよめき、あふれた水が雨水管をわき上がるようにいらだちと怒りの波がまわりでわき起こるのを感じた。ぼくは肝心な瞬間に集中力を失い、幕に衝突した。跳びついて、ぶ厚い布地を必死につかみ、両足のあいだでも挟みこみ、ずり落ちて舞台に激しく打ちつけられるのをどうにか止めようとした。

そのとき、照明がすべて消えた。火花が散ったり、ちらついたり、ぱっと光ったりといった劇的な効果は何もなかった――ただ単に電気がぷつりと切れたのだった。ロイヤル・オペラ・ハウスのどこかで、洗練された照明装置のマイクロプロセッサーがいくつか崩れて砂と化したのだとぼくにはわかった。指先だけでかろうじて何かにしがみついていれば、下方向にずり落ちていくのはほぼ当然の帰結で、そのとおりぼくは両腕の痛みはできるだけ無視したまま、垂れ幕をすべり落ちはじめた。暗闇の中でも観衆はまったくパニックを起こしていない。この状況を考えてみれば、そうでない状態よりもはるかに気味の悪いものだった。

レスリーのまわりに白い三角錐《すい》の光が浮かび上がった。目に見えないランプが照らすスポットライトのようだった。

「紳士淑女の皆さん」と彼女が呼びかけた。「ならびにお坊ちゃんやお嬢ちゃん、そろそろ外に出て遊ぶ時間かと思いますね」

母方のおじさんの一人が、前にハイベリーでのアーセナル対スパーズのチケットを手に入れ、息子が行けなくなったためぼくを連れていってくれたことがある。まわりはシーズン・チケットの所有者ばかりだった。ハードコアなサッカー・ファンのなかでもとりわけ熱狂的な人たちで、彼らは暴れるためでなく試合を観にいく。そういう観衆の中に入りこむのは潮の流れに呑みこまれるようなものだ——自分だけ別の方向に行こうとしても、みんなと同じ方向に流されていくしかない。内容的には退屈な試合で、ゼロ対ゼロの引き分けに終わりそうだったのが、いきなり、ロスタイムになって、アーセナルが怒濤《どとう》の追いこみを見せた。ペナルティ・エリア内に入ると、スタジアムじゅうの六万人が息を呑んだことは誓ってもいい。アーセナルのフォワードが蹴ったボールがネットを揺らしたときには、ぼくもまわりのみんなといっしょに歓喜の叫びをあげていた。まったく思ってもみなかった反応だった。

これこそは、ヘンリー・パイクがロイヤル・オペラ・ハウスの観衆を解きはなったときにぼくが感じたことだ。ぼくは垂れ幕を離して残りの数メートルをとび降りたに違いないが、急に踵《かかと》の鋭い痛みをかかえて舞台上にころがり、誰かの顔を殴りつけてやりたいという唐突な欲望を覚えたことだけはわかっていた。立ち上がってみて、レスリーの崩れた顔とまともに向きあうことになった。

　ぼくはたじろいだ。近くで見ると、レスリーの顔の惨状はいっそう直視しがたいものだった。ぼくの視線はこのグロテスクな戯画《カリカチュア》からのがれようとしつづけた。彼女の両側には主要な出演者がずらりと並んで立っていた。全員が男性で、ぴんと身体をこわばらせ、少年っぽいバリトンの男をのぞけば、いずれも高度な文化の従事者から予想されるよりもはるかにタフな顔つきをしている。

「大丈夫かね？」彼女がかん高い声でいった。「心配したぞ」

「おまえはぼくを吊るそうとした」

「ピーター、きみに死んで欲しいと思ったことは一度もない。この数カ月のあいだに、わたしはきみのことを仇敵というよりは劇中の息抜き《コミック・リリーフ》のための道化と考えるようになった。本物の役者が着替えるあいだ、犬といっしょに舞台に出てこっけいな役まわりを演じる、少しおつむの足りない登場人物のように」

「チャールズ・マックリンが姿をあらわさなかったことに気がついたぞ」ぼくはいった。

　パンチは鼻をひくひくとひきつらせた。

「べつにかまわん。あの痛風病《や》みのくそったれは、いつまでも隠れてなどいられない」

「それはそうと、ぼくらは……何をするつもりなんだ？」これはいい質問だった。

「われわれの役割を演じるんだよ」とレスリーはいった。「われわれはミスター・パンチ、暴動と叛逆の抑えがたき霊だ。問題《トラブル》を起こすのがわれわれの本質だ、きみの本質がわれわれを止めようとすることであるように」

「おまえは人を何人も殺してる」

「ああ、なんたることか。すべての芸術に犠牲はつきものだ。そしてこれは、勝手知ったる者からの助言とでもみなすといい──死は悲劇というよりも退屈なものだ、と」

急にぼくは、自分が完全なひとつの人格と話しているのではないという事実に打たれた。アクセントは時代から時代へととび移り、動機や行動も奇妙に切り替わっていく。これはヘンリー・パイクではなく、ミスター・パンチでさえもない。これは継《つ》ぎ接《は》ぎのようなもので、なかば忘れられた断片をつなぎあわせた人格だ。幽霊とはどれもそういうものなのかもしれない。街の構造物にとらわれた記憶のパターン、ハードドライヴ内のファイルのように──各世代のロンドンっ子が彼らの生命のパターンを重ねていくごとに、ゆっくりと薄れていく。

「きみは話を聞いていないな」とレスリーがいった。「こうしてわたしが忙しいスケジュールを縫って話してやっているというのに、きみは自分だけの世界にいる」

「教えてくれ、ヘンリー」ぼくはいった。「おまえの両親の名は?」

「なんだって。もちろんミスター・アンド・ミセス・パイクだ」

「それで、二人のファーストネームは?」

レスリーは笑った。「わたしをひっかけるつもりだろう。彼らの名はファーザーとマザーだ」

思ったとおりだった──ヘンリー・パイク、少なくともレスリーの頭の中に居ついている彼の一部は、文字どおりすべてここにいるわけではない。

「だったら、おまえの心に浮かぶすてきな思い出をすべて話してみろ」ぼくはいった。「おまえの母親について」

レスリーは首をかしげた。

「さて、きみはわたしを愚か者扱いしているな」彼女はそういって、この会話を無感覚に聞いていた出演者たちに手ぶりで示した。「《タイムズ》紙がこの上演作品についてなんと批評していたか知ってるか？」

「陰気で要領を得ない」ぼくはそういいながら立ち上がった。レスリーが独白をつづけるなら、この機を利用して立ち上がっておこう。

「惜しい」と彼女はいった。「《タイムズ》紙のオペラ批評家が実際に書いたとおりの言葉でいえば〝演技には《コロネーション・ストリート》（英国で一九六〇年から放送されている世界最長記録更新中の昼メロ・ドラマ）のクリスマス特別版なみの厳粛さがある〟だ」

「辛辣《しんらつ》だな」とぼくはいった。

もう鎮静剤は残っていないが、救急キットはまだ舞台の袖にころがっていた。後頭部に重たいケースを一発お見舞いしてやるだけでレスリーを倒すには充分かもしれない。そして、その次は？

レスリーは別の側に頭を振り向けた——なおも目はぼくに向けられたままだ。

「おお、見ろ、みんな」彼女は主演者たちに向けていった。「こいつが《タイムズ》紙に書いた批評家だ」

ぼくは《タイムズ》紙を読んでさえいない、と彼らに訴えようかと考えた。が、彼らが耳を貸すとは思えない。ぼくは一番近い非常口めざして駆けた。定義のうえでは、そこが外に出る最短のルートであるはずだからで、法律のうえでは、そこがつねに鍵をかけずにあるはずだという前提のためだった。それに非常口の表示灯は別回路であるため、現在のところ唯一の照明でもあった。

ぼくは歌い手たちの三メートル先を駆けて舞台裏の飛行機格納庫のような空間を渡り、最初の扉にぶつかっていくまで速度をゆるめようとしなかった。おかげで脇腹にあざができたが、少なくとも一メートルぶんは距離を稼ぐことができた。ぼくの目はすでに暗さに慣れかけていたが、まっすぐ前方に見える次の非常口の明かりがあってさえも、置きっぱなしにしていた台車にぼくが蹴つまずくのを避ける助けにはならなかった。ぼくは脛《すね》を抱えてころがり、頭の中のばかげた部分では、このような障害物は衛生安全基準に違反するぞ、とメモをとっていた。

黒い人影が通路をぼくのほうに猛然と駆け寄ってきた。歌い手の一人がぼくに追いついたのだった。相手が誰かまでは暗くて見てとれない。ぼくがその進路に台車を蹴とばすと、男はぼくのそばに顔からつんのめって倒れた。大男で、汗とステージ用のメイキャップのにおいがした。男は起きなおろうとしたが、ぼくが先に立って男の背中を踏みつけた。男の仲間が扉にぶつかるようにしてくぐってきたから、ぼくは声を張り上げてこちらに注意を向けさせたうえで、急いで逃げだした。彼らが仲間につまずいて次々に倒れる叫び声はひどく心地のいいものだった。

もうひとつ扉にぶつかりながらくぐり抜けると、その先には明かりがついていた。ここも観客席の照明とは別回路らしい。ぼくは狭い通路の真っ暗な迷宮にまたしても戻った。どこもかしこも同じように見えた。かつら以外には何も住んでいない部屋を駆け抜け、次の通路に入ると、床にはバレエ・シューズが吹きだまっていた。ぼくはシューズのひとつを踏んでよろけ、すべったままシンダー・ブロックの壁に激突した。背後では、主演者たちがぼくの血を求めて吼《ほ》えるのが聞こえた。脅しの声が滑舌《かつぜつ》よく、美しく発音されたという事実は、なんの心地よさにもつながらなかった。

ついに、もうひとつ非常口をくぐると、地上階のクロークルームわきのトイレのそばに出た。メインのロビーのほうでガラスが叩き割られる音が聞こえてきたから、ぼくはチケット窓口のわきの出口をめざした。ゆっくりした、車椅子でも通行可能な回転ドアは無視して、まっすぐ非常口をめざしかけたが、ガラスごしに見えたもののせいでぼくは急に足を止めた。

ボウ・ストリートで暴動が起きていた。上等な身なりの暴徒たちが向かいのホテルを略奪していて、燃える車からは油を含んだ黒い煙の筋が上がっている。ぼくはその車体の形に気づいた――カナリア・イエローのミニ・コンヴァーティブルだった。

12 最後の頼み《ラスト・リゾート》

暴動を好むのは略奪者とジャーナリストくらいのものだ。ロンドン警視庁はつねに先を見据えた精力的な現代的警察組織であるために、市民の騒動に対処するさまざまな予備の手段を準備している。トラックいっぱいに堆肥《たいひ》を積んだ農夫や、郊外住まいの無政府主義者《アナーキスト》によるデモ、土曜のみの聖戦《ジハード》活動家まで。ただし警察が準備していなかったのではないかと疑われるのは、二千人を少し上まわろうかという数のオペラ愛好者がロイヤル・オペラ・ハウスからわき出て、コヴェント・ガーデンに向かって狂乱しながら暴れまわるような事態だ。

ビヴァリーのように目ざといロンドンっ子なら、暴徒が彼女の車に火をはなつ前に脱出する程度の頭のよさはきっと持ちあわせているものとぼくは確信していたが、そのことを確認さえもしなかったら、彼女のママが許してくれないだろうとわかっていた。そこで、ほかの連中がぼくのことも暴徒と勘違いするよう願って大声でわめきながら、外に駆け出していった。

ドアを出るなり、物音が襲いかかってきた。よくパブで見かける怒った客のようでもあるが、もっとすさまじいスケールで、誰もが奇妙な詠唱や動物の吠えるような声をあげている。

普通の暴動とは違っていた。そういう場合、ほとんどの群衆は何もせずに見守って、ときどき歓声をあげるだけだ。彼らに割れたショーウィンドウを示せば、喜んで略奪しはじめるだろうが、ほとんどの人間と同じで彼らも実際に自分の手を汚したくはないものだ。今回のこれは参加者全員による暴動だった。怪しいくらいに上等な身なりの若者からイヴニング・ガウン姿の年配女性まで、誰もが怒り狂って何かを壊そうとしている。ぼくは炎上するミニにできるだけ近づいてみたが、シートに人の姿がないのを見てほっとした。ビヴァリーは判断よく逃げ出していて、ぼくもその例にならうべきだったろうが、まさしく真上をホヴァリングしているヘリコプターに目がとまって気をそらした。

ヘリコプターはＧＴ、すなわちロンドン警視庁の中央司令部がじかにこの騒動鎮圧の作戦指揮をとったことを意味していた。これはつまり、英国警察長協会《ACPO》ランクの数十名が、自分たちはなんの落ち度もないと必死に証明しようとする非ＡＣＰＯランクの部下から緊急の電話連絡を受けて、ディナー・パーティやＤＶＤを観て過ごす夜のひとときや愛人との外出を邪魔されたことを意味している。荷馬車から車輪がはずれたことをＧＴは早い段階からわかっていて、暴動が終わりしだい、責任のがれの壮大な椅子取りゲームがはじまることは賭けてみてもいい。音楽が止まったときに、誰も椅子にすわれない最後の一人にはなりたくないものだ。

皮肉なことに、こんなふうに考えていたため、フォルサム副警視監が背後に忍び寄っていたことに直前まで気づかなかった。名を呼ばれて振り返ると、フォルサムが大股で近づいてくるのが見えた。彼のコンサヴァなスーツのジャケットは——ピンストライプであることが、今やこれだけ近づいたために見てとれた——片方の袖とボタンがすべてちぎれていた。彼は怒ったときに顔がぴくぴく震えるたぐいの人間だった。自分では氷のように冷静でいるつもりだが、いつだって何かがあらわにのぞいてしまう。フォルサムの場合、それは左目のひどいチック症状だった。

「わたしが何を一番嫌っているかわかるか？」彼は叫んだ。不吉な口調をにじませようとしているのが感じとれたが、あいにくなことに暴動の物音のほうが大きすぎた。

「どんなことでしょうか？」ぼくは尋ねた。背後で燃えるミニから熱が感じられる——フォルサムはぼくを逃げ場のない状況に追い詰めていた。

「わたしは巡査が嫌いだ。なぜだかわかるか？」

「なぜでしょうか？」ぼくは逃げ道を確保しようとして、左にじりじりとまわりこんだ。

「なぜなら、きさまらは不平をもらすのをけっしてやめんからだ。わたしは一九八二年に入庁した。警察活動および犯罪証拠法《PACE》の施行前、マクファーソン・レポート（英国の高等法院判事が九〇年代末に提出した、ロンドン警視庁の捜査を批判する報告書）やクオリティ・コントロール目標よりも前のよき時代に。それがどんな意味をもつかわかるか？　われわれはクソだった。われわれは捜査をうまくやっていると思いこんでいた。犯罪者はいうまでもなく、誰かを逮捕できさえすれば。われわれはブリクストンからトッテナムまでそんなクソをほうり出していた。それで、くそったれめ、われわれは屈服したろうか？　われわれはそれほど高給取りでさえなかった！　われわれは見下げはてたゲスどもから、二パイントのラガーや札束を受け取っていた」彼は口をつぐみ、一瞬、当惑したような表情がよぎったものの、またぼくを見据えて、左目をぴくぴくさせた。

「そしてきさまら」彼のこの口調がぼくは好きになれなかった。「その当時、きさまらがどれだけ長くつづいたと思う？　ロッカーいっぱいの排泄物はただの序章でしかなかった。最初の見こみでは、代わりの人間がきさまらを片隅に連れていってこう説明するはずだった。荒っぽくも親しげな口調で、きさまらがいかにここで必要とされていないかを」

　ぼくはこの男をあわてさせることを真剣に考えてみた――この男を黙らせることができるなら、なんであっても。

「そして、代わりの警部が役に立ったとは思うなよ」彼はつづけた。「そいつは報告書に〝人種差別〟と正しく綴《つづ》ることさえできなかった。そもそも報告書が綴られたことがあったとすればだが……」

　彼をたじろがせようとしてぼくはフェイントをかけ、そして右に駆けだした。燃える車やほかの暴動からは離れる方向に。うまくいかなかった。フォルサムはたじろがず、わきをすり抜けようとしたぼくに逆手打ちをくらわせた。それは床板で殴られたようなものだった。ぼくは尻もちをつき、最低でもぼくにまともに蹴りを入れようとするひどく怒った上官を見上げることになった。彼は十サイズの足をどうにかぼくの太腿におろしただけだった――そのせいで一カ月は消えない踵の形の紫色のあざが残ることになったが――というのも、ちょうどそのとき、誰かが背後からフォルサムを棒で打ちのめしたからだ。

ネブレット警部だった。なおも実用的でない制服のチュニックを着こんでいるが、正真正銘の暴動鎮圧用の木製の警棒を手にしていた。つるはしの握りよりも少し殺傷能力にすぐれた程度の、一九八〇年代にすっかり姿を消したような代物だ。

「グラント、いったいどうなってるんだね？」

ぼくはあわてて立ち上がり、フォルサムが顔から突っ伏して歩道に倒れているほうに駆け寄った。

「公共の秩序に取り返しのつかない崩壊が起きまして」ぼくはそういうあいだにも、フォルサムを蘇生のための体勢にした。逆手をくらった頭がなおもガンガン鳴っていたから、それほど丁寧に扱ったわけでもないが。

「だが、なぜ？」ネブレットは訊いた。「なんのデモの予定もなかったのに」

暴動というのは、自然発生的に起こることなどめったにない。群衆はたいてい招集されて刺激されないといけなくて、念入りな警部ならつねに問題のたねには警戒の目を向けているものだ。とりわけ、自分の担当区域がトラファルガー広場のような暴動を引きつける磁石を含んでいる場合には。ぼくが思いついた少しでも信憑性のありそうな嘘は、誰かがロイヤル・オペラ・ハウスで向精神性のスプレーを撒いたというものだったが、それは答えになるというよりもさらなる疑問を生むだけではないかと思いなおした。軍による不適当な反応を生むきっかけになるのはいうまでもない。真実を明かす危険を冒してまで、ヴァンパイアの霊のようなものが観衆すべてに影響を与えたのですと説明しかけたそのとき、自分がまさしく誰の頭を殴りつけたのかということにネブレットが気づいた。

「なんてことだ」彼はつぶやいて、もっとよく見えるようにしゃがみこんだ。「フォルサム副警視監じゃないか」

ぼくらの視線が、上官のぴくぴく痙攣《けいれん》する身体の上で交わされた。

「彼はあなたの姿を見ていませんよ」ぼくはいった。「すぐに救急車を呼べば、彼が意識を取り戻す前にここから運び出せるでしょう。暴動が起きて、彼は襲撃され、あなたが救い出したんです」

「それで、きみのここでの役割は?」

「信用できる目撃者です。あなたが絶好のタイミングで入ってくれた干渉についての」

ネブレット警部はぼくをじっと見た。「きみについて、わたしの判断は間違っていたかもしれないな、グラント。きみはまともな警官になる素質がある」

「ありがとうございます」ぼくはいって、あたりを見まわした。暴動の場所が移りつつあることに気づいた——フローラル・ストリートをくだってコヴェント・ガーデンの広場のほうに。

「TSGはどこですか?」ぼくは尋ねた。

TSGというのは地域《テリトリアル》サポート・グループのことだ。彼らはメルセデス・スプリンターのヴァンの中に道具を満載したロッカーを積みこんで担当区域内を動きまわり、そこには暴動鎮圧用のヘルメットやテーザー銃まですべてそろっている。各特別区の本部では、とりわけ飲食店の閉店時間が近づくと区域内に何台かそうした車を巡回させて、不測の事態が起きたときの用心に予備の人員をスタンバイさせている。現在進行中の事件は予想外のものとみなされるだろうか。

「ロング・エイカーとラッセル・ストリートに駐車している」ネブレットはいった。「GTの思惑では、暴徒をコヴェント・ガーデンの周辺にとどめておくつもりらしい」

広場の方角からガラスの割れる音がして、耳ざわりな歓声がつづいた。

「今度はなんだ？」とネブレットがつぶやく。

「マーケットを略奪してるんだと思いますね」

「救急車を呼んでもらえるかな？」

「いいえ、ぼくは首謀者をみつけるようにと指令を受けてまして」

火炎瓶《モロトフ・カクテル》はとても特徴的な音をたてる。うまく設計されたものはパンとはじけて、ドンと響き、ボワンと爆発する——最後にガソリンが発火したなら、そばにいると人命を奪うことにもなりかねない。ぼくがそれを知っているのは、たいていの警官はヘンドンを卒業するまでに、あれを投げつけられて楽しい一日を過ごす機会があるからだ。だからこそ、ネブレットもぼくもその音が十五メートルほど先の舗装路にぶつかって響いたのを聞くと同時に、本能的にしゃがみこんだのだった。

「はじまったか」とネブレット。

南を見ると、カルヴァヘイとボウ・ストリートの角に暴徒の群れが見えた。その先に、暴動鎮圧用の青いヘルメットと灰色の防護楯に炎が反射してちらつくのが見えた。

　ぼくとしては、なおもレスリーに追いついて、彼女を鎮静化させてユニヴァーシティー・カレッジ病院のウォリッドのところに連れ帰らないといけなかった。輸送手段は問題ではないはずだ。今現在、コヴェント・ガーデンにはおそらくロンドンに存在する救急車の半数が集まっているだろうから。となると、あとはレスリーをみつけるだけだ。彼女はなおもマックリンへの復讐を求めているものとぼくは判断した。マックリンはかつてヘンリエッタ・ストリートで酒場を経営していて、〝俳優の教会《アクターズ・チャーチ》〟に埋葬されている。それはつまり、広場のほうに戻ることを意味していて、あいにくなことに興奮した市民の騒乱の中を南に抜けていくか、またはフローラル・ストリートを駆け抜けていかないといけない。その途中には、暴徒がおこなっている神のみぞ知る行為や本当にひどい事態も含まれるだろう。

　さいわいにも、ロイヤル・オペラ・ハウスを建てなおしたときに強調されたのは出口をたくさん設けることだった。幸運を祈ります、とネブレットに告げるのと、こっそりフォルサムの脛《すね》を蹴とばすために少しだけ時間を割いたあとで、ぼくはオペラ・ハウスの中に駆け戻った。あとは単純にチケット売り場や関連グッズ売り場のわきを抜けて、反対側から広場に出るだけだ。少なくとも、そうなるはずだった。誰かが店を荒らしていなければ。

　グッズ売り場のディスプレイ・ウィンドウが叩き壊されて、砕けたガラスがディスプレイ用のDVDやロイヤル・バレエ・スクールのロゴが入った旅行かばんやおみやげ用のペンといっしょに散乱していた。誰かが銀と象牙色のマネキンをショーウィンドウの中から引っぱり出して、かなりの力で通路の向こうに投げつけたために、反対側の大理石の壁にぶつかってマネキンはバラバラに砕けていた。店の中からすすり泣く声が聞こえ、ときどき何かが破れる音が挟まれた。そっと通り抜けようとしていたぼくは好奇心に負けて、壊れた入口のところで足を止め、慎重に中をのぞきこんだ。

中年の男が一人、数百もの透明なビニールの包みに囲まれて、裸足《はだし》で床の上にすわりこんでいた。ぼくが黙って見守っているあいだに、男はビニールの包みをひとつつかんでちぎり、まっ白なバレエ・シューズを取り出した。注意ぶかく、口の端から舌先をちらりとのぞかせながら、男は大きな毛深い足にバレエ・シューズの片方を押しこもうとした。驚くことでもないが、バレエ・シューズはその足には小さすぎて、男がどれだけひもを引っぱってみてもうまく入らず、ついには縫い目が裂けてしまった。男はだめになったバレエ・シューズを目の前に掲げ、おいおいと声をあげて泣きだした。男がバレエ・シューズを店の向こうにほうり捨てて別の一足に手を伸ばすころには、ぼくは彼を残して立ち去っていた——物事にはとにかく、他人が知るべきでないこともある。

ロイヤル・オペラ・ハウスの裏口は柱廊の下を抜けて広場の北東の隅につづいていた。左側に店を構えている〈ペイパーチェイス〉も荒らされて、破れた色紙が敷石や広場に吹き飛んでいた。右側の〈ディズニー・ストア〉も念入りに略奪されていたが、〈ビルド・ア・ベア〉は奇妙に手つかずのままだった——鮮やかな色のかわいらしい商品と平穏のオアシスだった。実際の小競《こぜ》りあいの大半は西側の教会の前で起こったようだった——レスリーがめざすだろうとぼくがみなしていたまさしくその場所で。屋根つきのマーケットは教会まで近づいていくあいだ身を隠す助けになるだろうと考え、ぼくはそこをめざした。屋根の下を半分ほどたどったころ、誰かがぼくにかん高い口笛をひゅうと鳴らした。指二本を口に入れる正式なやり方で、暴動の物音を切り裂いて響きわたった。

ぼくは二度目の口笛に意識を集中させて場所を特定した。ビヴァリーだった。二階のパブのバルコニーからぼくを見おろしている——ぼくが見上げると彼女は手を振って、階段のほうに駆けていった。ぼくはその下で彼女と落ちあった。

「あの連中があたしの車を焼いたんだよ」彼女はいった。

「わかってる」

「あたしのすてきな新車を」

「わかってる」ぼくはいって、彼女の腕をつかんだ。「ぼくらはここから逃げ出さないといけない」ぼくは彼女をオペラ・ハウスのほうに引っぱって戻ろうとした。

「そっちには戻れないよ」

「どうして?」

「あんたを追いかけてる人たちがいるんじゃないかな」

ぼくは振り返った。オペラの出演者たちが戻ってきていた。そのあとからつづいているのはオーケストラの連中で、そのほかにも、大半がTシャツにジーンズ姿の連中は舞台裏のクルーだろう。ロイヤル・オペラ・カンパニーは壮大なスケールの最高級のオペラを上演するために特化した世界クラスの教育機関だ——舞台裏のクルーもとてもたくさんそろっている。

「うわっ」ビヴァリーがもらした。「あれってレスリーじゃない?」

レスリーが集団を押し分けて先頭に立った。なおもパンチの顔が貼りついている。彼女が手を上げると、集団は足を止めた。

「逃げろ」ぼくはビヴァリーにいった。

「いい考えだね」彼女はそういうなり、ぼくの腕をつかんで後ろにぐいっと引っぱったから、ぼくはあやうく倒れかけた。ビヴァリーは屋根つきのマーケットの中心へとつづいている薄暗い煉瓦の通路に駆けこんだ。夕暮れが近づいていたから、マーケット内の店はほとんどが閉まっているはずだが、酒やごっちゃになったエスニック・フードを出す店は本来なら観光客からむしりとるべく活気づいて商売をしているはずだった。ところが人影はどこにも見あたらず、飲み客や店主も身の危険を感じて逃げ出せたものとぼくは祈った。

背後から聞こえてくる集団の大声は、うまく調和している。そしてそれ以上にかん高く裏返った、暴動と叛逆の化身の笑い声が聞こえた。急に不気味な沈黙があって、最初の火炎瓶が屋根に炸裂した。レスリーはぼくが死ぬことを望んではいないといっていたが、嘘だったのではないかといぶかしみはじめた。

ビヴァリーがぼくの手を引っぱって通路を曲がり、屋根で覆われた中庭に入りこんだ。そこでぼくらはドイツ人の家族をみつけたのだった。全部で五人いて、ぼんやりとして感情を示さない黒い髪の父親と、鋭い顔だちのブロンドの母親、そして三人の子どもは七歳から十二歳までだった。暴動が起こったとき、飲食店の裏に隠れたに違いない。そしてやっと出てみると、ビヴァリーとぼくが猛然と近づいてくるのを目にしたわけだ。母親は驚愕した叫びをあげ、長女は悲鳴をあげ、父親は身構えた。闘いたかったわけではないだろうが、勝ちめがなかろうと、神に誓って危険な偏見から家族を守るつもりでいた。ぼくが身分証を示すと、彼は安堵した驚きとともに身体の力を抜いた。

「警察《ポリツァイ》」と彼は妻にいって、それからとても礼儀正しく、わたしたちを助けてくれますか、と頼んできた。

喜んでお助けします、まずは一番近い出口からここを脱出しましょう、とぼくは答えた。ぼくは急に汗をかきはじめ、背中に炎の熱を感じているせいだと気づいた。屋根つきのマーケットの東側がまるごと燃えていた——ぼくは父親の背中を片手で押し、もう一方の手を長男に添えて彼らを別の方向にうながした。

「ラオス、ラオス！」ぼくはこれが本当に〝外へ出ろ〟の意味であることを願いながら叫んだ。

ビヴァリーが先頭に立ち、今のところ手つかずのままのマーケットの南西部分に向かった。が、二番目の店の並びを越えようとしかけたところで、ビヴァリーが足をすべらせるようにして急に止まったため、ドイツ人の家族とぼくは彼女の背中に突っこんだ。前方では、マーケットの西側入口《ファサード》に立てこもるようにして、暴徒の集団が警察の増援部隊とやりあっていた。

「挟み撃ちだね」ビヴァリーがいった。

暴徒は今のところぼくらに背を向けているが、連中の誰かが振り向くのは時間の問題だった。

そばの店のひとつは驚くほど略奪を受けておらず、火事のときに建物内に逃げこむのは概して後退の一歩とみなされるとはいえ、ほかにたいした選択肢はみつからなかった。ぼくらは押しあうようにして店に入り、薄いシルクの布きれ二枚しかつけていないマネキンの後ろにしゃがみこんだときになってはじめて、ここが〈セラグリオ〉の支店であることに気づいた。ドイツ人の家族にはカウンターの後ろに隠れるようにすすめた。そこなら、外からは見えないだろう。

「プリーズ」と母親が尋ねた。「ここで何が起きてますか?」

「知るわけないでしょ」とビヴァリーが応じる。「あたしはここで働いてるだけなんだから」

コヴェント・ガーデンの屋根つきのマーケット内には、鉄骨とガラス屋根の下に店の列が並行して四本並んでいる。もともとは屋根のない開けた場所で果物や野菜の店を収容するためにつくられ、窓と電気設備くらいは改装されていたが、今なお各店舗の幅は三メートルもない。そこに入っているのは、狭いところに詰めこまれた特殊な工芸店、カフェ、そして目抜き通りに並ぶブティック・チェーンの小ぶりなヴァージョンといったところで、不当に狭い床面積のようなちっぽけなことが大金を注ぎこむ旅行客をかき集めるさまたげにはならなかった。そのため、ぼくらの隠れた場所は趣味のいい抽象的な銀や黒色のマネキンであふれ、気持ちが乱れるくらいとぼしいサテンの布地だけを身にまとっている。マネキンのおかげで、店内をちらっとのぞきこむ者がいたとしても、ぼくらに気づかないでいてくれることを願った。

この点は、暴徒数人がショーウィンドウの前をぶらっと通り過ぎたときに試されることになった。破れたスーツのジャケットと汚れた白シャツから判断して、この連中は観客で、出演者ではないだろう。ぼくらが身を隠して息をひそめているあいだに、暴徒は店のすぐ外で足を止め、しわがれた株式ブローカーのアクセントでたがいに呼びあった。

奇妙なことに、ぼくはおびえていなかった。というよりは当惑していた――この善良な、《サウンド・オブ・ミュージック》のフォン・トラップ一家のような人々は、はるばるこの街にやってきて、ロンドンっ子の手でやさしく金を巻き上げられる代わりに、暴力や怪我、悪《あ》しきマナーを見せつけられている。このことにぼくはひどく腹がたってきた。

株式ブローカーたちはぶらりと西に向かった。

「よし」ぼくは一分後にいった。「付近に敵の姿がないか、ちょっと確認してこよう」

ぼくは店のドアからそっと抜け出て、あたりを見まわした。プラスの点は暴徒の姿がどこにも見えなかったことで、マイナスの点は、おそらくそれはあたり一面が火の海であるせいだとわかったことだ。ぼくは一番近い脱出口のほうに少し駆けだしたが、何歩も行かないうちに熱気がぼくの鼻毛まで焦がしはじめた。そのため、すばやく店にとって返した。

「ビヴァリー、ひどくまずいことになってるぞ」ぼくは炎のことを伝えた。

母親が眉をひそめた。一家のなかでは彼女が一番英語が達者だ。

「何か問題がありますか？」母親が尋ねた。

炎ははっきりと店のショーウィンドウや無表情なマネキンの銀色の顔にも反射していたから、嘘をついても仕方がなさそうだった。彼女は子どもたちを見て、そしてぼくに顔を戻した。「あなたにできることは何もないですか？」

ぼくはビヴァリーを見た。

「何か魔術を使えないの？」彼女が訊いた。

今やはっきりと熱くなりはじめていた。「きみのほうは？」

「あんたが許可してくれないと」

「何を？」

「それが同意事項だから」とビヴァリー。「あんたが許可してくれないと」

窓ガラスの一枚にひびが入った。

「許可する」ぼくはいった。「必要なことならなんでもやってくれ」

ビヴァリーはいきなり寝ころがり、床に頬をぴたりと押しあてた。彼女の唇が動くのが見えた。ぼくは何かが身体を駆け抜けるのを感じた。雨のような、遠くで子どもたちがサッカーをしている音のような、郊外の庭に咲くバラや洗いたての車のにおい、夕べのテレビの音がレースのカーテンごしに聞こえてくるような感覚だった。

「彼女は何をしているのですか？」母親が尋ねた。「あたしたちのために祈禱《きとう》している、イエス？」

「ある意味ではね」とぼく。

「しいっ」とビヴァリーがいって、身体を起こした。「耳をそばだててるんだから」

「なんのために？」

何かがショーウィンドウを破ってとびこんできて、壁に跳ねてぼくの膝の上に落ちた――消火栓のふただった。それをまじまじと見つめているぼくを見て、ビヴァリーは弁解するように肩をすくめた。

「正確には何をしたんだい？」ぼくは訊いた。

「よくわかんない。実際にこれを試してみたことなんて一度もないから」

煙が濃くなって、ぼくらは店の床の慈悲ぶかくも冷たい石に顔をつけた。ドイツ人家族の真ん中の子が泣いていた。母親が少年に腕をまわして、きつく抱き寄せた。一番下の女の子は驚くほど冷静なように見えた。彼女の青い目はぼくにひたと向けられていた。父親は顔をひくつかせていた。どんなに無意味だとしても、少なくとも父親らしく立って何か勇敢なことをやろうとすべきだろうかと考えている。彼がどんなふうに感じているのか、ぼくには手にとるようにわかった。最後のショーウィンドウが割れ、ガラス片が背中にぱらぱらと降りそそいだ。ぼくは煙を吸いこんで咳きこみ、おかげでよけいに煙を吸いこむことになった。呼吸が充分にできなかった。もはやこれまでかとぼくは悟った――自分はここで死ぬことになる。

いきなりビヴァリーが笑いだした。

急に、予期せぬ青空のもと、暑い日曜の朝が訪れたように感じた。庭の物置から探し出してきた水浴び用のプールの熱くなったビニールとほこりのにおいがして、水着や下着姿になった子どもたちが興奮してとび跳ねている。父親はプールに空気を入れるのに顔を赤くして、母親は静かになさいと叱っているし、ホースがキッチンの窓ごしにひんやり冷たい水道口につながれている。ホースがほこりっぽく咳きこみ、子どもたちは全員がホースの先端をじっと見つめている……

床が振動しはじめ、〝いったい何が……〟とぼくが考えかけるうちに、水の壁が店の南側から打ちつけてきた。ドアが叩きつけられるように開き、ぼくは何かにしがみつくひまもなく水の流れの勢いに押し上げられて天井にぶつかった。その衝撃で肺から空気が抜け出て、ぼくは本能的に息を吸いこもうとするのを抑えこまないといけなかった。一瞬、水が引くあいだ残骸のさなかでのんびりと浮かんでいるビヴァリーの姿がちらっと見えた。みるみるうちに水は店から引いていって、ぼくはまた床に叩きつけられた。

父親はぼくよりも沈着冷静なところを見せて、自分と家族をカウンターの隙間にとどめていた。彼らは全員無事だと返事があった。一番下の子が、もう一度やりたい、とだだをこねたのを別にすれば。ビヴァリーは店の真ん中に立ち、拳を突き上げた。

「やりぃ！」彼女はいった。「タイバーンもこんなのをやったことがあるか、訊いてみようよ」

ビヴァリーの浮かれた陽気さは、ドイツ人家族を一番近くに止まっていた救急車のところに連れていくまで持続した。歩いてマーケットの外に出るあいだに見てまわったかぎり、ビヴァリーの水の波は屋根つきのマーケットの中心近くのどこかからはじまってまわりに広がり、広場に十センチの洪水をもたらしていた。ビヴァリーはたったひと打ちでその晩の各店舗の被害を四倍にしたろうとぼくは見積もったが、そのことはいわずにおいた。彼女は屋根の火まで消すことはできなかったが、ぼくらがゆっくりと離れていくあいだに、ロンドン市消防局があとの消火処理のために到着していた。

　消防士の姿を見るとビヴァリーは奇妙に動揺し、マーケットを離れてジェイムズ・ストリートのほうに実質的にぼくを引きずるように導いた。犯人捜しに群がるマスコミを別にすれば、暴動はすっかりおさまったようで、地域サポート・グループ《TSG》の警官が暴動鎮圧用の完全装備のまま いくつか集団ごとに立ち、警棒の使い方を話しあったり、ＩＤナンバーをつけなおしたりしている。

　ぼくらはセヴン・ダイアルズ（コヴェント・ガーデンのすぐ北にある七差路で、中央の広場に時計塔がある）の台座の石の上に腰をおろし、緊急車輌が次々とうなりをあげて通り過ぎるのをぼんやり眺めていた。ビヴァリーは消防車が通り過ぎるたびにびくっとした。ぐっしょり濡れたままのぼくらは、暖かな夕べだというのに身体が冷えはじめていた。ビヴァリーはぼくの手を取って、きつく握った。

「あたし、ひどいトラブルに巻きこまれてる」

ぼくがビヴァリーに腕をまわすと、彼女はその機をとらえて冷たい手をぼくのシャツの下にもぐりこませ、ぼくの肋骨で手を温めた。

「いろいろとどうも」ぼくはいった。

「いいから黙って、暖かなことを考えて」彼女がいった。まるで彼女の胸がぼくの脇をこすっている状態でそう考えるのが難しいとでもいうように。

「つまり、きみは水道管を何本か破裂させたわけだ」ぼくはいった。「どれくらいのトラブルに巻きこまれてるのかな？」

「あたしが壊したのは消火栓で、それってつまり、ネプチューンの狂信者たちが発狂するだろうから」

「ネプチューンの狂信者？」

「ロンドン市消防局のこと」

「ロンドン市消防局はネプチューン神の崇拝者なのかい？」

「公式には、そうじゃない」彼女はいった。「けど、ほら——船乗りとネプチューン、ごく自然な組み合わせでしょ」

「ロンドン市消防局の連中は船乗りなのかい？」

「今は違うけど。昔は、統率がとれてて、水や縄やはしごのことを知ってて、高いところにのぼってもあたふたしない連中を求めてたから。反対に、乾いた土の上で安定したすてきな職を求めてる船乗りはいくらでもいたから——理想的な結びつきってわけ」

「それでも、ネプチューンはローマ神話の海神だろ？」

ビヴァリーはぼくの肩に頭をもたせかけた。彼女の髪は濡れていたが、ぼくとしては文句をいうつもりもなかった。

「船乗りっていうのは迷信ぶかいもんなの。信心ぶかい連中でさえ、〝深海の王〟には少し敬意を払わないといけないことを知ってる」

「きみはネプチューンに会ったことがあるのかい？」

「ばかいわないでよ。そんな人いるわけないじゃない。それはともかく、消火栓のことは申しわけなく思ってる。けど、あたしが心配してるのは、テムズ川の水のこと」

「それ以上いわないでくれ。おぞましいクトゥルーの信者たちのことは」

「あの連中はちっとも信心ぶかいとは思わないけど、上流に未処理の汚水を垂れ流すこともできる連中を怒らせたりはしないもんなの」

「ほら、ぼくはきみの川を一度も見たことがないと思う」

ビヴァリーは身体をねじって、ぼくの胸に心地よく身体を押しつけた。「あたしの領地はキングストン・バイパスの向こうにあるの。単なる準独立式《セミ》住宅だけど、庭は水辺まで広がってて」彼女は頭を上げて、ついには彼女の唇がぼくにかるく触れるほど近づいた。「あたしたち二人きりで泳ぎにいくこともできるよ」

ぼくらはキスをした。彼女はイチゴとクリームとチューインガムの味がした。

このままいったらぼくらがどうなっていたかは神のみぞ知るだが、レンジ・ローヴァーがタイヤをきしませてぼくらの目の前で停まり、ビヴァリーがあまりにすばやく身体を離したから、ぼくはこすれた唇が熱く感じられたほどだった。

ジーンズ姿のがっしりした身体つきの女がレンジ・ローヴァーから出てくるなり、つかつかと近づいてきた。肌の色は濃く、表情豊かな丸顔で、今はひどくいらだっている。

「ビヴァリー」と女はぼくが存在していることなどちらっと認識しただけで妹に呼びかけた。

「あなたって子は、トラブルばかり起こして――さっさと車に乗りなさい」

ビヴァリーはため息をつき、ぼくの頬にかるく口づけて、姉さんを迎えるために立ち上がった。ぼく自身も、打ち身をこしらえた背中の痛みを無視してあわてて立ち上がった。

「ピーター」とビヴァリーがいう。「こちらが姉のフリート」

フリートはぼくを批判的に眺めまわした。彼女は三十代の前半といったところで、短距離選手のような体型をしている――肩幅があって、腰は細く、太腿には大きな筋肉がついていた。黒いポロシャツの上にツイードのジャケットを羽織り、髪は短く刈ってある。彼女を目にするうちに、ぼくは奇妙に見覚えがあるように感じた。あまり有名ではない著名人《セレブ》に会って、名前を思い出せないときのような感覚だった。

「お会いできてうれしいけど、ピーター、今はゆっくり話してるひまもないの」フリートはそういって、ビヴァリーに向きなおった。「車に乗りなさい」

ビヴァリーは悲しげな笑みをかすかに浮かべ、姉にいわれたとおり従った。

「待って」ぼくは呼びとめた。「あなたのことはどこかで見たことがある」

「あなたはうちの子たちと学校がいっしょだったわね」彼女はいって、レンジ・ローヴァーに乗りこんだ。ドアが閉まりきるよりも先に、フリートはビヴァリーに怒鳴りはじめていた。声はくぐもっていたが、〝無責任な子ども〟というフレーズがはっきりと聞こえた。ビヴァリーはぼくが見ているのに気づいて、目をぐるりと上に向けた。こんなふうにたくさんの姉たちといっしょに育つのはどういう感じなんだろうか。とはいえ、誰かがレンジ・ローヴァーで拾いにきてくれるのはすてきなことのように思えた。たとえ、家に着くまでずっと怒鳴られどおしだとしても。

　これはロンドンで起こる暴動のおもしろい点だが、いったん境界の外に出てしまうと、何ひとつ変わりはないように見えた。マイナスの点は、コヴェント・ガーデンがあやうく焼け落ちかけたことだが、プラスの点は主要なバスのルートや地下鉄線はまったく影響を受けていないことだ。そろそろ暗くなって、全身ずぶ濡れで、愚壮館《ザ・フォリー》にはいまだ立入禁止で、もうひと晩ナイティンゲールの病室の椅子で眠りたいという気にもなれなかった。

　ぼくは選択肢がなくなったときに誰もがするとおりのことをした――ふらりと姿をあらわしたなら、入れてやるほかに仕方がないたったひとつの場所に戻ったのだった。

　ぼくは地下鉄を使うというミスを犯した。車内は夕方のうちに帰宅しようとする人々で混みあっていた。遅い夕べではあっても車内は閉ざされて暖かだったものの、濡れて、衣服は乱れ、かすかに異国の顔だちをしたぼくは、ほかのみんなよりも肘まわりに空間の余裕があった。

背中や足が痛み、疲れてくたくたで、何かが欠けていた。ぼくは警官の直感というものを信じていない。レスリーの仕事ぶりをそばで見てきて、彼女が正しく推測をしたときにはいつも、ぼくが見のがしていた何かに目をとめたか、事件について少しだけ深く掘り下げて考えたためだった。彼女の命を救うには、ぼくも同じようにしないといけないだろう。

グッジ・ストリートでさらに人が乗りこんできた。おかげでさらに暑くなったが、少なくともぼくの衣服は乾きはじめた。黄褐色のスラックスに既製品の青のブレザーを着た男が、ぼくの右側で車輛の連結部分のドアのそばに場所を占めた。男のｉＰｏｄのイヤホンからシャカシャカした音が聞こえてくるくらい近かった。ぼくはまた自分が目立たずに安心できるように感じはじめた。

ぼくが目をとおしてきたレヴナント霊に関する文献には、通常の幽霊がどうやって、またはどういった理屈でほかの幽霊から魔術を吸いとる能力を得ているのかはっきりした考えを提供してはくれなかった。ぼくが現在構築中の仮説は、幽霊とは人格のコピーであって、どうやってか魔術の残滓《ざんし》に擦りこまれ、物質的な何かに蓄積されていったというものだ――ウェスティギアとして。磁気テープに記録されたものと同じように、幽霊は時間とともに薄れてしまうのではないかと疑っていた。その信号がさらなる魔術で増強されないかぎりは。そのために、ほかの幽霊から魔術を吸いとる必要があるのではないだろうか。

ウォレン・ストリートでわめきたてる酔っぱらいを拾い上げたに違いない。というのも、短い挑発の声がつづいたあとで、ユーストンに着くころには男は本気で怒鳴りはじめていたからだ。そのときになって、ピンクのホルター・トップを着た若い女性が乗ってきて反対側のガラス仕切りにもたれるのにぼくは気をとられた。女性の服は物理的に可能とは思えないくらいたっぷり谷間がのぞいていた。彼女と目が合う前にぼくは目をそらし、一番近い広告に意識を移した。青のブレザーの男も場所を移動し、彼も同じことに気をとられているのだろうとぼくは推測した。

ドレッド・ヘアの白人の少年が身体を揺らしながらぼくのささやかな片隅に近づいてきて、パチューリやタバコ、そしてマリファナのかすかなにおいをぼくは嗅ぎとった。ホルター・トップの女性は少しためらい、そしてぼくのほうに近づいてきた――どうやらふたつの存在悪のうち、ぼくのほうがまだましだったのだろう。

「犬だ、犬だ！」とわめく酔っぱらいが車輛の向こう端のどこかから叫んだ。「この国は犬同然に落ちぶれる」

ぼくらのにぎやかな列車がまたしても揺れて動きだした。

レヴナント霊はまれな存在でなければならない。そうでないと、連中が食べる幽霊がいなくなってしまう。そう考えてぼくは疑問に舞い戻った。どうすればレヴナント霊になるのだろう？　死の瞬間の心理的状況、だろうか？　ヘンリー・パイクは十八世紀の放埒《ほうらつ》な基準でみても意味のない不公平な死に方をしていたが、そうではあっても、チャールズ・マックリンへの恨みや彼の哀れな俳優活動でのはなはだしい失望は、あの哀れなブランドン・クーパータウンに自分の妻を殴り殺させる動機として充分ではないように思えた。

「昔はくそったれに天国だった」とわめく酔っぱらいが叫んだ。彼がカムデン・タウンのことをいっているはずはない。あそこは有名なカムデン・マーケットがあるにしても、むさくるしいという評価以上のものを得ようとしたことはけっしてなかった。

地下鉄のカムデン・タウン駅で北《ノーザン》線はエッジウェア行きとハイ・バーネット行きに分かれ、ここでたくさんの人が降りて、それ以上の人が乗りこむことになる。ぼくらはさらに少し押しつぶされ、ぼくはホルター・トップの女性の頭頂部を見おろす格好になった――髪の毛の根元はブロンドで、フケがついていた。青いブレザーの男が右側から押され、二人の身体によってぼくはドアに押しつけられる格好になった。ぼくらは身体を小刻みに動かして、おたがいの顔にわきの下を近づけないようにした――単に不快なためで、礼儀の基準や目くばせによる配慮をしない本当の言いわけにはならない。

わめく酔っぱらいは乗ってきた全員を歓迎した。「たくさんいりゃ、そのほうが楽しいよな」男はいった。「ここでくそったれな世界をつくろうじゃねえか――どうだい？」

ドレッド・ヘアの白人少年の悪臭が増し、尿や糞便のにおいが加わった――彼が最後にこの戦闘服に似せたズボンをはき替えたのはいつなんだろうかとぼくはいぶかしんだ。

カムデン・タウンを出て一分もしないうちに、電車はガタンと揺らいだきり停まってしまった。さらに照明まで薄暗くなると、乗客からほぼ潜在的なうめきがもれた。車輛の向こう側で誰かがくっくっと笑う声が聞こえた。

ヘンリー・パイクの正体には何か秘密があるはずだ。苦い失敗を味わった役者という以上の、もっとひどい何かが。

「もちろんあるとも」とわめく酔っぱらいが叫んだ。「それこそはおれだ」

ぼくは首を伸ばして酔っぱらいを見ようとしたが、視界はドレッド・ヘアの白人少年によってさえぎられた。今や彼の顔には呆《ほう》けた満足げな表情が浮かんでいる。糞便のにおいが強まり、少年がたった今パンツの中でもらしたのだとぼくにもはっきりわかった。彼はぼくの目をとらえ、満足げなにたにたした笑みを浮かべてよこした。

「おまえは誰なんだ?」ぼくは叫んだ。片隅からのがれようとしたが、ホルター・トップの女が後ろに身体を突き出し、ぼくを壁に釘づけにしようとする。照明はさらに暗くなって、今度は乗客のうめきが潜在的どころではなくなった。

「おれは悪魔の酒だぞ」わめく酔っぱらいが叫んだ。「おれはジン横町《レーン》で、おまえらの麻薬《クラッ》の取引場所《ク・ハウス》だ。おれはキャプテン・スウィングやワット・タイラー、オズワルド・モズレーの信奉者だ。おれは一頭立ての二輪馬車《ハンサム》の窓に浮かぶにやつく顔だ。おれはディケンズに田舎で暮らしたいと願わせた男で、おまえの主人《マスター》が怖れる者だ」

ぼくはホルター・トップの女を押しのけようとしたが、腕は重たく、悪夢の中でのように役立たずだった。彼女はぼくに身体を擦《す》りつけはじめた。車内はますます暑くなり、ぼくは汗をかきはじめた。いきなり誰かの手がぼくの尻をつかみ、きつくつねった——青のブレザーを着た男だった。ぼくは驚きのあまり凍りついた。ぼくが相手の顔を見ても、男はまっすぐ前を見つめたきり、乗り慣れた乗客に特有の、退屈してぼんやりした表情を浮かべている。iPodからもれる音量が高まり、それまで以上にいらいらさせられた。

ぼくは糞便のにおいにえずき、ホルター・トップの女を押しのけて車内を見わたした。くだんのわめく酔っぱらいが見えた――ミスター・パンチの顔をしていた。

ブレザー姿の男がぼくの尻から手を離し、ジーンズの下に手を突っこもうとした。ホルター・トップの女がぼくの股間にヒップをこすりつけてくる。

「若者の生きる道はあるのか？」とミスター・パンチが叫んだ。

ドレッド・ヘアの白人少年がぼくのほうに身を乗り出し、とてもゆっくりと人差し指でぼくの顔を突いた。「つんつん」といって、くっくっと笑った。そうして、もう一度同じ動作をくり返す。

人間が抑制を失って、ただやみくもにまわりのすべてに殴りかかりたくなるときがある。なかにはそのぎりぎりの手前で踏みとどまって生きている人間もいる――ほとんどの場合はいずれ牢獄で過ごすことになるのだが。なかには、といっても大半は女性だが、長年のあいだに押しつぶされ、ついにある日、燃えるベッドや過度の怒りのために法的弁護とご対面ということになる。

ぼくはその限界にあって、正当な怒りを感じとれた。結果を無視して怒りをぶちまけられたならどんなにすばらしいだろう。なぜなら、このくそったれな世界が少しは目をとめてくれることを人はときどき望むものだからだ――それがそれほどくそったれに大きな希望だろうか？

　そうして、すべてがどういうことなのかぼくは気づいた。ミスター・パンチ――暴動と叛逆の霊――は評判どおりのことをしている。これは、彼、ヘンリー・パイクの背後にいる男がぼくの頭をいじくりまわしているせいだ。

「わかったぞ」ぼくはいった。「ヘンリー・パイク、クーパータウン、文書配達の自転車乗り、たくさんのいらだち――けど、本当は大都市で暮らす誰でもよかった、そうじゃないか、ミスター・パンチ？　そしてどんな割合で実際におまえを受け入れてくれるんだ？　きっとうまくいくことは少ないんだろうな――そのときはただあきらめて離れるんだろ。こっちは家に帰って寝ることにするよ」

　この時点で、電車が再び動きだしていることにぼくは気づいた。照明が明るくなり、青いブレザーの男はぼくのズボンから手を戻した。わめきつづけていた酔っぱらいはおとなしくなった。車内の誰もが、つとめてぼくを見ないようにしていた。

　次のケンティッシュ・タウンでぼくはのがれるように地下鉄を降りた。運のいいことに、そこがぼくの目的地だった。


　一九四四年九月から一九四五年三月にかけて、あの愛すべきナチのならず者、ヴェルナー・フォン・ブラウンは星々をめざして打ち上げたはずのV2ロケットを、歌にもあるとおり、なぜか代わりにロンドンに命中させた。うちの父親が育った時代には、この街のあちこちに着弾地点が点在し、家のきれいな並びに、そこだけぽつんと完全に消滅した隙間ができていたそうだ。戦後の時代になってそうした場所は徐々に片づけられ、建築上のひどいあやまちの連続によって再建されていった。父親はぼくが育った場所こそはV2の着弾地点跡に建てられたあやまちなのだとよくいい張ったものだが、それはおそらく、ドイツのありきたりな爆撃機が落とした平凡な榴弾《りゅうだん》のかたまりでしかないのではないかとぼくは疑っている。

　だとしても、レイトン・ロードに並ぶヴィクトリア朝時代のテラスハウスのあいだにぽっかりあいた二百メートルの隙間をもたらしたのがなんであったにしろ、戦後の都市計画立案者はこれほどの規模のあやまちを犯す機会をのがしはしなかった。一九五〇年代に建てられたペックウォーター団地の一画は六階建ての四角い建物で、美的なだめ押しとして、くすんだ灰色の煉瓦でつくられ、ひどく風化していた。その後、大気浄化法がロンドンの有名な黄《ピー・スーパー》霧を終わらせたとき、業者は古い建物にサンド・ブラストを吹きつけて修復をはじめ、ペックウォーター団地はそれまで以上にひどい外見となった。

　ぼくたち一家の住んでいたフラットは頑丈につくられていたから、少なくとも隣のドキュメンタリー風ホームドラマを生《ライヴ》で聞かされることはなかったものの、ロンドンの労働階級はすべてホビット族から成り立っているという、戦後の都市設計者たちに愛された怪しげな思いこみのもとに建てられていた。ぼくの両親は四階の、正面入口が吹き抜けになった共用廊下に通じているフラットを借りていた。ぼくが育った一九九〇年代初頭には、壁は落書きアートで覆われ、階段には犬の糞があふれていた。近ころでは落書きはほとんどが消され、犬の糞は定期的にホースの水で溝に流しこんでいる。ペックウォーター・エステイトの基準では、これは高級化のしるしとみなされていた。

ぼくはまだ玄関の鍵を持っていて、それはありがたいことだった。というのも、ぼくが戻ってきたとき、両親は留守にしていたからだ。

これはかなり珍しいことだったから、ぼくはためらった。父親は七十代の前半で、あまり外を歩きまわらなくなっていた。母親が夫に着飾らせて家の外に連れ出すのは、結婚式や洗礼式といったような大きな行事があったからに違いない。二人が帰ってきたら、それをすっかり聞かされることになるはずだ。ぼくは一人でお茶を淹れ、コンデンス・ミルクと砂糖を入れ、スーパーマーケット・ブランドのビスケットを二枚食べた。こうして体力をおぎなうと、以前使っていた寝室に寝る場所はあるかどうか確かめにいった。

ぼくが家を出ると――これは文字どおりドアを閉めて十分後にはという意味だ――母親はぼくの部屋を物置代わりに使いはじめた。室内は引っ越し用の段ボール箱であふれ、どれもいっぱいに詰めこまれて荷造り用のテープで封がされていた。ぼくは横になるだけのためにいくつか段ボール箱を動かさないといけなかった。箱は重たく、ほこりのにおいがした。約二年間にわたって、母親は衣服や靴、調理道具、保存のきく化粧品といったものをなんでも集め、段ボール箱に詰めこんでは、母親の親族のいるフリータウンに船便で送っていた。近親の大半はすでに英国やアメリカ、そして奇妙なことにデンマークにも移住しているという事実も、物資の流れが減る要因にはならないようだった。アフリカの家族は範囲が広いことで知られているが、ぼくが知るかぎり、うちの母親はシエラ・レオネの人口のおよそ半分と親族関係にあるらしい。幼いころから、自分の物をしっかり守っていないと、勝手に没収されて移送の対象になるということをぼくは学んでいた。とりわけ、ぼくのレゴ・ブロックは、十一歳の誕生日以降、ぼくがもうそういうもので遊ぶ歳ではないと母親が判断したために、継続して闘争の対象になった。レゴはぼくが十四歳のとき、学校の遠足に出かけているあいだにいつの間にか消えていた。

ぼくは靴を脱ぎ、毛布の下にもぐりこむと、壁に貼ってあったポスターはみんなどこにいってしまったんだろうかと思いめぐらす間もなく眠りに落ちていた。

数時間後に、寝室のドアがそっと閉じる音がして父親のくぐもった声を聞き、つかのま目を覚ました。母親が何かいうと、父親が笑い、すべて問題がないことに安心して、ぼくはまた眠りに戻った。

ずっとあとになってもう一度目を覚ますと、朝の光が寝室の窓から斜めに射しこんでいた。ぼくは仰向けに横たわり、ビヴァリーとのエロティックな夢をかすかに思い出し、朝立ちしながらも気分はすっきりしていた。ビヴァリー・ブルックとこの先どうするつもりなのだろう？　ぼくが彼女を好いているのは既知の事実だし、彼女がぼくを好いているのもひどくはっきりしているものの、彼女がまったく人間ではないことは気がかりな可能性ではあった。ビヴァリーは自分の川で泳ごうとぼくを誘い、それが何を意味しているのかは、やめておくようにとイシスから警告された以外に何もわかっていなかった。テムズ川の娘といちゃついたら、文字どおり深みにはまらずにはすまないという強烈な警戒心があった。

「なにも、掛かり合いになるのを怖れてるわけじゃない」ぼくは天井に向けていった。「はじめに何と掛かり合いになるのか知っておきたいだけだ」

「目が覚めたのか、ピーター？」ドアの外から小声が響いた――父親の声だ。

「うん、父さん、目が覚めたよ」

「お母さんが、おまえのためにランチをつくっておいてくれたぞ」

ランチか。一日の半分が終わり、今のところ何ひとつ為されてはいない。ぼくはベッドを抜け出すと、段ボール箱の合間を抜け、シャワーに向かった。

バスルームもフラットのほかのすべてと同じようにホビット・サイズで、ポーランドの分解工学によって考案された装置のおかげで、シャワーの水がシンクと窓のあいだの隙間に細く流れこむようになっている。このための代金を払ったのはぼく自身だったから、自分ではその下に頭を突っこむ必要がないようにしていた。シャワーの横には新しいソープ・ディスペンサーが備えつけてあった。重役用のひとつづきのオフィスのトイレにあるようなもので、清掃用品の納入業者から買ったか譲ってもらったのだろう。ぼくが実家に住んでいたころよりもトイレット・ペーパーやバスタオルがずっと上等なブランド品になっていることに気づいた――母親はこのところずっとましなオフィスで清掃の仕事をしているのだろう。

ぼくはシャワーを出て、〝ここに企業名を〟と隅に刺繍されたふかふかの巨大なタオルで身体を拭いた。父親は〝本物の男は肌の手入れなどしない〟という乾燥肌学派に与《くみ》していたし、母親が使っているのはココア・バターがたっぷり入った化粧乳液だ。ぼくとしてはココア・バターを使うのに反対するわけではなく、単にその日の残りを巨大なチョコ・バーのようなにおいをただよわせて過ごさないといけないだけだ。肌の手入れがすむと、ぼくはかつての寝室にすばやくとって返し、箱をランダムに開けていくうちにようやく着替えをみつけた。ぼくの遠いいとこの誰かが一人、それなしですまさないといけなくなるだけのことだ。

キッチンは細長く、トライデント潜水艦の食事係の訓練用にでも使えそうなくらいで、シンクとガスレンジ、それに調理スペースしかなかった。突きあたりのドアの向こうには同じくおまけ程度の狭いバルコニーがあって、少なくとも一年の大半は洗濯物を乾かすのに充分な日射しがあった。バルコニーから、タバコの煙が筋を引いてただよってくる。それはつまり、父親が一日に四本だけの貴重な巻きタバコに火をつけて一服《いっぷく》中であることを意味していた。

母親は調理鍋にグラウンドナッツ・チキンと五百グラムほどのバスマティ米をつくり置きしてくれていた。ぼくは両方を電子レンジにほうりこみ、父親にもコーヒーはどうかと尋ねた。一杯もらおうという返事だったから、ぼくは業務用サイズの缶に入れてあったネスカフェのインスタント・コーヒーをカップに二杯つくり、一センチぶんのコンデンス・ミルクを入れて味をごまかした。

彼は具合がよさそうに見えた。というのは父親のことだが、それはつまり彼が今朝早いうちに〝薬〟を摂取したことを意味している。彼はキャリアの盛期には身なりのよさで知られていたし、母親は夫がきちんとした服装をたもつのを好んでいた。カーキのスラックスに淡いグリーンのシャツ、その上にリネンのジャケット姿だった。ぼくはいつもそれを帝国主義的だと思っていたし、確かに母親にも影響している。バルコニーの広さとほとんど同じくらいあるヤナギ細工の椅子に腰をおろして日射しを浴びている父親の姿は、確かに植民地ふうに見えた。そこにはスツールと白いプラスチック製の側卓《エンド・テーブル》を置くだけの空間が残されていた。パブに置いてあるサイズのフォスターズ・ラガーの灰皿と父親のゴールデン・ヴァージニアの缶のそばに、ぼくはコーヒーのカップをふたつ置いた。

晴れた日なら、ぼくらのバルコニーから中庭ごしに近隣のレース・カーテンが見える。「腐敗した連中《フィルス》はどうだね？」父親が尋ねた。彼はいつだって警察のことを〝フィルス〟と呼ぶ。もっとも、ぼくがヘンドンを卒業するときにはひょっこりやってきて、そのときばかりは息子のことを誇らしく思っていたようだったが。

「人々を抑えておくのは簡単じゃないよ」ぼくはいった。「連中はいつだっておたがいに争ってて、すきあらば物を奪おうとするんだから」

「そいつは働く男の悲しい性質《さが》だな」父親はいった。コーヒーをすすってマグをおろし、タバコの缶を手に取る。開けるでもなく、ただ膝の上に載せてその上に指を置いた。

母さんは元気かな、とぼくは尋ね、昨日の晩はどこに行っていたのか訊いた。母親は元気で、昨日は二人で結婚式に出かけていたのだそうだ。誰の結婚式かはあいまいなようだった。たくさんいるいとこの誰か――これが意味するのは、ぼくのおばさんの子どもから、母の家にぶらりとやってきて二年間出ていこうとしなかった男まで、かなりの幅がある。伝統的なよきシエラ・レオネ人の結婚式は、葬式と同様に数日間はつづくものだが、現代の英国の熱狂した生活のペースに敬意を払って、国外在住者は祝祭を一日かぎり、または最長でも三十六時間にとどめることが多い。準備の時間は含めずにだが。

音楽について語りながら――父親は料理や衣服や宗教についてはあいまいだった――タバコの缶を開けてリズラの袋を取り出し、ひどく気をつけて慎重にタバコを一本巻いていった。巻き終えて満足がいくと、リズラの袋と巻いたタバコもいっしょに缶に戻し、ふたを閉めてテーブルに戻した。コーヒーを取り上げたときに手が震えているのが目についた。我慢できるかぎりはテーブルの上に置いておいて、また膝の上に載せ、もう一度巻きなおすか、またはそれ以上耐えられなくなったら、このいまいましいものを吸うつもりだろう。父親は肺気腫の初期段階にあった。ヘロインを融通してくれるのと同じ医者が、タバコをやめられないなら少なくとも一日五本以下に抑えるべきだと警告していた。

「父さんは魔術を信じる？」ぼくは尋ねた。

「ディジー・ガレスピーがプレイするのを一度聴いたことがある」父親はいった。「それは数のうちに入るか？」

「かもね。あんなふうにプレイするみなもとはどこにあると思う？」

「ディジーの？　すべては才能とハードワークだ。だけどな、おれの知ってるあるサックス奏者は、才能を悪魔からもらったっていってたな、交差点で取引したとか、そんなようなことを」

「それ以上いわなくていい」ぼくはいった。「その人はミシシッピの出身じゃないの？」

「いや、キャットフォードだ、ロンドンの。アーチャー・ストリートで取引したといってたな」

「いいプレイヤーだった？」

「悪くなかったな。だが、哀れなあいつは二週間後に目が見えなくなった」

「それも取引の一部だったの？」

「そうらしい。おれが話してやったら、お母さんはそういってたな。無料《ただ》で何かをもらえると期待するのは愚か者だけだとさ」

　いかにも母親らしい口ぶりに聞こえた。母親が一番気に入っている格言は〝無料《ただ》の物は、その価値もない〟というものだ。実際のところ、彼女の本当の一番お気に入りの格言は、少なくともぼくに対しては、〝あんたがいくら大きくなったからって、お母さんが打《ぶ》てないほどじゃないんだからね〟というものだ。実際に母親に打たれたことがあるわけではないが。そうしなかったことを、母親はのちにぼくが上級課程をとれなかったことの原因にしていた。大学に進学した数多いいとこたちは、肉体的な打擲《ちょうちゃく》によるしつけの輝ける模範例になっている。

　父親はタバコの缶を取り上げて、また膝の上に置いた。ぼくは飲み終えたマグをふたつ取ってキッチンのシンクで洗った。電子レンジに入れておいたグラウンドナッツ・チキンとライスを思い出した。それをバルコニーに持っていってチキンを食べたが、ライスはほとんど残した。およそ一リットルの冷たい水も飲んだ。母親の手料理を食べたときによく起こる副作用だ。またベッドに戻ることを真剣に考えかけた。ほかに何をすることがあるだろうか？

ぼくはバルコニーに顔を突き出して、何か欲しいものはあるかい、と父親に尋ねた。彼は何もいらないといった。ぼくが見ている前で父親は缶を開け、巻いたタバコを口にくわえた。銀色のオイル・ライターを取り出し、タバコを巻いたときと同じ慎重なしぐさで火をつけた。最初に煙を吸いこんだとき、父親の顔に至福の表情が浮かんだ。そうして咳きこみはじめた。湿ったひどい咳きこみ方で、肺の裏側が引きずり出されてしまいそうな音だった。父親は慣れた手つきで巻きタバコをねじって消し、咳がおさまるまで待った。咳がおさまると、唇に巻きタバコを戻し、また火をつけなおした。ぼくはその場にとどまりはしなかった——これからどうなるかはわかっていた。

ぼくは父さんを愛している。彼は慎重さを絵に描いたような人だ。

母親は家に電話器を三つ置いていた。ぼくはそのうちのひとつを取り、自分の留守電サーヴィスを聞いた。最初のメッセージはドクター・ウォリッドからだった。

「ピーター」彼がいった。「トーマスの意識が戻って、きみの所在を尋ねてたことだけ知らせておくよ」

一般紙《ブロードサイド》には〝五月の狂気《メイ・マッドネス》〟と書かれていた。まるで茶会のダンス《ティー・ダンス》のように聞こえた。タブロイド紙は〝五月の怒り《メイ・レイジ》〟と書きたてていた。おそらくは、一面の見出しに文字を収めるのにシラブルひとつぶん少なくてすむからだろう。テレビはロング・ドレス姿の中年女性が警察に煉瓦を投げつけているセンセーショナルなシーンを流していた。何があったのか誰も手がかりひとつつかめていなかったから、学識者たちはこぞって自分の書いた最新の著作を引き合いに出し、いかにして社会と政治の要素がこの暴動を引き起こしたのかと説明に躍起になっていた。確実に、現代社会のある面についての、ふつふつと燃えたぎってあふれ出す告発です——それがなんであるのかわかりさえすれば。

ユニヴァーシティー・カレッジ付属病院の救急救命室は警官であふれていた。大半は時間外にだらだらと捜査をつづけるか、暴動の被害者から証言を聞きとろうとしていた。ぼくは証言などしたくなかったから、モップのバケツをつかんで清掃人をよそおい、裏口からこっそり忍びこんだ。上階でドクター・ウォリッドを探すうちに迷い、ドクターをみつけ出す前にかすかに見覚えのある廊下に出くわした。適当にドアを開けていくうちにナイティンゲールの病室をみつけた。彼はこの前よりもさほど具合がよさそうには見えなかった。

「主任警部」ぼくは声をかけた。「ぼくに会いたいといっておられたとか」

彼の目が開き、ちらっとぼくのほうを向いた。彼が頭を動かさずにすむように、ぼくはベッドの端に腰をおろした。

「撃たれたよ」彼はささやいた。

「わかってます。ぼくもその場にいましたから」

「二度目のだ」

「どの戦争で」

「戦争ですか？」

「本当ですか、いつ？」

「前にも撃たれたことがある」

ナイティンゲールは顔をしかめ、ベッドの上で身じろぎした。「第二次大戦ですか。どこに所属してたんですか――赤ちゃん部隊とか？」一九四五年に入隊したのであってさえ、一九二九年には生まれていなければならない。それも彼が年齢をいつわったとしてだ。「あなたはおいくつなんですか？」

「歳をとってる」彼はささやいた。「世紀を越えてる」

「世紀をまたいでる？」ぼくが訊くと、彼はうなずいた。「あなたは世紀の変わり目に生まれたわけですか――二十世紀の？」どうみても彼は四十代なかばに見える。いわば死の狭間《はざま》にあって病院のベッドに横たわり、一定の間をおいて機械が〝ピンッ〟と音をたてているような状況では、うまい冗談だ。「あなたは百歳を越えてるというんですか？」

ナイティンゲールがゼイゼイした音をたてたから、ぼくは一瞬心配になったが、それは笑い声だとわかった。

「そういうのは自然なんですか？」

彼はかぶりを振った。

「なぜそうなったのかご存じなんですか？」

「贈られた馬の」彼はささやいた。「口」（「贈られた馬の口の中をのぞくな」もらった物には不平を言うな、ということわざ）

その点はこれ以上議論をしても仕方がない。彼をあまり疲れさせたくはなかったから、ぼくはレスリーについて、それと暴動や、愚壮館《ザ・フォリー》から締め出しをくらっていることを手ばやく話していった。モリーの能力を借りればヘンリー・パイクのあとを追う助けになるでしょうかと尋ねると、彼はかぶりを振った。

「危険だ」彼はいった。

「やってみないといけません。やつは止められるまでやめるつもりはないと思います」

ゆっくりと、一度に一語ずつ、ナイティンゲールはやり方を正確に伝えていった——その響きがぼくは少しも好きになれなかった。恐ろしい計画で、なおもどうやって愚壮館《ザ・フォリー》に戻ったらいいのかという問題が残されている。

「タイバーンの母親」とナイティンゲールがいった。

「ママ・テムズに、娘の頭ごしに裁断してもらおうというんですか？　彼女がどうしてそんなことをしてくれると思うんですか？」

「誇り」ナイティンゲールはいった。

「ぼくに乞い願えと？」

「彼女の誇りではない」ナイティンゲールはいった。「きみのだ」

13 ロンドン橋《ブリッジ》

トレーラーをあやつって狭いワッピング・ウォールの通りを抜けていくのは簡単なことではなく、そのためにブライアンという名の中年男を雇って、運転は彼にまかせることにした。ブライアンは頭が禿げ上がり、腹の突き出た、口の悪い男だった。典型的な運転手像から欠けているものはといえば、チョコ・バーとタブロイド紙のまるめた束くらいのものだ。だとしても、彼を博識さのゆえに雇ったわけではないし、必要以上に保険の請求もせずに、ママ・テムズの家まで無事に車を乗りつけてくれた。

なかばはママ・テムズのフラットの区画に、なかばは〈プロスペクト・オヴ・ウィットビー〉の店の前にはみ出した位置に、ぼくらはトレーラーを停めた。店のスタッフは予定外の配達だと思ったに違いない。あわてて外にとび出してきたからだ——プライヴェートのパーティなんだとぼくが説明すると、奇妙にも彼らはあまり驚きもしないようだった。ブライアンにはここで待つように頼み、ぼくは運転席に載せておいたサンプル用の木箱を抱えて、よろけながら共用玄関口まで運んでいった。

木箱をおろして、ドアベルを鳴らす。今回はママ・テムズの取り巻きのなかに以前も見かけた白人のご婦人がドアで出迎えた。着ている服は違うが、同じようにすてきなツインセットにパールのネックレスをつけ、腰のところに黒人の小さな子どもを連れていた。

「あら、グラント刑事、またお会いできてよかったわね」

「当ててみましょう」ぼくはいった。「あなたがリーに違いない」

「ご名答」リーがいった。「頭のいい若者があたしは好きよ」

リー川はロンドン北西のチルターンズに発し、街の上部をなぞってから鋭く右に折れ、リー谷をくだってテムズ川に注ぐ。ロンドンの川のなかでもっとも都市化しておらず、そしてもっとも長いため、もちろん大悪臭の時代を生き延びることができた。リーはオクスリーと同世代のゲニイ・ロコルムの一人だろう、それ以上に歳をとっていないとしても。

ぼくは子どものほうに、わざとしかめた顔を向けた。女の子はよちよち歩きの年齢で、彼女もイーッとしかめた顔を返してきた。

「こちらは？」ぼくは尋ねた。

「ブレントよ」とリーが紹介した。「一番下の子なの」

「こんにちは、ブレント」ぼくは呼びかけた。

彼女はほかの姉たちよりも肌の色が薄く、茶色の目は思いやりのある嘘つきならハシバミ色とでも呼んだかもしれないが、勝ち気な顔つきは見誤りようがなかった。彼女はイングランドの赤いアウェイ・ユニフォームのミニチュア版を着ている。おそらく背番号は11番だろう。（当時のイングランド代表の11番はナイジェリア系のガブリエル・アグボンラホール）

「この人、おかしなにおいがする」とブレントがいった。

「それはこの人が魔術師だからよ」リーが幼い妹にいった。

ブレントは身をよじってリーの手を振りほどき、ぼくの手を握った。

「いっしょに来て」彼女はぼくをドアの中に引っぱりこもうとした。彼女は驚くほど力が強く、ぼくはその場にとどまっているために少し力をこめて踏んばらないといけなかった。

「木箱を持っていかないといけないんだよ」と女の子にいって聞かせる。

「心配しないで。あたしがやっておくから」とリーがいってくれた。

ぼくはブレントに手を引かれながら、ひんやりする長い廊下をママ・テムズのフラットまでたどっていった。背後ではリーがベイリフおじさんを呼ぶ声が聞こえ、どうかこの木箱をママのフラットまで運んでくださらない、と頼んでいた。

ドクター・ポリドリによると、ゲニイ・ロコルムは〝人に肉や酒が必要なように、祝祭の規範が必要なようにふるまい〟、さらには〝そのような行事を驚くべきたやすさで期待し、そのためつねにふさわしくよそおい、そして驚かされるかまたはどうやってか妨げられたなら、大いなる苦悩を示す〟のだそうだ。ポリドリがこれを書いたのが十八世紀後半であることを考えると、少し割り引いて受け止めたほうがよさそうだ。

彼女たちは玉座の間でぼくを待っていた。今度はここが玉座の間であるのがぼくにもはっきりと見てとれた。鉢植えのマングローヴが神聖なる〈ワールド・オヴ・レザー〉の重役用肘掛け椅子を覆い隠している。そこにママ・テムズがすわっていた。オーストリアン・レースと青と白のポルトガル・ビーズの頭飾りをきらきらと輝かせて。彼女の背後には、取り巻きの連中が並んでいる。彼女たちは蠟染め《バティック》のラパ・スカートや頭にはスカーフを巻き、その両側にも娘たちが並んで通路をつくっている。ぼくはそのあいだを通っていかないといけなかった。

左側にはタイバーンやフリートが立っているのが見えたし、そばには十代の女の子二人が髪をいくつも細く編みこんで、カシミアのセーターを着ている。ビヴァリーは右側で、ライクラ素材のショートパンツと紫のスウェットシャツは着崩しすぎのように見えた。ぼくが見ていると確信した瞬間に、彼女はうんざりというようにぐるりと目を上に向けた。彼女の隣には驚くほど背が高くてすらりとしたキツネ顔の女が立っていた。エレクトリック・ブルーとブロンドのエクステンションの髪に、伸ばしたつけ爪は緑や金、黒色に塗っている。これはエフラだろうとぼくは見積もった。これまた暗渠《あんきょ》を流れる川で、明らかに夜はブリクストンのマーケットで女王の副業でもしているのだろう。左側に並んでいるのがロンドンの北を流れる川で、右側が南を流れる川だということにぼくは気づいた。

ブレントはぼくの手を離すとママ・テムズのほうにお辞儀を試み、そしてその効果を台なしにしてスキップしながら母親の膝の上にとび乗った。くつろげる位置に少女が身体をもぐりこませるまで、儀式にはわずかな間があいた。ママ・テムズはぼくにまっすぐ視線を向け、彼女の視線に引き寄せられてぼくは玉座にふらふらと近づいていった。身を投げ出してひざまずき、カーペットに額を何度でも叩きつけたい強烈な衝動にあらがわないといけなかった。

「ピーター刑事」ママ・テムズがいった。「お会いできてうれしいわ」

「ここに来られて光栄です。わが敬意のしるしとして、贈り物を持参しました」ぼくは儀礼上の言葉が尽きてしまう前にあれが届くことを願いながらいった。背後でカチャカチャとボトルの鳴る音が聞こえ、ベイリフおじさんが木箱を運んでやってきた。がっしりした体格の白人の男で、頭は丸坊主に刈り上げ、首筋には薄れたS字形の稲妻のタトゥーが二本刻まれている。彼はママ・テムズの前に木箱をおろし、敬意をこめて頭を下げ、ぼくには憐れむような視線を向けて、何もいわずに退がった。

取り巻きの一人が前に進んで木箱からボトルを一本抜き、ママ・テムズに示す。

「スター・ビール」彼女がいった。ナイジェリアのビール・メイカー、PLCの主力製品で、英国のまともな仕入れ業者ならどこでも手に入るし、母親が誰かに恩義のある誰かを知る誰かを知っているなら、まとめてごっそり手に入れることも可能だ。

「全部でどれくらいあるのかしら？」フリートが尋ねた。

「トレーラーに満載して」リーがいった。

「トレーラーはどれくらいの大きさ？」ママ・テムズがぼくから目を離すことなく訊いた。

「おっきなトレーラー」とブレント。

「みんなスターなの？」とママ・テムズが訊いた。

「少しガルダーも入れておきました」ぼくはいった。「いろんな種類を楽しんでもらうために、レッド・ストライプも少し、バカルディも数ケース、アップルトンにコアントロー、そしてベイリーズも何本か」このためにぼくは貯金をすっかりおろしていたが、うちの母親の口癖どおり、無料《ただ》で価値あるものは得られない。

「気前のいい贈り物ね」とママ・テムズがいった。

「本気じゃないんでしょ？」とタイバーン。

「心配いらないよ、タイ」とぼくはいった。「あんたのためにペリエも何本か入れておいたから」

　誰かが忍び笑いをもらした——たぶんビヴァリーだろう。

「それで、あたしからは何をしてあげればいいのかしら？」ママ・テムズがいった。

「些細なことです。あなたの娘さんの一人が、愚壮館《ザ・フォリー》の問題に干渉する権利があると考えているようです。ぼくが頼みたいのは、彼女に手を引いてもらって、正しい権威のある者に仕事をさせることだけです」

「正しい権威ですって」とタイバーンが吐き捨てる。

　ママ・テムズがタイバーンに目を向けた。娘は玉座の前に進んだ。

「あなた、この件に干渉する権利があると思ってるの？」

「ママ」とタイバーンがいった。「愚壮館《ザ・フォリー》は過去の遺物ですわ、ヴィクトリア朝からの。あたしたちに黒杖やロンドン市長の就任パレードをくれた連中の。過去の遺産は観光業界のためにはとってもけっこうなことですけど、現代的な都市を運営するうえでは邪魔にしかなりません」

「それはあんたの決めることじゃない」ぼくはいった。

「それで、あなたの決めることだとでも思ってるの？」

「あれがぼくのものだということはわかってる。ぼくの義務、ぼくの責任——ぼくの判断だ」

「それで、あなたが頼んでるのは——」

「ぼくは頼んでるんじゃない」ぼくはいった。儀礼上の言葉は終わりだ。「ぼくに関わるつもりなら、タイバーン、誰とやりあってるのかよく知っておいたほうがいい」

タイバーンは一歩たじろぎ、そして立ちなおった。

「あなたが誰かってことくらいわかってる」彼女はいった。「あなたのお父さんは落ちぶれたミュージシャンで、お母さんはオフィスを清掃して生計を立ててる。あなたは公営アパートで育って、地元の総合中学校に通い、上級課程を取りそこなった……」

「ぼくは警官として誓いをたてた。それゆえぼくは法の番人だ。ぼくは徒弟でもあり、それはぼくが神聖な炎の守り手であることを示している。だが、なによりもぼくはロンドンの自由市民であって、それゆえぼくはこの街の主権者になる」ぼくはタイバーンに指を突きつけた。「オックスフォードで二科目とも最優秀だったからって、その権利を踏みにじることはできない」

「本当にそう思うの？」

「もういいわ」ママ・テムズがいった。「彼を館に入れておやり」

「彼の館ではありません」とタイバーンがいい張る。

「あたしのいうとおりになさい」

「でも、ママ……」

「タイバーン！」

タイバーンはうちひしがれ、その瞬間、ぼくは心から彼女がかわいそうになった。なぜといって、誰であれ母親がもう打《ぶ》てないほど大きくなることはないのだから。タイバーンはポケットからスリムラインのノキアを取り出すと、ぼくから目を離すことなく番号を押していった。

「シルヴィア？」彼女は電話の相手に呼びかけた。「警視総監につないでもらえる？　そう。今すぐ話ができるかしら？」そうして、やることをすますと、背を向けて部屋を出ていった。ぼくはほくそ笑みたくなる衝動にあらがったものの、ちらっとビヴァリーに目をやって彼女がぼくに感心しているか確かめてみた。彼女はつとめて無関心をよそおった顔をしていたが、それは投げキッスにも等しかった。

「ピーター」とママ・テムズがいって、ぼくを彼女のすわっている椅子のほうに招き寄せた。彼女はぼくにプライヴェートなことを話したいと示していた。ぼくはできるだけ威厳をたもちながら腰を屈めようとしたものの、気づいてみると、ブレントがおもしろがったとおり、彼女の前でひざまずいていた。彼女は身を乗り出して、ぼくの額をさっと唇で撫でた。

その一瞬、ぼくはテムズ・バリアの真ん中の丸い橋桁の上に立って東の河口を眺めわたしているように感じた。背後でカナリー・ワーフの高層ビル群が勝ち誇ったようにせり上がるのが感じとれ、その向こうには波止場が、ロンドン塔が、そしてあらゆる橋や鐘やロンドンの家並みが感じとれた。しかし前方の水平線上には嵐が渦巻くのも感じとれた。高潮と地球温暖化とひどい都市計画の致命的な混合が待ち受けているのが感じとれた。あの嵐は、水の壁を十メートルの高さまで持ち上げて川をさかのぼり、橋や塔やその他一切合切《いっさいがっさい》を打ち砕く用意ができている。

「ただこれだけは理解しておいて」とママ・テムズがいった。「本当の力がどこにあるのかを」

「はい、ママ」

「あなたが〝老人〟との争いを解決してくれるものと期待してるわよ」

「全力を尽くします」

「いい子ね。そしてあなたがお行儀よくしてくれたご褒美《ほうび》に、最後にひとつ贈り物をあげる」彼女は頭を近づけ、ぼくの耳もとに名前をひとつささやいた。「ティベリウス・クラウディウス・ウェリカ」

ぼくがラッセル・スクウェアに戻ったときには、パラシュート連隊は姿を消していた。愚《ザ・》壮館《フォリー》の指揮はぼくの手に戻った。責任もだ。入口の敷居をまたぐと、トビーがぼくの足首にぶつかってきて、親しげにハッハッと息を切らして前脚で引っ掻いた。もっとも、ぼくが食べ物を何も持っていないとわかると、興味をなくしてすぐに駆け去ってしまったが。モリーは西側の階段のたもとでぼくを待っていた。ぼくは彼女にナイティンゲールの意識が戻ったと伝え、モリーは元気かと尋ねていたよ、と嘘をついた。ぼくがこれから何をするつもりでいるか説明すると、彼女は肉体的にまさしくあとずさった。

「ちょっと部屋から道具を取ってくる。三十分後には下に戻るよ」

自室に入るなり、ラテン語のノートを取り出してローマ人の名前について確認してみた。ローマ人の名前は三つの部分から成り立っていることが多いと習っていた――第一名、第二名、第三名だ。そして自分の手書きの文字を判読できたかぎりでは、名前はその人間について多くのことを教えてくれるという。ウェリカというのはラテン語系の名前ではない。ブリテン系ではないかとぼくはにらんでいた。そしてティベリウス・クラウディウスというのは、ティベリウス・クラウディウス・カエサル・アウグストゥス・ゲルマニクス、または皇帝クラウディウスとして知られる男の最初のふたつの名だ。ブリテンがローマ人にはじめて征服されたときに指揮をとっていた皇帝の。

ローマ帝国は、どこであれ征服した土地では利用できる特権階級の者を起用するやり方を好んだ――はじめに豪勢な食事と一ダースのバラをふるまっておいてから、その国に足を踏み入れるほうが簡単だ。提供する賄賂《わいろ》のひとつはローマ人としての市民権で、この申し出を受けた者の多くは本来の名を残して、その前に支援者の第一名と第二名をつけた――この場合は皇帝の。それゆえ、その名から明かされるかぎり、ティベリウス・クラウディウス・ウエリカはブリトン族の貴族階級の男で、この街が建設されたころに生きていたはずだ。

これは、ぼくにわかるかぎり、何を意味しているわけでもない。もしもこれからの数時間を無事に生き延びることができたら、このことについてママ・テムズと話しあってみるつもりだった。だが、ぼくにはもっと直近の問題がある。


一八六一年、救世軍の創設者であるウィリアム・ブースはリヴァプールのメソディスト教会を辞してロンドンをめざした。都市改革の大いなる伝統にのっとり、彼はこの地に自身の教会をつくり、ロンドン東部の異教徒たる居住民に、キリストの教えやパンや社会活動をもたらした。一八七八年に彼は、志願兵《ヴォランティア》と呼ばれることにうんざりし、自分はキリストの軍の正規兵にほかならないと宣言して、そこから救世軍が誕生した。

だが、どれほど動機は崇高であっても、どんな軍も抵抗されずに異国を占領することはできないもので、しかも彼の場合は骸骨軍《スケルトン・アーミー》が相手だった。ジンや頑迷さや恨みつらみに突き動かされたヴィクトリア朝時代の労働階級は、独善的な北方人の集団に説教されなくとも充分にひどいありさまで、スケルトン・アーミーは救世軍の会合をぶちこわしにして、行進を邪魔したり士官を攻撃したりした。スケルトン・アーミーの徽章《エンブレム》は黒地に白い骸骨だ——ワーシングからベスナル・グリーンまでのいっぱしな意見を持ったろくでなしどもがつけていたバッジだ。

ぼくはそのバッジがニコラス・ウォールペニーのぼんやりかすんだ襟を飾っているのを目

にとめていた。もしそんなものがあったとすれば、スケルトン・アーミーの志願兵になっていただろう。そしてそのバッジを、ぼくは〝俳優の教会《アクターズ・チャーチ》〟の墓地で回収していた。ぼくには霊の案内役が必要になるだろうとナイティンゲールがいっていたし、霊的な熊やコヨーテやほかのなんにしてもいない状況では、卑しいコックニー育ちの男で我慢するほかにない。

バッジはしまっておいた場所にちゃんとあった。紙クリップを入れておくプラスチックの箱の中に。ぼくはそれをつまみ上げ、手のひらに載せて掲げた。安っぽいちっぽけなもので、白鑞《しろめ》と真鍮でできている。その手を握りしめると、すばやく逃げ去っていくジンと古い歌とかすかな怨嗟《えんさ》の痛みが感じられた。

これが霊的な旅になるとすれば、ぼくにはこれ以外に何も必要はなく、そしてできることならその瞬間をできるだけ先延ばしにしたかった。ぼくはしぶしぶ階段を降りていって、モリーが待っているアトリウムの中央へと向かった。彼女はうつむいて立っていて、髪の毛が黒い幕となって顔を隠し、身体の前できつく手を握りあわせていた。

「ぼくもこれをやりたくはないんだ」ぼくは声をかけた。

彼女は顔を上げ、はじめてぼくの目をまともに見た。

「やってくれ」

彼女の動きはあまりにすばやくて、ぼくの目には見えもしなかった。彼女は身体をぼくに投げ出してきた。片方の腕がすばやくぼくの肩ごしに伸びて後頭部を押さえつけ、もう一方は腰をつかんだ。彼女の胸がぼくの身体に押しつけられるのが感じられたし、太腿がぼくの足をきつく挟みこんだ。首筋のくぼんだ部分に彼女は顔をうずめ、ぼくは喉首に唇が触れるのを感じた。恐怖がぼくの身体を駆け抜けた。もぎ離してでものがれようとしたが、彼女は恋人よりもしっかりとぼくを抱きしめた。首筋に彼女の鋭い歯がこすれるのを感じ、そして痛みを感じた。奇妙にも、突き刺すというよりは殴られるような痛みで、彼女はぼくに強く嚙みついた。彼女が血を吸いはじめる動きを感じたが、それと同時に足もとのタイルや壁の煉瓦——黄色いロンドン粘土だ——との結びつきも感じられた。そうしてぼくは仰向けに、日射しとテレビン油のにおいの中に倒れこんでいった。

それは仮想現実《VR》のようではなく、ホログラムと聞いて人が想像するようなものとも違った。ウェスティギアを呼吸するようなもの、石の中で泳ぐようなものだった。ぼくは愚壮館《ザ・フォリー》のアトリウム自体の記憶に入りこんでいた。

うまくいった——ぼくはもぐりこんだ。

アトリウムはほぼそうあるべきとおりに見えたが、色はくすんでほとんどセピア色といってよく、深い水底のあたりをもぐって泳いでいるように耳鳴りがした。モリーの姿はどこにも見えないが、ちらっとナイティンゲールを目にしたように思う。または、少なくとも石の記憶に残る、疲れたように階段を登っていくナイティンゲールの痕跡を。ぼくは手のひらを開いて、まだ骸骨のバッジを〝握って〟いることを確かめた。それはまだそこにあって、手を握りなおしたとき、それがひどくかすかにぼくを南のほうに引っぱるのを感じた。ぼくは振り返ってベドフォード・プレイスに通じている通用口に向かいだしたが、アトリウムの床を渡るあいだに、足もとが広大な暗闇であることに唐突に気づいた。まるで硬い白と黒のタイルが透明になって、恐ろしい奈落がのぞいて見えるかのようだった――暗くて底は見えず、冷たい。ぼくはすばやく渡ろうとしたが、激しい向かい風の中を歩いていくようなものだった。前屈みになって懸命に進まないといけなかった。慎重に進路を定めて東階段の下の狭い使用人の居住スペースを抜けていくころになって、これは幽霊の領域なのだから、つまるところ、単に壁を通り抜けられるのではないかと考えた。何度か額をぶつけたあとで、ぼくは通常の人間と同じように単に通用口のドアを開けた。

ぼくは一九三〇年代と馬のにおいの中に足を踏み入れた。一九三〇年代とわかったのは、行き交う人々のダブルのスーツやマフィアふう帽子のためだった。車は影でしかないが、馬ははっきりしていて、汗とこやしのにおいがした。人々が歩道を歩いていた。完璧に普通に見えるが、目がぼんやりしている。試しに一人の男の前にとび出してみたが、相手は単に、見慣れた取るに足らない障害であるかのようにぼくをよけて通った。首筋の鋭い痛みが、ここに観光に来ているのではないことをぼくに思い出させてくれた。

骸骨のバッジがぼくを引っぱって導くままに、ベドフォード・プレイスからブルームズベリー・スクウェアのほうに向かった。頭上の空は奇妙にはっきりせず、あるときは青空かと思えば、次の瞬間にはくもり空で、その次は石炭の煙でほこりっぽかった。歩きつづけるうちに、行き交う人々の衣服が変わっていくことにぼくは気づいた。幽霊のようにぼんやりした車は完全に消え、空を切り取る建物の輪郭さえも変わりはじめている。自分が歴史上の記録をさかのぼって引かれていくことに気づいた。推測が正しければ、ニコラス・ウォールペニーのバッジはコヴェント・ガーデンの彼が徘徊する場所にぼくを連れていくだけでなく、彼がうろつきはじめた時代にまでさかのぼろうとしているらしい。

この分野に関してぼくが探し出すことのできたもっとも新しい書物は一九三六年刊行ので、ルシアス・ブロックという男によって書かれていた。彼の推論によると、ウェスティギアは考古学の堆積のように層をなして積み上がっていて、異なる時代の霊は異なる層に暮らしている。ぼくはヴィクトリア朝後期のウォールペニーのもとにたどり着いて、彼に十八世紀後半のヘンリー・パイクのところまで連れていってもらい、そしてパイクによって、当人が好むかどうかに関係なく、彼の永眠の地を明かしてもらうつもりだった。

はるばるドゥルリー・レーンの入口までたどったころ、ヴィクトリア朝の悪臭にぼくは吐き気をもよおして膝をつくことになった。強まる馬の糞のにおいには慣れかけていたが、一八七〇年代は汚水槽に頭を突っこむようなものだった。ただのウェスティギアかもしれないが、空想上のランチを汚い側溝にぶちまけるのに充分なくらい強烈だった。口の中に血の味がして、そのいくらかは自分の血だと気づいた――ぼくをここにとどめるためにモリーがしているくそったれな秘術《オカルト》の燃料であることは間違いない。

ボウ・ストリートは巨大な二輪馬車や、家族用のハッチバック車くらいはある側面の高い幌つき馬車であふれていた。これは盛時のコヴェント・ガーデンで、ウォールペニーの骸骨のバッジはぼくをラッセル・ストリートからまっすぐ広場へと導くものと思っていたが、代わりに右側の、ボウ・ストリートを上がったロイヤル・オペラ・ハウスのほうに連れていく。そうするうちに二輪馬車は形を変え、ぼくは時代をさかのぼり過ぎたことに気づき、当初の計画が何かおかしくなったことにも気づいた。

舞台の次の場面のために大道具が片づけられるかのように、重たい馬車はオペラ・ハウスの外から姿を消した。にわかに空が薄暗くなり、通りも暗くなって、たいまつとオイル・ランプで照らされるだけとなった。金塗りのぼんやりした馬車がゆっくりと通り過ぎ、かつらをかぶって香水を振りまいたご婦人や紳士たちが旧シアター・ロイヤルの階段をぶらりとのぼりおりしている。三人の集団がぼくの目を引いた。ほかの人影よりもはっきりしていて、濃く、より本物らしく見えた。そのうちの一人は大きなかつらをかぶった大柄で歳をとった男で、杖の助けを借りてぎこちなく歩いている――これがチャールズ・マックリンに違いない。クローズアップされるかのように、彼には光がまといついていた――誰のおかげかは推測するまでもない。

これが卑劣なチャールズ・マックリンによるヘンリー・パイクの悪名高い殺害シーンの再演になるのだろうとぼくは見てとった。まさにそのとき、天鵞絨《ビロード》のウェストコートを着たヘンリー・パイクが登場した。感情が高ぶっていて、かつらは斜めにずれ、大きすぎる杖を手にしている。

ただし、ぼくはこの顔に見覚えがあった。ぼくが最初にこの顔を目にしたのは凍てつく一月の早朝で、そいつはセント・ジャイルズ教区のニコラス・ウォールペニーと名乗っていた。もちろんそうではない。ニコラス・ウォールペニーではなく、ヘンリー・パイクだったのだ。はじめからずっとヘンリー・パイクだった。〝俳優の教会《アクターズ・チャーチ》〟の玄関口で出会い、ぺらぺらとしゃべりたててコックニーなまりを強く印象づけたあのときから。

うむ、少なくともこれで、ウォールペニーがナイティンゲールの前に姿をあらわそうとしなかったことの説明はつく。それとともに、教会での出来事、はかり知れない価値をもつロンドンの観光名所をぼくがなりゆきで掘り返すことになったあれも――ただの見せかけ、演技だったことになる。

「誰か、誰か！」マックリンの仲間の一人が叫んだ。「人殺しだ！」

物事には変わらないこともある。鳥は飛ばないといけないし、魚は泳がないといけない。そして間抜けと警官はあわてて駆けずにいられない。ぼくはあやうく「おい！」と叫びかけそうになるのを押しとどめ、駆けだした。二メートル以内まで近づいたそのとき、ヘンリー・パイクが駆け寄るぼくを目にした。とても満足のいく、〝おお、くそっ〟という表情をパイクは見せ、そしてその顔が変わった――あのばかげた、三日月形の戯画《カリカチユア》、ぼくがミスター・パンチとして認識するようになったあの顔つきになった。暴動と叛逆の霊に。

「ほう」パイクが甲高い声でいった。「おまえは見た目ほど愚かでもなかったらしい」

狂ったくそったれを相手にするときの標準的な作戦行動――相手にしゃべらせておいて、じりじりと近づき、相手が注意をそらしたすきにつかまえる。

「それじゃ、おまえがニコラス・ウォールペニーをよそおってたのか？」

「いや」ミスター・パンチはいった。「欺《あざむ》きはすべてヘンリー・パイクにまかせておいた。演じるために生きている、哀れなあいつに。あいつが人生に求めてきたのはそれだけだからな」

「ただし、やつはもう死んでいるが」ぼくはいった。

「わかってるとも。この世界はすばらしいじゃないか？」

「ヘンリーは今どこに？」

「おまえのガールフレンドの頭の中で、彼女の脳から現世の知識を取りこんでるよ」ミスター・パンチはそういうと、頭をのけぞらせてかん高い笑い声をもらした。ぼくはとびついたが、ひらりとすばしこいこのくそったれは踵《きびす》を返してドゥルリー・レーンに通じている細い路地に逃げこんだ。

ぼくはやつのあとを追いかけた。駆けるぼくにロンドンじゅうの捕吏《シーフ・テイカー》の霊魂が流れこんできた、というつもりはないが、ぼくらはボウ・ストリートの治安判事裁判所前から駆けはじめていたから、呼吸をやめることができないのと同じくらいに悪者を追いかけずにはいられなかった。

路地から冬のドゥルリー・レーンにとび出してみると、行き交う人々は衣服に身を包んでいて正体がわからず、馬や輿《セダン・チェア》を担ぐ人足からは湯気が立ちのぼっていた。いきなり冷たさと雪に包まれた街はきれいですがすがしいにおいとなって、いらだつレヴナントの魂を吐き捨てかけていた。つっかえるように動いては止まるあわただしい動きで春が訪れ、もはや存在していないとわかっている薄汚れた脇道へとミスター・パンチはぼくを導き、ついには建てなおされたばかりのセント・クレメント・デインズ教会を越えてフリート・ストリートに出た。一六六六年のロンドン大火はぼくがはっきりと気づく前にあまりにもすばやく過ぎ去り、開けたオーヴンのドアからあふれ出た熱風のようだった。ある瞬間にはフリート・ストリートの突きあたりにセント・ポール大聖堂が圧倒してそびえていたかと思うと、次の瞬間にはドーム屋根が古いノルマンふうの塔の四角い屋根に様変《さまが》わりしていた。ぼくのような生まれつきのロンドンっ子にとっては異端の光景だった——自分のベッドに見知らぬ他人が寝ているのに急に気づかされたようなものだ。通りそのものが狭くなり、間口の狭い、なかば木造の、上階がせり出した家並みが立てこんできた。ぼくらはシェイクスピアの時代までさかのぼっていた。ここが十九世紀ほど臭くないことは、いっておかないといけない。ミスター・パンチは死後の命を懸けて逃げていくが、ぼくは差を詰めはじめていた。

ロンドンもしぼんでいった。両側の建物は隙間があきはじめた。干し草の山が積み上がった緑の牧草地や牛の群れが見てとれた。まわりの景色はぼやけはじめた。前方にフリート川があらわれ、急にぼくの足もとは沈んで石橋が渡され、谷間の反対側には壁が生じていた——旧ロンドンの市壁だ。実際の門が道をふさいでしまう前に、どうにかラドゲートを通り抜けた。古い大聖堂はとうの昔になくなっていた。ぼくらはアングロ＝サクソン時代を見のがし、現代の進取に富んだ歴史家が亜《サブ》ローマ時代と呼びたがっている時代、そして異端信仰が主流になりつつあった。

　そのことを考えてみれば、おそらく立ちどまってまわりをよく見て、ロンディニウムの生活について重要な質問にいくつか答えるべきだったろうが、そうはしなかった。なにしろ、そのときになってついにミスター・パンチとの最後の数メートルを詰め、この死人のくそったれにラグビー・タックルをくらわして地面に倒したのだから。

「ミスター・パンチ」ぼくはいった。「おまえを逮捕する」

「くそったれめ」彼はいった。「黒いアイルランドのくそったれの犬め」

「おまえはここで友だちをつくれそうにないな、パンチ」ぼくはそういいながら、パンチの両腕を背中にねじり上げたうえで立たせたから、少なくとも自分から肘の骨を折りでもしないかぎりはどこにも逃げられはしなかった。

　彼はもがくのをやめて顔をねじり、片方の目でぼくを見られるまで振り仰いだ。「あんたはおれをつかまえたわけだ、サツの旦那。これからおれをどうするつもりだい？」

　これはいい質問で、喉のくぼみに食いこむ急な鋭い痛みはぼくに、時間が尽きかけていることを思い出させた。

「処刑を判断する治安判事がおまえをどう裁くか見てみよう」

「ド・ヴェイルか？」ミスター・パンチが訊いた。「ああ、ぜひそうしてくれ。きっとあいつはおいしいだろうな」

　レヴナント——暴動と叛逆の霊。ばかめ、とぼくは心のうちでつぶやいた。こいつは幽霊を喰らう。もっと強力な何かが必要だ。ゲニイ・ロコルム、土地の神や精霊は幽霊よりも力が強い、とブロックが書いていた。裁きの神はいるだろうか？　それにどこで彼を――またば彼女をみつけたらいいのだろう？

そのときになって、ぼくは思い出した。オールド・ベイリーのドーム屋根のてっぺんに、女性の像が立っている。彼女はそれぞれの手に剣と秤《はかり》を構えている。裁きの女神などというものが存在するかどうかは知らないが、ミスター・パンチが知っているほうに喜んで大金を賭けてみよう。

「オールド・ベイリーのよきご婦人に尋ねにいくっていうのはどうだ？」ぼくはもちかけた。

ミスター・パンチがびくっと身体をこわばらせたから、自分が正しく賭けたのだとわかった。彼はまたしてもあがきはじめ、ぼくの顎を狙って後ろに頭をぶつけようとしてきた。が、こんなのは警官にとって新しい技でもなんでもなかったから、相手の頭が届かないところに難なく自分の頭をそらした。

「今度こそ、おまえは十三階段をのぼることになるぞ」ぼくはいった。

ミスター・パンチがぐったりしたから、観念したのかと思ったが、やがてぼくの手につかまれたまま身を震わせはじめた。はじめは泣いているようにも見えたが、じきに笑っているのだと気づいた。

「そいつは少し難しいとわかるだろうな」彼はいった。「あんたは街からとび出しちまったらしい」

見まわしてみて、彼のいうとおりだとわかった。ぼくらは時代をさかのぼりすぎて、今やロンドンは跡形もなく、小屋や、北にローマ人の宿営地である木の杭の柵が見えるばかりだった。石造りの建物など何ひとつなく、伐《き》り出してきたばかりのオーク材の板囲いや熱い松ヤニのにおいしかしない。ただひとつだけ、完全なものが建っていた——橋が。百メートルも離れていないところに、四角く切った木材が組み上がっている。どちらかといえば釣り用の桟橋のように見え、度を過ごして、あふれんばかりの興奮の発作に駆られるうちに向こう岸まで川を渡してしまったかのようだった。

橋をなかばまで渡ったあたりに人の群れが目についた。太陽の日射しが真鍮の鎧《よろい》に照りつけて光り、一列に並んだ軍団兵《レギオナリー》が気をつけの姿勢で立っている。その向こうには特別なときのためにまばゆいばかりに白く染めた上衣《トーガ》姿の市民がかたまりあって、粗野なズボンと真鍮の首鎖《トルク》姿の男女や子どもたち数十人を見守っている。

ぼくは急に、ママ・テムズが何を教えようとしていたのかわかった。

ミスター・パンチもわかったのだと思う。なぜならぼくが彼を引きずって橋を渡りはじめ、トーガ姿の士官たちの前に連れていくあいだ、あらがいつづけたのだから。これはさらなる過去からのこだまで、この街の織り地にとらわれていた記憶だ——目の前にパンチを投げおろしたときも、彼らはなんの反応も見せなかった。ローマの歴史を学校で習ったのは五年生のときだったから、あまりくわしく年号を習うこともなかったが、ローマ時代のブリテン島の暮らしがどんなだったかは、グループ学習でたっぷり調べたことがある。そのおかげで、紫の筋がはいったストールを頭に巻いているのが式をとりおこなう祭司だとわかった。それに彼の顔も見分けがついた。もっとも、生身の彼と会ったときよりはずっと若く見えたが。そのうえ、ひげはきれいに剃《そ》り、黒い髪を肩まで垂らしている。だがそれは、前にテムズ川の水源の柵にもたれているのを見かけたのと同じ顔だった。テムズ川の〝老人〟の霊の若かりし時代の姿だった。

あまりにたくさんのことが急にはっきりしてきた。

「ティベリウス・クラウディウス・ウェリカ」ぼくは呼びかけた。

白昼夢から目覚めた者のように、祭司はぼくに目を向けた。ぼくを見て、彼はおもしろがるようににんまりした笑みを浮かべた。

「おまえは神々からの贈り物に違いない」彼はいった。

「助けてください、ファーザー・テムズよ」ぼくはいった。

ウェリカは一番そばにいた軍団兵から投げ槍《ピルム》を奪い取り――兵士は反応しなかった――それをぼくに渡した。切ったばかりのブナの木の枝と、濡れた鉄のにおいがした。何をすればいいのかはわかっていた。ぼくは重たい槍を振り上げ、そしてためらった。

ミスター・パンチはその奇妙にかん高い声で悲鳴をあげ、大声でわめいた。「かわいい、かわいいレスリーにとっての慈悲じゃないか。あんたはレスリーの顔がはがれ落ちてもなお愛してやれるのか？」

これは人間ではない、とぼくは自分にいって聞かせ、そして投げ槍をミスター・パンチの胸に突き入れた。血は出なかったが、皮膚を貫くときの手ごたえを感じ、筋肉を、そしてついには橋の板まで突き通るのを感じた。暴動と叛逆のレヴナント霊は標本箱の中のチョウチョのように串刺しにされていた。

そして、人は現代教育など時間の無駄だという。

「わたしは川に、生け贄を乞うた」ティベリウス・クラウディウス・ウェリカはいった。

「そしてそれは供《きょう》された」

「ローマ人は人を生け贄にすることに眉をひそめてたんだと思ってたけど」ぼくはいった。

ウェリカが笑った。「ローマ人はまだやってきてもいない」

ぼくは見まわした。彼のいうとおりだ。ロンドンの形跡はもうどこにもなく、橋さえもなくなっていた。その一瞬、ぼくはアニメのキャラクターのように空中に浮かんでいたが、やがて川に落ちた。テムズ川は冷たく、山のどんな清流にも負けないくらい澄んでいた。


ぼくはひどく濡れてべっとりしているのを感じながら目を覚ました。血が胸もとを汚し、どの時点かでちびってパンツを濡らしていた。おそらくは彼女が嚙みついたときにだろう。血の気がうせ、身体にぽっかり穴があいたようで、力が入らない。ぼくは身体をまるめて、すべて現実ではないふりをしたかった。

「あれが」ぼくはつぶやいた。「歴史調査の手段として人気になることは絶対になさそうだな」

誰かがげえっとえずいていたが、驚いたことにぼくではなかった。モリーが身体を折り曲げ、顔をそむけて髪の毛で隠したまま、自分の手できれいに磨いたタイル床に血を吐いていた。ぼくの血だ、と考えながら、ぼくは起き上がった。頭がぼうっとしていたが、倒れはしなかった――これはいい兆候に違いない。モリーは大丈夫だろうかと一歩近づきかけたが、彼女はぼくのほうに腕を突き出して、手のひらを向けて激しく押しのけるしぐさをしたから、ぼくはあとずさった。

そうしたいと考えた記憶もないまま、気づいてみるとまたしても床にすわりこんでいた。息が切れていたし、首筋の脈が激しく打ちつけるのが感じとれた――どれも失血の症状だ。少し休んだほうがよさそうだと判断して、ひんやり冷たいタイルの上に寝ころがった。頭に血が流れるようにしておいたほうがいい。ひどく疲れているときには、硬いタイルの表面でさえどれほど快適に思えるかは驚くばかりだ。

さわさわと衣擦《きぬず》れの音を聞いて、ぼくは頭をめぐらした。モリーが、なおもしゃがみこんだまま、ぬめぬめした赤い嘔吐物のたまりに背を向け、ぼくのほうににじり寄ってくる。頭をかしげ、唇はめくれ上がって歯が剝き出しにのぞいている。ぼくは本当に大丈夫だから助けにきてもらう必要はない、と告げようとしたそのときになって、彼女の頭にあるのはたぶんそういうことではないのだろうと気づいた。

ひどく気にかかるクモのような動きで、モリーは片方の腕を頭ごしに振りおろし、顔の前のタイルをぴしゃりと叩いた。腕を震わせながら、モリーはさらに数センチぼくに近づいた。

彼女の目をのぞきこむと、真っ黒で白目の部分がどこにもなく、そして飢えと絶望に満ちていた。

「モリー」ぼくは呼びかけた。「本当にこれがいい考えだとは思わないな」

彼女は別の方向に頭をかしげ、シューッとうなる音をたてた。笑い声と泣き声の中間ぐらいのようなものを。がばっと身を起こしたためにぼくは視界がせばまってめまいがし、また横になりたいという衝動にあらがった。

「きみは心の中で葛藤《かっとう》してるらしい」ぼくはいった。「ぼくを夕食にしてしまったら、ナイティンゲールに知れたとき、きみがそれをどう感じるか考えてみるといい」

ナイティンゲールの名を聞いて彼女は動きを止めたが、それも一瞬でしかなかった。もう一方の手が頭ごしに振り上げられ、ぼくの足のすぐ手前でぴしゃりと床を叩いた。ぼくはできるかぎりの力でそれを払いのけ、なんとか一メートルの距離をあけた。

そのせいで彼女をいっそう怒らせただけらしく、ぼくが見守る前で彼女は足を引き寄せて身体を起こした。最初に噛みついてきたときの動きがどれほどすばやかったかを思い出し、彼女がとびかかってくるのがそもそも見えただろうかと考えた。だとしても、このままじっとすわっていて、無抵抗にやられるつもりはなかった。ぼくは火の玉を集めはじめたが、フォルマは急にすべりやすくなって、うまく思い描くことができなかった。

モリーはふんと鼻で笑い、頭を横にねじった。まるで蛇のように首が自由にまわるようになったかのようだった。彼女の曲げた背中とまるめた肩のこわばりがつのるのが見てとれた。

ぼくが魔術を使おうとしたのを彼女は感じとったように思えたし、ぼくにその機会を与えるつもりはないように思えた。彼女の口があまりにも大きく開き、あまりにもたくさんの尖った歯をのぞかせた。ぼくの遠い祖先であるチューチュー鳴く小さな哺乳類の本能が、ぼくの足をあわてて動かさせ、必死に身体を後方に進めようとした。

湿ったカーペットのようなにおいのする茶色の物体がぼくのわきをさっとかすめ、タイルの上でかぎ爪をすべらせてぼくとモリーのあいだで止まった。それはトビーだった。野営の炎のまわりで暮らす太古の時代にすっかり戻ったかのように、人間の最良の友として、〝おお、このためにこそおれたちはこのいまいましいやつらを手なずけたんだ〟モードで、モリーに対してあまりに激しく吠えたてたから、そのたびに前脚が床からとび上がったほどだった。

正直にいえば、モリーはおそらく顔を突き出してトビーの鼻面を嚙みちぎることもできたろうが、そうする代わりに彼女はびくっとしてあとずさった。そうして彼女はまたしても顔を突き出してシューッとうなった。今度はトビーがびくっとしたが、愚かにも引くときを知らない小型の好戦的な犬の長き伝統に従って、その場からてこでも動こうとしなかった。

モリーはしゃがみこんだまま後ろ脚だけで立ち、顔には怒りの仮面が貼りついていたが、そのとき、スイッチが切れたかのように、いきなりぐったりと膝をついた。垂れた髪の毛が顔を覆い隠し、肩を震わせた——すすり泣いているのかもしれない。

ぼくは身体を引きずるようにして立ち、よろよろと裏口のほうに向かいだした。誘惑のみなもとを、害のおよばない距離まで遠ざけておくのが最善だろうと考えた。トビーもしっぽを振りながら、ぼくのあとからとことこ駆けてくる。扉わきの側柱にぶつかりながらなんとか外に出たぼくは、日射しのもとで錬鉄の階段を目の前にしていた。階段は馬車置き場の上階へとのぼっている。階段を見つめながら、エレヴェーターを設置しておけばよかった、または少なくとも、もっと大きな犬を飼っておけばよかったと考えた。

トビーがいっしょに階段の上までついてこようとしなかったとき、ぼくは何かがおかしいことがわかった。

「そこで待ってるんだ、トビー」とぼくが声をかけると、彼はいわれるまま階段下の踊り場にすわりこみ、勇敢な行為はぼくにまかせた。自分も引き返すことを考えてみたが、とにかくくたくたであまり気にもならず、それにここはぼくの部屋で、ぼくのフラットスクリーンのテレビがあって、ここを取り戻したかった。

ぼくはドアのわきに立ち、足で押し開けて、中に誰がいるのか側柱ごしにおそるおそるのぞきこんだ。そこでぼくを待っていたのはレスリーで、寝椅子にすわってナイティンゲールの杖を膝の上に置き、虚空をじっと見つめていた。ぼくがそっと部屋に入りこむと、彼女がちらっと目を向けた。

「あんたはわたしを殺した」彼女はいった。

「どこからやってきたにしても、そこに戻るわけにいかないのか？」

「わが友なしじゃ無理だ」彼女はいった。「ミスター・パンチなしじゃ。あんたはわたしを殺したんだ」

ぼくは安楽椅子にぐったりと腰をおろした。

「おまえは二百年も前から死んでたはずだ、ヘンリー。すでに死んでいた者を殺せやしないことはひどくはっきりしてる」もしそんなことができるなら、ロンドン警視庁がそれに見あった対策をとらないといけないだろう。

「同意しかねるな」レスリーはいった。「とはいえ、わたしは人生の幕の両側で失敗したことを証明したといっておかないといけないが」

「どうかな。おまえはぼくをすっかりだましとおした」

レスリーは顔を向け、ぼくを見た。「そのとおり、だな」

レスリーの鼻梁《びりょう》のまわりに細く青い筋がいくつも伸びて広がっているのが見えた。破れた血管の繊細なレース飾りで、それは口のまわりから広がりはじめ、冬のツル草のように頬までのぼっていった。彼女の話し方さえも変わって、折れた歯や損傷を隠す必要からヘンリー・パイクが口を閉じさせておこうとするために、言葉も不明瞭だった。ぼくは胸の奥からわき上がってくるような怒りを抑えこまないといけなかった。なぜならこれは人質交渉で、その第一のルールはけっして感情に押し流されないようにすることだからだ。それとも、〝人質が解放されるまでは誘拐犯を殺すな〟だろうか——いずれにしてもそのどちらかだ。

「振り返ってみれば」ぼくはいった。「いっそうみごとだったのは、おまえが一度も化《ば》けの皮をはがすようなへまをしなかったことだな」

「一度も疑ってなかったのか？」レスリーがうれしそうに尋ねる。

「ああ。完全に信じきってたよ」

「女役は、いつだって難しい挑戦だ。それに、現代の女となると二重に」

「彼女が死なないといけないのは残念だな」

「これは知っておいてもらいたいんだが、この器《からだ》を支配していることに誰よりも驚いたのはこのわたしなんだ」レスリーはいった。「その責任はあのイタリア人、ピッチーニにある。情熱的な連中だからな。イタリア人はすべての活動に欲望を織りこまずにいられない——宗教上の作品でさえも」

ぼくはうなずき、興味のある顔をよそおった。コンセントにはつながっているのに、テレビとDVDの待機ランプは暗いままだ。レスリーはぼくの電子機器すべてから吸いとってしまえるくらい長いあいだ、ここですわっていたことになる。そしてそれがすっかりなくなれば、次は確実にレスリーの脳が供給源になる。それまでにヘンリー・パイクの最後の残りをレスリーの頭から追い出さないといけなかった。

「演劇とはそういうものだ」レスリーがいった。「場《シーン》や幕《アクト》は、退屈なこの世界よりもはるかに秩序だっている。誰かが気をつけていないと、役柄の性格に流されてしまう。そうやって、プルチネッラはわたしたち両者をあざむいたのだ」

「だけど、おまえもレスリーを生かしておきたいかい？」

「可能なのか？」

「おまえが同意するなら」レスリーは身を乗り出して、ぼくの手を取った。「おお、だが、そうするとも、坊や。ヘンリー・パイクは不作法なあまり、自身の哀れな運命を罪のない者にまで押しつけたなどと後世の人々にいわせるわけにいかない」

彼がそういったとき、あとに残してきた死と悲嘆の筋道をうすうす感じとっているのだろうかと、ぼくは本気でいぶかしんだ。おそらくそれは、幽霊であることの効能のひとつなのだろう。おそらく死者にとって生者の世界こそは夢であり、あまり深刻にとらえるべきものでもないのだろう。

「なら、医師を呼ばせてくれ」ぼくはいった。

「あのスコットランド人のイスラム教徒か？」

「ドクター・ウォリッドだよ」

「彼ならこの娘を救えると思うか？」

「できると思う」

「ならば、ぜひ呼んでくれ」

ぼくは外の階段の踊り場に出て、予備の携帯電話のバッテリーを入れてドクター・ウォリッドに連絡した。ドクターは十分以内に到着できるといって、そのあいだにぼくがしておくべき応急処置を指示した。ぼくが部屋に戻ると、レスリーは期待するように顔を向けた。

「ナイティンゲールの杖をもらってもいいかな？」ぼくは訊いた。

レスリーはうなずき、銀の持ち手のついた杖を差し出した。ドクター・ウォリッドにいわれたとおりに握りの部分をつかんだが、何も起こらず、ただ金属のひんやりした冷たさを感じただけだった――杖は完全に魔法を吸いとられてしまっていた。

「あまり時間がない」ぼくはいった。寝椅子の背もたれには、そこそこきれいなカバーがかかっていた――ぼくはそれをつかんだ。

「本当に？」とレスリー。「ああ、なんたることか。というのも、時間が近づくとともに、離れるのが惜しくなる」

ぼくはシーツを太いひも状にちぎっていった。

「レスリーとじかに話せるかな？」

「もちろんだとも、坊や」

「レスリー、大丈夫かい？」

ぼくに見てとれるかぎり、外見上はなんの変化もなかった。

「はっ」彼女がいった。声の調子から、ぼくには本物のレスリーだと確信があった。「今のはばかげた質問だよね。顔の崩壊は起こった、そうでしょ。わたしにも感じられる……」

彼女は自分の顔に手を上げかけたが、ぼくはやさしくその手をおろさせた。

「すべてうまくいく」ぼくはいった。

「あなたって、嘘をつくのがほんとにへたね。わたしがいつもしゃべる役を担当しないといけなかったのも無理ないくらい」

「きみはそれほどまでに天与の才能があった」

「才能じゃない。ハードワークのたまものよ」

「きみはそれほどまでにハードに働く天与の才能があった」

「ばかばかしい」彼女はいった。「警官になったとき、顔がはがれ落ちる危険があるなんて、連中はなんにもいってなかったと思う」

「そうかな？　ネブレット警部のシャベルみたいに平たい顔を覚えてるかい？　彼の身にも同じことが起こったのかもしれないぞ」

「わたしは大丈夫だよって、もう一度いって」

「きみは大丈夫だよ」ぼくはいった。「今から、これできみの顔を覆う」

ぼくはシーツの切れ端を示した。

「よかった。そう聞いて、自信でいっぱいになった」彼女はいった。「これから何が起こるにしても、そばにいてくれるって約束してくれる？」

「約束するよ」ぼくはいって、ウォリッドの指示どおり彼女の頭にシーツの切れ端をきつく巻きはじめた。彼女が何かもごもごといったから、これが終わったら口の部分に穴を開けてやるからといって安心させた。うちの母方のおばさんからスカーフの巻き方を教えてもらったとおり、シーツをしっかりと結んだ。

「ああ、よかった」約束したとおりに穴を開けてやると、レスリーがいった。「今やわたしは、女透明人間《インヴィジブル・ウーマン》」

ほどけないように確実にするために、うなじのところでもシーツを結んでおいた。寝椅子のそばにエヴィアンのペットボトルをみつけ、それを使って間に合わせの包帯を湿らせた。

「今度はわたしを溺れさせるつもり？」レスリーが訊いた。

「ドクター・ウォリッドがこうするようにっていったんだ」これは傷口が包帯に貼りつかないようにするためだ、とはいわずにおいた。

「冷たいよ」

「ごめん。もういっぺん、ヘンリーに戻ってもらう必要がある」

ヘンリー・パイクがあからさまな期待をこめて戻ってきた。「わたしはどうすればいいのかな？」

ぼくは頭をすっきりさせ、手を開いて言葉を唱えた――「ルクス！」手の上にワーライトが花開いた。「この光がおまえを元の歴史上の場所に連れていく。ぼくの手を取ってくれ」

彼はためらった。

「心配するな。火傷はしない」

レスリーの手がぼくの手を包みこみ、彼女の指のあいだから光がもれた。魔術がどれくらいもつかぼくにもわからなかったし、そもそもモリーに血を吸われたせいであまり力が残っていないかもしれない。だが、ときには最善を願うしかないこともある。

「よく聞くんだ、ヘンリー。これはおまえのための時間、派手な退場シーンだ。照明は暗くなり、おまえの声も弱まる。だけど、観客が最後に目にするのはレスリーの顔だ。彼女の顔のイメージをたもつんだ」

「やっぱり去りたくない」ヘンリー・パイクがいった。

「そうしないといけない。それこそは役者の本物の偉大さのしるしだ——退場するまさにふさわしい瞬間をわかってるのが」

「なんて賢いんだろうな、ピーター」ヘンリー・パイクがいった。「それこそは、本物の天才のしるしだ。大衆に演技を見せ、それでいてプライヴェートな部分はたもつ。秘密の部分を、誰も知り得ないことを……」

「彼らにもっと観たいと思わせつつ去ること」ぼくは声に必死さがあらわれないようにつとめた。

「そう」とヘンリー・パイクがいった。「彼らにもっと観たいと思わせつつ去ること」

そうして、キューの合図どおりに、おしゃべりなろくでなしの幽霊は去っていった。

鉄の階段に重たい足音が聞こえてきた。ドクター・ウォリッドと救助の騎兵隊が到着した。レスリーの顔を覆っていた白いシーツに赤いしみがたちまちのうちに広がっていった。彼女が息をしようとしてゴボゴボいい、喉を詰まらせるのが聞こえた。大きな手がぼくの肩に置かれ、劇的なやりとりもなく、ぼくをわきにそっと押しのけた。

ぼくはそのまま床に倒れた——今なら少し眠る時間がとれそうだと思った。

14 仕事《ジョブ》

病院のベッドに寝ている若者の名はセント・ジョン・ジャイルズといい、オックスフォード大学ラグビー部のナンバー・エイト、またはボート部のナンバー・シックスか何かで、ひと晩楽しむためにロンドンにやってきていた。ふわふわしたブロンドの髪が汗で額に貼りついていた。

「何があったのか、警察にはもう話したんですけど、全然信じてもらえなくて。なのに、なぜまた？」

「なぜなら、わたしはほかの連中が信じないことを信じるからですよ」ぼくはいった。

「どうしておれにそれがわかるんですか？」

「とにかく信じてもらうしかありませんね」

上掛けのシーツが胸まで覆っていたから怪我の具合が見えるわけではなかったが、ぼくの視線は彼の下腹部へとしきりにただよっていった——交通事故か顔にできたひどい疣《いぼ》のように。彼はぼくが見ないようにしていることに気づいた。

「これだけは信じてもらってかまいませんよ」セント・ジョンはいった。「傷口を目にしたくはならないでしょうね」

ぼくは見舞いのブドウを一粒、勝手につまんだ。「何があったのか話してもらえますか」

セント・ジョンは仲間数人と飲みに出て、レスター・スクウェアの裏手にあるナイトクラブを何軒かはしごすることになった。そのときにすてきな若い女性と出会い、アルコールを盛んにすすめたあとでいちゃつくために彼女を暗闇に誘いこんだ。今こうして振り返ってみると、たぶん誘い方が少し熱心すぎたかもしれない、とセント・ジョンは自分から認めていた。が、彼女も熱心についてきたことは神に誓って証言した。または、少なくともあまり激しく逆らいはしなかった、と。これはオペレーション・サファイア、すなわちロンドン警視庁のレイプ捜査班の捜査官が始終聞かされているに違いない、うんざりするほど馴染みのある話だった。少なくとも、彼女が彼のものを嚙みちぎる手前までは。

「彼女のヴァギナで？」ぼくはただはっきりさせるために尋ねた。

「そうなんです」とセント・ジョン。

「間違いなく？」

「間違えるようなことじゃありませんよ」

「それで、そこに歯がついていたというのも？」

「歯のように感じました。けど、正直いって、あのあと何があったのか考えるのはもうやめにしたんです」

「彼女は何か、ナイフや割ったボトルなんかできみのものを切ったんじゃないのかな、たぶん？」

「おれは彼女の両手をつかんで抱きしめてたんですよ」彼はそういって、手でつかむしぐさをした。なんとなくではあったが、要点はつかめた――彼は女性の手首を壁に押さえつけていたわけだ。

なんたる王子様だ、と思いながら、ぼくはそれまでの事情聴取で彼が話した証言を確認した。「彼女の容貌は、長い黒髪に黒い目、色白な肌、とても赤い唇、といってたかな？」

セント・ジョンは熱心にうなずいた。「日本人みたいな外見で、ただし日本人じゃない。きれいだけど、目がつり上がってはいなかった」

「彼女の歯は見たかい？」

「いいえ、さっきもいったように……」

「そっちの歯じゃなくて、口の中の歯だ」

「覚えてませんね。重要なんですか？」

「かもしれない。彼女は何かしゃべった？」

「どんなふうな？」

「どんなって、何かひと言でも」

彼は困惑した顔でその点を考えてみて、いっしょにいたあいだ彼女はひと言もしゃべらなかったように思うと認めた。ぼくはさらにいくつか質問したが、セント・ジョンは自分の出血のほうで忙しくて加害者がどこに行ったのか気づきもしなかったし、彼女の名前ははじめから聞いておらず、もちろん電話番号も知らなかった。

状況を考えてみれば、彼はよくやっていると思う、とぼくは彼にいってやった。

「今のところ」と彼はいった。「じつにまじめな瞑想をしてるんです。これが片づいたあとでどうなるのかについては考えたくありません」

病室をあとにするときに、ぼくは医師に確認した――失われたペニスはみつからなかったそうだ。ノートに証言を書きつけ終わると――ここまではロンドン警視庁の正式な捜査だ――ぼくは上の階のレスリーを訪ねにいった。彼女は顔を包帯にぐるぐる巻きにされたまま、まだ眠りこんでいた。ぼくはしばらく彼女のベッドのかたわらに立っていた。ドクター・ウォリッドはぼくが彼女の命を救ったのだと断言していたし、おそらく再生手術が成功する見こみも増えたろうといっていた。しかし、彼女がぼくといっしょに組んでいたために、あやうく殺されかかったのだと考えずにはいられなかった。彼女がコーヒーを取りにいって、ぼくが幽霊に出会ったあのときからまだ六カ月もたっていない。そして、あれだけが包帯を巻いているかいないかの差になったのかもしれないと考えると恐ろしかった。

それほど恐ろしくはないにしても、はるかに気が滅入るのは、それがなぜあの凍てつく一月の夜にはじまったのかと解明することだ。もっと正確にいえば、あの晴れた冬の日に、ハムステッド・ヒースで犬のトビーがブランドン・クーパータウンの鼻を嚙んだときにはじまっていた。それはリンベリー・スタジオ、すなわちロイヤル・オペラ・ハウス内のもうひとつの小さな劇場で、《既婚の放蕩者《マリッド・リバティーン》》というあまり知られていない演劇が再演されたのと同じ週だった。劇場での初演は一七六一年で、ぼくにいえるかぎり、世界じゅうのどの都市でも、それ以降二度と上演されることはなかった。その原作者がチャールズ・マックリンだった。ロイヤル・オペラ・ハウス側は、懸命に手を尽くしてぼくのために予約記録を確認してくれた。おそらくは、ぼくが二度と再び戻ってこないようにと願っていたのだろう。そしてウィリアム・スカーミッシュとブランドン・クーパータウンが同じ晩にこの公演を観にきていたことをみつけ出した。ふとした偶然の重なりが、ウィリアム・スカーミッシュやほかにも彼のあとで怪我を負ったり死ぬことになった者が巻きこまれた原因だというのは――さっきもいったように――気の滅入るものだった。

ナイティンゲールはぼくにいったものだ。助けになりたいなら、もっと懸命に研鑽し、もっとすばやく学ぶのだ、と。仕事をこなせ、と。

もっと長くとどまっていたかったが、ほかにも予定があった。

隣接した病室にいるナイティンゲールは目を覚ましていて、ベッドに起きなおって《テレグラフ》紙のクロスワードを解いていた。ぼくらは失われたペニス事件について話しあった。

「〝歯のある女性器《ワギナ・デンタタ》〟だな」とナイティンゲールはいった。それがかなり一般的な事象で専門用語まであることに安心すべきなのか、ぼくにはよくわからなかった。「東洋のものということもありうる。チャイナタウン経由で」

「日本人じゃないそうです。その点について、被害者ははっきりと確信してます」

ナイティンゲールはぼくに、時間のあいたときに図書室で調べてみるべき書物のタイトルをいくつか教えてくれた。

「だが、今日はそのときではない」彼はいった。「不安なのかな？」

「いろいろなことが、まずいほうにころびかねません」

「とにかく何も飲むな。それさえ守っていれば大丈夫だ」

愚壮館《ザ・フォリー》へと歩いて戻るあいだに、ぼくは幽霊のペニス・スナッチャーの正体について疑惑を新たにした。館に入るなり、モリーを探しにいった――彼女はキッチンでみつかった。キュウリを刻んでいるところだった。

「最近、クラブに遊びにいったことは？」ぼくは訊いてみた。

彼女はキュウリを刻む手を止め、振り返ってぼくをまじめな黒い目で見据えた。

「ほんとかい？」

彼女は肩をすくめ、またキュウリを刻みはじめた。この件についてはナイティンゲールに考えてもらうことにした――はっきりした指揮系統があるというのはすばらしいものだ。

「それってドライヴのときのランチかな？」ぼくは訊いた。「キュウリのサンドイッチ？」

モリーは残りの具材を示した――サラミとレヴァー・ソーセージだった。

「からかってるんだろ？」

彼女は憐れむような目つきでぼくを見て、再生紙を使ったスーパーの袋に入れたランチをぼくに渡した。

ガレージには、スーツケースが六つ以上もジャガーのそばに積み上がっていた。それに加えて、ビヴァリーは大きなショルダーバッグを抱えていて、あとでわかったことだが、中には〈ペッカム・ヘアサロン〉の一番上の棚に並んでいたものがまるごと詰めこまれていた。ビヴァリーは田舎についていろいろと話を聞かされていて、どんなリスクも冒さないつもりらしかった。

「なんであたしなの？」彼女はぼくがジャガーに荷物を積みこむのを見ながら訊いた。

ぼくはドアを開けてやった。彼女が乗りこみ、シートベルトを締め、ショルダーバッグを大事そうに膝の上に抱えた。

「それが同意事項だからだ」

「誰もあたしに訊きもしなかったのに」

ぼくも車に乗りこみ、グラヴ・コンパートメントにチョコ・バーが二本とスパークリング・ウォーターのボトルがあることを確認した。非常用のたくわえがきちんと積みこまれていることに満足すると、ジャガーのエンジンをかけ、ガレージから出した。

M4号線のジャンクション3を過ぎるまでビヴァリーは黙りこんでいた。

「あれがクレイン」彼女がいった。

「どれが？」

「クレイン川。さっき渡ったのがそう」

「きみの姉妹の一人かい？」

「こっち側を流れてる最後のひとつ」

ジャンクション15でM25号線に合流し、ぼくらは南をめざした。ありがたいことに、交通量は少なかった。ヒースロー空港に最終アプローチを試みるエアバスのA三八〇がぼくらの進路上を横切り、あまりに低いところを飛んでいったから二段に並んだ窓から外をのぞきこんでいる顔まで見えたことは誓ってもいい。

「どうして彼女は家族会議の場にいなかったんだ?」ぼくは訊いた。

「あの人は絶対に田舎には行かないから。いつだって飛行機でどこかに飛んでいって、バリからメールをよこしたり、リオから絵はがきを送ってよこすの。ガンジスにも泳ぎに行ってたよ、ほら」ビヴァリーが、最後の行き先には畏《おそ》れのこもった賛成しかねる意見をにじませながらいった。

わが国の教育カリキュラムのおかげで、ぼくでさえガンジスがインドでもっとも聖なる川であることは知っているが、正直なところなぜなのかまでは思い出せなかった。火葬の薪《まき》や詠唱に関係した何かだ。ぼくはそれを、あとで調べてみるべきもののリストに加えた――リストはどんどん長くなりつつあった。

最終的にぼくはこうしてやっかいな妥協案を思いついた。ブロックが書いているように、ゲニイ・ロコルムに契約の単純な交渉をさせることはできない。シンボリズムが含まれないといけなかった。忠誠の誓いは問題外で、王朝間の婚姻はママ・テムズとファーザー・テムズのどちらにとっても苛酷すぎる運命だ。そこでぼくは人質の交換を提案した。川の上下半分ずつの結びつきを確固たるものにするため、信頼を得るための手段だ。今なお間違いなく神授の王権を信じている両者に訴えかけるような、中世ふうのぴったりな解決策だった。典型的な英国ふうの妥協策で、糸と封蠟と古い神《OG》のネットワークによって結びつけておける。人質交換の実践を学校の歴史の授業やシエラ・レオネの植民地時代以前の生活の物語から思いついたといえたらいいのだが、実際のところは十三歳のころにダンジョンズ&ドラゴンズをプレイしていてこのやりとりに出くわしたのだった。

「なんであたしじゃないといけないの？」ビヴァリーはその提案を知らされたあとでいったものだ。

「タイバーンには無理だろ」ぼくはいった。「和平や善意のしるしとして、タイバーンを誰かに押しつけるわけにはいかない。それに、ブレントは幼すぎる」

ほかにも娘はいた。ぼくが一度も聞いたことのない川のニンフもいれば、ぽっちゃりの、にこにこした若い女性もいて、彼女の正式な名前は〝黒いどぶ川《ブラック・ディッチ》〟といった。誰も彼女に面と向かってそう呼ぶわけではないが。ママ・テムズは、ビヴァリーなら田舎者のあいだにおいておいても一番彼女に恥をかかせることがなさそうだと考えたのだろう。向こうの人質はアッシュと呼ばれていて、彼の川の一番の名誉はシェパートン映画スタジオを貫いて流れていることだ。

人質の交換は六月二十一日、夏至の日にラニーミードでおこなわれる予定になっていた。ぼくらの招待主はコルネ・ブルック、〝川の老人〟の息子で、同時にアッシュの父親でもあった――テムズ川の支流はひどく複雑にからみあっている、とりわけ二千年もの〝改良工事〟のあとでは。彼らの組織の真の頭脳はオクスリーではないかとぼくはにらんでいた――彼は偶然の余地を残そうとはしなかった。その点については、ハイズ・エンドのややこしい道を抜けていくあいだに道路のわきに手書きの標識がつづいてあらわれたことで確証された。その標識をたどってぼくらは準独立《セミ》式住宅の並ぶ袋小路を迷うことなく進み、その突きあたりには門があって、にわかづくりの駐車場になっていた。

門のところでイシスがぼくらを出迎えてくれた。十代の男の子たちがいっしょで、みんなよそ行き用の晴れ着を着て、ジャガーのまわりに元気よく駆け寄ってきて、荷物を持たせて、と要求した。わら色の髪のわんぱく小僧が、ジャガーが無事であるように見張りをする代わりに五ポンドを要求してきた――傷ひとつついていなければ十ポンド出そう、とぼくは約束した。もちろん、支払いは戻ってきたときにだ。

イシスはビヴァリーを抱きしめ、ビヴァリーはようやく化粧品のかばんを手ばなすよう説得され、彼女のあとから門の先の広場に入りこんだ。ファーザー・テムズは小修道院のそばの古いイチイの木陰に〝玉座〟を設けていた。彼のまわりには息子たちが、妻やその子どもたちといっしょに並んでいる。いずれも作業用上着と頬ひげで誇らしげに着飾っていた。全員が黙ってぼくらの近づいてくるのを見守っている。あたかもビヴァリーが、ボリウッド映画のメロドラマに出てくる、しぶしぶ売られる寡婦《かふ》であるかのように。玉座そのものは古いやり方で干し草を四角くまとめた梱《こり》でつくられていた。このようなつくり方はもうイギリスの農場で一般的でないことをぼくは知っている。干し草は、手のこんだ刺繍のされた、馬の鞍敷用の毛布で覆ってあった。このときばかりは〝川の老人〟も一番の晴れ着に身を包み、ひげと髪の毛には櫛《くし》が通されて少しみすぼらしく見える程度ですんでいた。

　ぼくは玉座の前に進むビヴァリーとイシスのあとに従った。昨日、ぼくが一日じゅう彼女を指導してやったのだが、それでもイシスが実際に手本を見せてやらないといけなかった——頭を深く下げて敬意を示し、ビヴァリーがそれにならう。〝川の老人〟がぼくと目を合わせ、そしてとてもゆっくりと自分の胸に手で触れ、そして手のひらを下にして腕を伸ばした——ローマ式の敬礼だ。そうして彼は玉座から降り、ビヴァリーの手を取って彼女を壇上に上げた。

　彼はぼくの知らない言語でビヴァリーを歓迎し、彼女の両頬にキスをした。

　急に空気が、リンゴの花や馬の汗、清涼飲料水《タイザー》や水やりのホースのにおい、そしてほこりっぽい道や子どもたちの笑い声であふれた。どれも強烈で、ぼくは驚いて一歩あとずさったほどだった。筋肉質な腕が伸びてきて、ぼくの肩にまわして支えてくれた。オクスリーが、親しげに、あばらがへこむほど強烈なやり方でぼくの胸を叩いた。

「おお、きみもあれを感じたのか、ピーター？　何かのはじまりだ、おれが間違ってるんじゃなけりゃ」

「はじまりって、なんの？」

「おれにもわからん。だが、夏ははっきりと空気中にあらわれてる」

〝老人〟の一族に混じってビヴァリーの姿はもう見えなかった。オクスリーが群衆からぼくを引き離して、人質交換のもう一方の相手を紹介した。アッシュはぼくよりも頭ひとつぶん背の高い若者で、肩幅が広く、目は澄んでいて、高貴な眉で、何も考えていない。

「荷物はみんな詰めこんだかい？」ぼくは訊いた。

アッシュはうなずき、腰にさげた折りかばんをぽんと叩いた。

イシスが群衆の中からあらわれて、ぼくの頰に姉のようにキスし、いっしょに劇場に行く約束をぼくから引き出した。そのようなことも、今やこの新たに輝く夏には可能となった。

これでもうぼくはおいとましてもよかったのだが、アッシュの親族が別れを告げるのにたっぷり一時間はかかり、ぼくらがそこを離れたときにはほとんど暗くなりかけていた。

アッシュと二人でジャガーのほうに歩いて戻りながら振り返ると、ファーザー・テムズの仲間が古いイチイの木の枝にキャンプ用のランプを吊り下げていた。少なくともフィドルが二本はかき鳴らされ、カタカタ鳴る音は洗濯板《ウォッシュボード》としか思えない。ランプの黄色い光のもとで人影がはずんで踊り、普通の人間が招待されるどんなパーティでも演奏されることのない、魅惑的でもの悲しい音楽が響いていた。確信はないが、踊る輪の中にビヴァリー・ブルックの姿も見てとれたように思い、心の痛みを覚えた。

「ロンドンにもダンスはあるのかな？」アッシュが訊いた。ビヴァリーと同じくらい不安そうに聞こえた。

「もちろんだとも」ぼくは受けあった。

ぼくらはジャガーに乗りこみ、A308号線をたどってM25号線からロンドンに戻っていった。

「酒は？」とアッシュが尋ね、優先順位についてのすぐれた感覚を明かした。

「これまでロンドンに行ったことは？」

「ないよ。これまで一度も町に出たことがないんだ。父さんはそういうのに賛成しないから」

「心配いらない。基本的には田舎と似たようなもんさ」ぼくはいった。「人が多いだけで」

訳者あとがき

ロンドンは川にはぐくまれてきた街だ。

かつて世界有数の港街として栄《さか》えたこの街は、テムズの流れとともに、ローマ人のちっぽけな居留地から世界を統《す》べる帝都へと大きく発展していった。全長三百四十キロにおよぶこの母なる大河は、ロンドン近郊でフリート川、リー川、エフラ川などの支流と合流したうえで、さらに数十キロくだって北海に注いでいる。

このロンドンを舞台に、本書は一月の凍《い》てつくコヴェント・ガーデンで幕を開ける。コヴェント・ガーデンといっても日本の読者にはあまりぴんとこないかもしれない。この場所は、ロンドン塔やセント・ポール大聖堂のある〝シティ〟から見れば西側の、いわゆるウェスト・エンドに位置している。十七世紀に住居施設をともなう広場《ピアッツァ》として設計され、西側のセント・ポール教会、中央の青果市場、そして東側のシアター・ロイヤル（のちのロイヤル・オペラ・ハウス）へと発展していった。ここは今も英国演劇の中心地だ。まわりに劇場がいくつも集まり、ロンドンっ子に多くの楽しみをもたらしてくれている。

そんなコヴェント・ガーデンの教会の玄関口《ポルティコ》で、本書の主人公、ピーター・グラント巡査は死体の発見現場を見張るあいだに不思議な目撃者と出会う。男の身体は透《す》けていて、衣服も古びている。ニコラス・ウォールペニーと名乗るこの男は幽霊だった……

（ここから先はストーリイに触れるので、本文を未読のかたはご注意を）

ピーターは幽霊を追いかけるうちに、ナイティンゲール主任警部と出会うことになる。ロンドン警視庁で奇怪な事件を一手に引き受ける男、そして英国に残された最後の魔術師でもある男と。こうして彼に弟子として仕えることになったピーターは、ごく普通の市民を突然の狂気へと駆りたてる謎を追う一方で、テムズ川を支配する超自然の存在と出会う――ファーザー・テムズとママ・テムズだ。彼は両陣営のいさかいを解決する役目をまかされる。

ここで、ママ・テムズと呼ばれる人物がナイジェリア系の女性であることに注目しておきたい。イギリスはかつて世界に広がる大帝国であった歴史から、多くの移民を受け入れてきた。特にアフリカや南アジアからの移民が多く、今もこの地域からの移民だけでロンドンの人口の二割近くを占めている（主人公も母親はシエラ・レオネの出身で、元ジャズ・ミュージシャンの父親とのあいだの一人息子だ）。海を渡ってきた黒人女性が、海水の混じるテムズ川下流を支配するようになったとしても、それほど不思議はないのかもしれない。

さて、そんなおり、同僚の女性巡査レスリー・メイと五月の祭り《メイ・フェア》を見物しにいったピーターは、連続する殺人事件との関連性をみつける。そこで演じられていたのが《パンチ・アンド・ジュディ・ショー》だ。イタリアの伝承をもとにしたこの物語は、英国で一六六二年に初めてコヴェント・ガーデンで演じられて以来、三百五十年もの歴史がある。英国民なら誰しも一度は目にしたことがあろう、子どもから大人まで楽しめるドタバタの人形劇だが、内容はけっこう残酷だ。主人公のミスター・パンチは犬のトビーに噛みつかれて飼い主を棒で殴り殺し、自分の子どもをあやしていてほうり捨て、そのことをなじられると妻のジュディまで殺してしまう。そのあとも、盲目の物乞いや警官を片づけ、死刑にされかけると逆に絞首人を縛り首にしてしまう。この物語をなぞるようにして起こる事件を食い止められるのか、そして川の神々をうまくなだめることができるのかは、ピーターの双肩にかかっている。

このへんで、作者ベン・アーロノヴィッチについて触れておこう。彼は一九六四年にロンドンで生まれている。父親は共産党の論客から経済学者に転じた人で、歳の離れたベンの兄たちもジャーナリストや俳優になっている。そんな環境で育ったベン少年が文筆稼業に入っていったのもごく当然のなりゆきだったかもしれない。

まだ二十代のなかばで、彼はBBCの人気SFドラマ・シリーズ《ドクター・フー》の脚本を手がける機会を得た。一見すると華々しいデビューのようだが、そこから先はなかなか脚本の仕事に恵まれず、書物を買う金に困って、一時はウォーターストーンズ書店に勤めたこともあったという。そんな彼にようやく転機が訪れ、小説に着手しはじめて、二〇一一年に出版されたのが本書である。《ドクター・フー》シリーズにたずさわってからすでに二十年以上の歳月が過ぎていたのだから、長い雌伏《しふく》の期間だったといえよう。

本作以降、たてつづけに刊行されているシリーズは以下のとおり。

Rivers of London（2011）本書
Moon over Soho（2011）
Whispers Under Ground（2012）
Broken Homes（2013）＊六月に英国で刊行予定

作者はThe Follyという名のホームページを開設している。そう、作品中でナイティンゲール主任警部が本拠としている建物、愚壮館《ザ・フォリー》と同じ名だ。一般にfollyとは「愚かなこと、愚行」という意味だが、十八世紀の擬ゴシックふうの壮大な建造物をこう呼ぶこともある。十八世紀といえば「理性の時代」、すなわちニュートンの万有引力発見以後、彼の信奉者たちによって、数学、物理学、哲学が大いに発展した時代だ。この時代に建てられ、彼を創始者と仰《あお》ぐ魔術師たちが研鑽《けんさん》を積んできた建物が愚壮館《ザ・フォリー》と呼ばれているのも当然といえる。

さて、日本ではこれから三カ月ごとに翻訳が刊行されることになっている。

七月に刊行予定の次巻では、ピーターがジャズにまつわる殺人事件の捜査に巻きこまれる。それと、本書の最終章でちらっと触れられた、〝ワギナ・デンタタ〟の事件にも。ナイティンゲールやメイドのモリーはもちろん、レスリーも引きつづき登場するのでご心配なく。

それでは、三カ月後をお楽しみに。

訳者略歴　1969年生，1992年明治大学商学部商学科卒，英米文学翻訳家　訳書『いばらの秘剣』ウィリアムズ，『ミストボーン』サンダースン，『失われた都』スコールズ（以上早川書房刊）他多数

HM=Hayakawa Mystery
SF=Science Fiction
JA=Japanese Author
NV=Novel
NF=Nonfiction
FT=Fantasy

ロンドン警視庁特殊犯罪課1

女王陛下《じょおうへいか》の魔術師《まじゅつし》

〈FT553〉

二〇一三年四月十日　印刷
二〇一三年四月十五日　発行

（定価はカバーに表示してあります）

著者　ベン・アーロノヴィッチ
訳者　金《かね》子《こ》司《つかさ》
発行者　早川浩
発行所　株式会社早川書房

郵便番号　一〇一‐〇〇四六
東京都千代田区神田多町二ノ二
電話　〇三‐三二五二‐三一一一（大代表）
振替　〇〇一六〇‐三‐四七七九九
http://www.hayakawa-online.co.jp

乱丁・落丁本は小社制作部宛お送り下さい。送料小社負担にてお取りかえいたします。

印刷・株式会社亨有堂印刷所　製本・株式会社明光社
Printed and bound in Japan
ISBN978-4-15-020553-9 C0197

本書は活字が大きく読みやすい〈トールサイズ〉です。